KB082299

건강한 삶
속으로 2

건강한 삶 속으로 2

발 행 | 2024년 08월 05일
저 자 | 김용수
펴낸이 | 한건희
펴낸곳 | 주식회사 부크크
출판사등록 | 2014.07.15.(제2014-16호)
주 소 | 서울특별시 금천구 가산디지털1로 119 SK트윈타워 A동 305호
전 화 | (02) 1670-8316
이메일 | info@bookk.co.kr

ISBN | 979-11-410-9969-5

www.bookk.co.kr

건강한 삶 속으로

김용수

체중감량 속도 높이는 '칼로리 버너' 식품 10가지[1)]

1. 달걀

2. 뿌리채소

3. 잎이 많은 녹색 채소

4. 십자화과 채소

5. 코티지 치즈

6. 콩류

7. 키위

8. 레몬차

9. 아보카도

10. 귀리

건강한 삶 속으로

세계보건기구(WHO)의 헌장에는 "건강(health, 健康)이란 질병이 없거나 허약하지 않은 것만 말하는 것이 아니라 신체적·정신적·사회적으로 완전히 안녕한 상태에 놓여 있는 것" 이라고 정의하고 있다. 사람은 인종·종교·정치·경제·사회의 상태 여하를 불문하고 고도의 건강을 누릴 권리가 있다는 것을 명시한 것이다.

즉 과거에는, 건강이란 육체적·정신적으로 질병이나 이상이 없고, 개인적으로 정상적인 생활을 영위할 수 있는 신체상태를 말하였으나, 오늘날에는 개인이 사회생활에 의존하는 경향이 커짐에 따라서 사회가 각 개인의 건강에 기대하는 것도 많아졌기 때문에 사회적인 건강이란 면에서 이와 같은 정의가 생겨난 것으로 보인다.

한국의 헌법에는 건강을 "모든 국민이 마땅히 누려야 할 기본적인 권리" 라고 규정하고 있어 건강을 하나의 기본권적 개념으로 보고 있다. 또한 질병이 없는 상태라는 수동적 건강에 대한 태도에서, 금주·금연 등 생활습관의 변화나 운동 같은 적극적으로 건강해지려는 노력 등 능동적 태도가 강조되고 있다.

오랫동안 건강하게 사시는 분들은 그 분야에 대한 지식을 많이 가지고 있는 의사나, 운동선수가 아니다. 특정한 직업이나 지식의 정도에 따라 건강한 삶을 살 수 있는 것이 아니라, 유전적으로 좋은 바탕을 가진 사람이나 좋은 건강 습관을 많이 가지고 있는 사람들이 건강한 삶을 사는 것이다. 비록 우리는 전문적 지식을 겸비한 전문가가 아니지만 그럼에도 불구하고 우리는 건강한 삶을 살수 있다는 것이다.

건강한 삶을 위한 첫 번째가 건강한 삶에 대한 고찰과 목표 설정이라면 두 번째 중요한 것은 넘치고 치이는 많은 건강 지식들을 어떻게 판별하고, 몸에 밴 습관의 틀을 바꾸고 새로운 건강지식을 습득하여 습관화 시키는 것이다.

본인이 생각하는 건강한 삶이 무엇인지 생각해보고 목표를 결정하는 일은 스스로 시간을 내어 생각해 볼 일이다. 옳은 건강지식을 선택하고 적용하고 습관화 시키는 것은 주변의 전문가의 도움이 필요한 일이 될 것이다.

모든 사람은 잘 태어나, 잘 자라서, 잘 살다가, 잘 죽는 것을 염원한다. 좋은 가정에 잘 태어나(well born), 잘 양육(well bred)받고, 품질 좋은 삶(well being)을 살다가, 후회하지 않는 죽음을 맞이하는 것(well dying)을 바람직한 4-well 인생의 한 순환으로 본다. 우리 모두 오복으로 간주하지만 말이다.

동서양이 다 삶의 아름다운 마침을 중요한 한 행사로 상상한다. 그 중요한 한 순간이 간결하고 깨끗하며 아름다운 하직이기를 바란다. 그런 것도 '죽음 복' 으로 생각하며 살아 왔다. 요즘엔 그 원(願)을 7언 절구 "구구팔팔 이삼사" 란 실없는 농(弄)으로 주고받는다. 품위 있게 살다 품위 잃지 않고 내생으로 이사 가듯 석별하는 것이 오늘을 살고 있는 고령층의 고소원(固所願)이다.

날씨가 변하고 세상이 변화하는 이 시기에, 우리의 몸도 내 몸에서 일어나는 증세를 통해 알 수 있는 요즘, 지금까지 알고 있는 지식들을 좀 더 체계화 시키고 이해하기 쉬운 방법으로 풀어 써서 타인에게 도움이 되는 내용을 알리고 싶은 심정으로 『건강한 삶 속으로 1』에 이어 보다 실제적인 『건강한 삶 속으로 2』를 엮었다.

2024. 8. 5.

海東 金龍洙 씀

차례

들어가는 글/15

1. 여름철 눈 관리 ······17
2. 어지럼증의 원인 ······19
3. 겨울철과 뇌중풍(뇌졸중) 환자 ······20
4. 결핵 집단 감염 급증 ······24
5. 서유문에 나타난 위생론 ······27
6. 더 건강해지려면 자기 혈관 숫자 알아야 ······28
7. 우리는 어차피족인가, 최소한 족인가 ······30
8. 1번 환자 안치시킨 김진용 전문의 ······38
9. 추석까지 코로나 집콕 9개월 ······44
10. 비만과 웰빙으로 승부걸다 ······50
11. 스트 코로나 로컬 가치에 주목 ······53
12. 코로나를 이기는 묘약은 가족간 믿음이다 ······55
13. 우리의 한계는 병마보다 강하다 ······57
14. 건강 장수 식단, 소식(小食)이 새로운 등장 ······65
15. 식욕을 조절하는 포만감 ······69
16. 수면과 면역력 ······72
17. 질병권이란 잘 아플 권리 ······74
18. 질병권, 현재를 살아내기 위한 권리 ······76
19. 태반에 안수가 있다고 ······82
20. 폐경 호르몬 요법이 유방암 발생 높인다는 오해 ······85
21. 암환자에게 효율적인 예방 접종법 ······88

22. 50대 절반 앓는 전립선 비대증, 겨울철 과음·약물 주의 …90
23. 어깨 통증, 다 같은 오십견이 아니다 ……92
24. 의술의 신, 아스클레피시오의 고향에서 치유의 지혜를 ……94
25. 그리스 신화 속에 담긴 치료와 돌봄을 찾아서 ……95
26. 아스클레피오스의 신화 ……98
27. 제약·의료·바이오 ……103
28. 인간과는 달리...고릴라는 골다공증이 없는 이유 ……107
29. 인류는 질병 공동체 ……108
30. 감염병은 인류를 어떻게 변화시켰나 ……117
31. 의사들의 음모 ……126
32. 당신이 휴대폰 화면에 빠진 사이 고통받는 목뼈는 ……129
33. 좀비 인간 만드는 미생물은 없다. 광란의 춤 유발 세균 …133
34. 1분 1초가 중요한 뇌졸중, 골든 타임 놓치지 마세요 ……139
35. 도살같은 외과 수술을 혁명하다 ……142
36. 인간의 수명 연장 프로젝트 정밀의학 ……146
37. 적혈구가 바이러스의 무덤이 되는 상상 ……148
38. 정기 건강 검진, 항목 많을수록 좋을까 ……151
39. 방광에도 쥐가 날 수 있다? ……154
40. 금연·금주, 아무리 말해도 지나치지 않는 폐암·간암 ……156
41. 면역 항암제 만병통치약으로 오해, 환자에 맞는 전문 …… 159
42. 몸속 생체 전기는 생명의 전기 ……161
43. 우리 모두의 건강을 위한 상병수단 ……164
44. 무심코 넘긴 증상, 뇌종양 적신호 ……165
45. 한국판 백신 정치의 사소함 ……166
46. 갱년기 잘 보내기 ……171
47. 일어설 때마다 어질어질, 기립성 저혈압 아닐까 ……173

48. 바키나에와 마과회통 ……………………………………………176
49. 마음 건강 정책, 첫 단추가 중요하다 ……………………………178
50. 동의보감 양생법의 몸 수행이 요구된다 …………………………180
51. 마른 몸 이상화 하는 프로아나가 생기는 까닭 …………………182
52. 술은 1군 발암물질..소량 음주도 구강 · 후두암 등 ……………189
53. 구강질환 예방에 더 많은 관심 가져야 …………………………191
54. 발기부전 치료제는 나눠 먹지 마세요 ……………………………193
55. 한쪽 귀에서 갑자기 삐, 속삭이듯 들이는 돌발성 난청 …196
56. 잠만 잘자도 면역력 쑥쑥, 코로나도 두렵지 않아요 …………198
57. 불임 · 조기유산 일으키는 자궁근종 ……………………………200
58. 충치 관리도 골든 타임 지켜야 ……………………………………203
59. 뒷골 당기는 두통, 자세부터 바로 잡으세요 ……………………205
60. 조현병 공격 증상 일상행동 담겼다 ………………………………207
61. 소리 없이 여성 삶 갉아먹는 자궁근종 …………………………211
62. 울화 · 분노 쌓이는 데, 정신과 문턱 못넘는 사람들 …………214
63. 주기 위암 80%가 무증상, 위 내시경 등 검사 중요 ……………216
64. 요실금, 비슷해 보여도 해결책은 다르다 …………………………219
65. 열사병 주의보, 몸은 뜨거워도 땀 안 나면 위험 ………………221
66. 임신 중 자궁근종 ……………………………………………………223
67. 콜레스테롤, 제대로 관리하자 ………………………………………224
68. 찬바람 부는 아침, 심장 놀라게 하지 마라 ………………………227
69. C형 간염 국가검진 논의 6년째 제자리걸음 ………………………229
70. 무릎으로 한번 물을 빼면 계속 빼야 한다는 데 사실 …………232
71. 암(癌) 그리고 앎 ……………………………………………………234
72. 수술 잘하는 의사의 조건 ……………………………………………237
73. 단백질 신화의 그늘 …………………………………………………239

74. 노루궁뎅이 버섯 균사체로 발효한 옻 차 ······242
75. 아는 만큼 건강해진다 ······244
76. 약을 늘이는 것보다 줄이는 것이 어렵다 ······247
77. 당신의 간은 밤새 안녕하십니까 ······249
78. 뇌졸중 부르는 심방세동, 심전도 검사 필수 ······251
79. 우리는 어떻게 봄을 맞이해야 할까 ······254
80. 국가 암통계로 알아보는 유방암 ······256
81. 여전히 석연치 않은 갱년기 호르몬 치료 ······258
82. 항문 질환 치질 오인 많아 정확한 감별 필요 ······261
83. 급한 불끄기식 정신건강대책, 누구를 위한 것인가 ······263
84. 부정출혈 원인 진단 통해 삶의 질 유지해야 ······265
85. 소리 없이 진행되는 병 경추 척수증 ······267
86. 위암의 예방과 관리 ······269
87. 먹지 않고도 살아갈 수 있는가 ······272
88. 암(癌) 그리고 앎, 아는 것이 힘이다 ······274
89. 지방 의료원 '인턴 배분' 해 공공의료 살려야 ······277
90. 전증(간질)에 걸린다면? 뇌전증의 실제 ······279
91. 암으로부터 탈출 ······282
92. 호르몬 재생 ······284
93. 누구에게나 올 수 있는 공황장애 ······286
94. 마약환자 뇌손상 어릴수록 심각, 금단현상 지옥 고통 ······289
95. 새해 결심에서 우리가 놓치는 한 가지 ······297

나가는 글/301
참고문헌/304
주석/308

들어가는 글

"당신은 지금 건강하십니까?" 라고 물으면, 무엇이라고 대답할 수 있습니까?

"예" 혹은 "아니요" 라고 답했다면, 그 이유는 무엇입니까?

'지금 아픈 곳이 없으니까 건강하다.' 든지 '지금 감기에 걸려 있어서 건강하다고 할 수 없다.' 라는 것처럼 대부분의 사람은 현재 병이 있느냐 없느냐로 건강을 파악해 왔습니다.

그러나 건강은 병과의 관련뿐만 아니라, '체력에 자신이 있으니까 건강하다.' , '할 마음이 충분하니까 건강하다.' 라고 하는 것처럼, 체력이나 활동력 등에서 파악할 수 있습니다.

이와 같이 건강은, 신체적 · 정신적인 힘인 동시에 배움, 일함, 놀이와 같은 매일의 생활을 이루게 하는 근원임을 알 수 있습니다.

즉, 건강은 목적이 아니라, 자신과 사회를 잘 지탱해 주기 위한 중요한 수단인 것입니다. 이 때문에 건강에 좋은 환경을 만들어 주는 것에 의해 생명을 유지하기도 하고, 체력이나 활동력을 높여 갈 수 있는 능력이야 말로 건강이라고 생각되어졌습니다.

따라서 오늘날에는 매일 활기차게 살고 있다든지 병이나 장해를 가지고 있으면서도 적극적으로 생활할 수 있는 등 생명이나 생명의 질과 관련하여 건강은 파악되어지고 있는 것입니다.

오늘날 우리들의 건강에 깊게 관련되어 있는 것은 식사, 운동, 휴식 등 평소의 생활습관(life style)입니다. 이러한 생활습관은 자신이 만들어 주는 것이기 때문에 "자신의 건강은 자신이 만든다." 라고 말할 수 있습니다. 특히, 이것에서 자기 나름의 생활습관을 몸에 익혀가는 젊은 사람에게 있어서는 중요한 것입니다. 그러나 이것만으로 건강한 생애가 보장되어 질 이유는 없습니다.

우리들의 건강은 우리가 가진 유전이나 노화 등과 인간의 생물로서의 측면과 우리를 둘러싸고 있는 자연 환경과 보건・의료제도 등의 사회적 환경과의 관련에 의해 좌우됩니다. 이들의 4가지 요인이 서로 연관되면서 건강을 지탱하고 있다고 생각할 수 있습니다.

우리가 살아가기 위해서는 단백질・탄수화물・지방 등의 각각의 영양소가 필요합니다. 특히, 성장기에는 몸이 필요로 하는 각종 영양소의 양이 부족하지 않도록 적절한 식사를 매일 취할 필요가 있습니다. 그 영양소의 양은 성별・연령・신체의 크기・활동량 등에 의해 달라집니다.

부적당한 식사에 의해 에너지 부족이나 영양소의 불균형이 이어지면 마르거나 빈혈 등의 문제가 생깁니다. 일단 에너지 섭취가 지나치면 비만을 가져오고, 생활습관 병이 발생하기 쉬워집니다,

젊을 때의 식생활의 좋고 나쁨은 그 후 건강을 크게 좌우합니다. 그것 때문이라도 중・고등학생 시절부터 적절한 식사 습관을 몸에 익히는 것이 중요합니다.

우리가 건강에 좋은 행동을 하거나 건강에 좋은 환경을 갖추는 것에 따라 건강은 한결 높여갈 수 있는 것입니다. 보건 학습을 통해서 우리 건강의 모습과 그것에 관련된 요인에 대한 이해를 높여 건강하게 살 수 있는 힘을 고양해 갑시다.

적절한 식사와 운동과 함께 적당한 휴식을 취하는 것도 잊어서는 안 됩니다. 건강이라는 것은 식사・운동・휴식이 균형 잡히는 것이 중요합니다.

1. 여름철 눈 관리

과유불급(過猶不及). 이번 여름 내내 내리는 비를 보며 든 생각이었다. 올려다보는 하늘은 늘 잿빛 구름으로 뒤덮여 있었고, 이제 그만 좀 내리지 싶을 정도로 지겹다는 생각이 들 무렵, 우리 지역을 할퀸 수마로 많은 이재민이 생겼고, 막대한 재산 피해를 남겼다. '코로나19' 로 어느 때보다 위축되고, 힘든 일상을 보내는 모두에게 올해 여름은 참 힘든 해로 기억이 될 것 같다.

길고 긴 장마 끝에 이제는 폭염이 기승을 부리고 있다. 연일 한낮 기온이 30도가 넘는데, 이렇게 더운 날씨에 강한 자외선에 장시간 노출되면 눈에 여러 가지 안질환이 발생할 수 있다. 짧은 시간 동안 강한 자외선에 노출되면 급성으로 자외선 각막염을 일으켜 눈에 심한 통증, 충혈, 이물감, 눈부심, 눈물 증상이 발생한다. 평소에 야외에서 생활을 많이 해서 오랜 시간 자외선에 노출되면 결막이 눈동자로 길어 들어가는 군날개, 시력 저하, 밝은 곳에서 흐려지는 백내장, 망막 변성 등이 생길 수 있다.

이때 선글라스를 착용함으로써 눈에 들어오는 강한 빛을 막아 눈부심을 막고, 해로운 자외선을 차단하면 안질환을 예방할 수 있다. 선글라스의 가장 적절한 컬러 농도는 75~80% 정도로 눈이 들여다 보일 정도가 적당하다. 자외선 차단 기능은 없고 눈동자가 보이지 않을 정도로 렌즈 색깔이 진한 검은색 선글라스는 단지 눈에 들어오는 빛의 총량을 감소시켜 눈부심은 줄여 줄 수 있지만, 오히려 동공이 커지면서 눈 안으로 자외선을 더 많이 받게 되므로 각막염, 백내장, 망막변성 등의 자외선 유발 안질환 발생이 증가할 수 있다.

요즘 같은 여름 장마철 전후에 덥고 습한 날씨가 계속되면 바이러스를 비롯한 미생물의 활동이 활발해지고, 열대야 등으로 사람들의 생체 리듬이 깨지면서 방어 기능을 하는 면역력이 약해지게 된다. 또한 땀이 많이 분비되어 깨끗하지 못한 손이나 불결한 수건으로 땀을 닦는 경우가 많아지면서 손과 수건에 묻어있던 바이러스나 오염 물질이 눈에 들어가 눈병을 유발하기도 한다. 그리고 수영장 등 많은 사람이 같이 사용하는 시설을 이용하게 되면서 전염이 많아지게 된다.

물론 코로나19로 인해 예년에 비해 다중 이용 시설을 이용하는 비중이 낮아졌지만, 그래도 안심할 수 없다. 주로 전염은 환자가 접촉한 물건을 통해서 옮기게 되는데, 환자에게서 옮긴 바이러스가 붙어 있는 수건·옷 등 매개물을 만졌을 때 전염되기 때문에 눈병에 걸린 환자와 친밀한 접촉을 하는 경우에는 감염될 확률이 높다. 바이러스 중 일부는 마른 상태에서도 4~5주간 생존이 가능하기 때문에 버스 및 지하철 손잡이, 문고리, 계단 난간 등을 통한 전염도 조심해야 한다. 가장 중요한 것은 자주 손을 씻는 습관이다.

주춤했던 코로나 확진자가 이번 달 들어 다시 늘어나면서 마스크 착용에 대한 중요성은 더 설명하면 입이 아플 정도다. 이제는 일부 소수를 제외하고는 마스크를 사용하는 것이 일상화가 되어 가고 있다. 이렇게 마스크를 사용하면서 감기 등의 호흡기 질환은 줄었지만, 상대적으로 안구 건조증을 호소하는 분들이 많이 늘었다. 또 야외 활동이 줄어들고 집에 있는 시간이 많아지면서 스마트폰이나 컴퓨터, TV 등을 시청하는 시간이 늘어나 눈의 피로감을 호소하는 경우도 굉장히 많다.

마스크를 착용하면서 대개 코 쪽으로 입김이 나오게 되어 눈으로 올라가 눈을 보호하고 부드럽게 해주는 눈물 막을 약화시켜서 안구 건조증이 심한 분들은 큰 불편을 호소하고 있다. 노트북·스마트폰 등의 화면을 오래 집중해 보면 평소보다 눈을 깜박이는 횟수가 줄어들게 되는데, 이로 인해 눈물 증발량이 증가하게 되고, 여기에 에어컨이나 선풍기를 오래 틀면 눈이 더욱 건조해진다.

안구 건조증이 생기면 눈이 뻑뻑해지며 시린데, 심하면 두통이 있을 수 있고 눈을 감았다가 뜰 때 통증이 온다. 이럴 때는 불필요한 눈의 사용을 줄이고, 한차례식 눈을 쉬어 주며 중간중간 눈을 자주 깊게 깜박여 주는 것이 좋다. 그래도 불편하면 안과에서 안과 전문의와 상의해 보기를 권한다.[2]

2. 어지럼증의 원인

어지럼증은 흔한 건강 문제로, 현기증, 머리가 떠도는 것, 균형 잃는 것 등 다양한 증상으로 나타납니다. 어지럼증은 임시적일 수도 있고 만성적일 수 있으며 여러 원인이 있습니다.

평상시 우리 몸의 균형은 몸을 구성하는 여러 기관의 협동에 의해 유지됩니다. 귀(내이), 눈, 팔과 다리의 근육에서 느끼는 몸의 균형 정보가 뇌에 전달되면 뇌에서 이를 통합하여 평형을 유지하고 몸의 운동을 조절합니다. 따라서 이 균형 정보들 사이에 혼란이 생기면 어지럼증이 발생합니다.

이러한 어지럼증을 일으키는 대표적인 질환으로는 지금까지의 문헌에 의하면 귀질환이 원인인 경우가 약 50% 정도, 뇌질환인 경우가 약 10%, 심혈관계 이상인 경우가 10% 심리, 정서적 요인일 경우가 약 10%, 기타 안과 질환 및 외상 등 기타 원인인 경우, 그리고 원인을 모르는 경우도 상당수 있습니다.

귀의 원인인 경우 이석증이 가장 흔한데, 평생 유병율이 2.4%나

될 정도로 높습니다. 뿐만 아니라 전정 신경염, 메니에르 병, 내이의 염증성질환 등 또 다른 다양한 원인들이 귀에서 발생할 수 있습니다.

뇌질환의 경우 뇌경색 및 뇌출혈, 뇌종양과 같은 원인이 될 수 있으며, 심혈관계 질환의 경우 부정맥, 기립성 저혈압, 편두통과 같은 질환이 원인이 되어 어지러움이 발생하기도 합니다. 또한 심인성 어지러움의 경우 공황장애, 우울증, 불안등이 어지러움을 일으키는 것으로 알려져 있습니다.

어지럼증은 환자에 따라 다양한 양상으로 표현됩니다.

'천장이 빙글빙글 도는 것 같다', '몸이 휘청휘청한다' 고 표현하기도 하며, '메슥메슥하다', '눈 앞이 깜깜하다' '희어뜩하다', 등의 증상을 호소하는 경우도 있습니다. 이처럼 원인 질환에 따라 어지럼증의 양상은 다양하게 나타날 수 있으므로 자세한 병력 청취와 신체검사를 통해 원인 질환을 감별하는 해야 하며, 각각의 의심되는 질환에 따라 평형기능 검사(전정 기능 검사), 심전도 검사, 혈액 검사, CT, MRI 등의 추가 적인 검사를 하여 원인에 따른 치료를 시행하여야 합니다.

또한 어지러움은 조기에 발견하면 치료가 가능한 중요한 질환의 초기 증상으로 나타날 수 있기 때문에 증상이 나타난다면 가까운 병의원을 방문하여 원인을 찾는 것이 무엇보다도 중요합니다.[3]

3. 겨울철과 뇌중풍(뇌졸중) 환자

날씨가 추운 겨울철에는 뇌중풍(뇌졸중) 환자가 증가한다. 뇌중풍 환자가 유독 날씨가 추울 때 증가하는 이유에는 여러 가지 가설이 있다. 그러나 아직까지도 정확한 원인은 밝혀지지 않았다. 보건복지부에 따르면 빠른 시간 내에 치료를 받아야 살릴 수 있는 급성기 뇌중풍 환자는 2011년을 기준으로 55만 5323명.

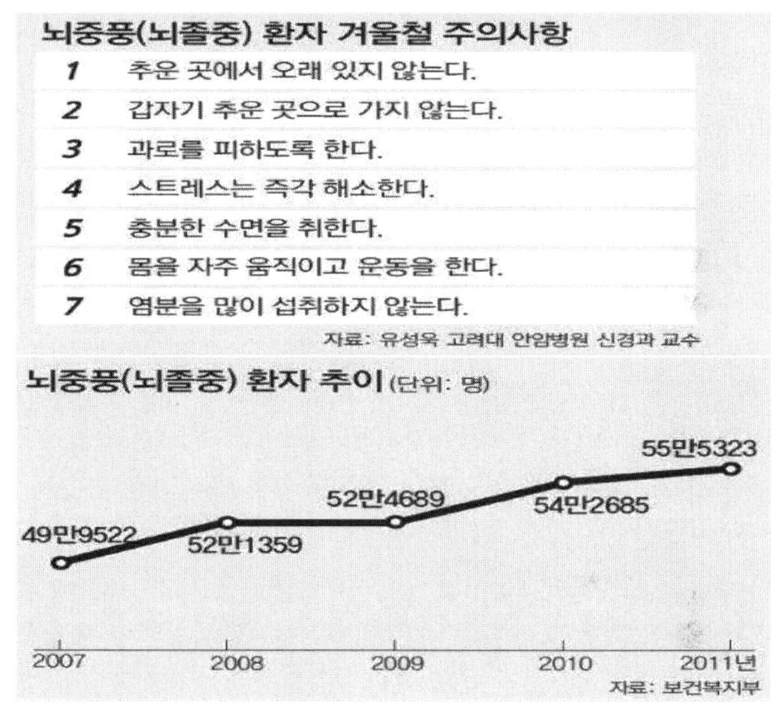

뇌중풍(뇌졸중) 환자 겨울철 주의사항

1	추운 곳에서 오래 있지 않는다.
2	갑자기 추운 곳으로 가지 않는다.
3	과로를 피하도록 한다.
4	스트레스는 즉각 해소한다.
5	충분한 수면을 취한다.
6	몸을 자주 움직이고 운동을 한다.
7	염분을 많이 섭취하지 않는다.

자료: 유성욱 고려대 안암병원 신경과 교수

건강보험과 의료급여 재정에서 뇌중풍 치료에 쓴 진료비는 연간 1조 200억 원에 이른다. 뇌중풍 환자는 꾸준히 증가하고 있다. 환자 수는 2007년 49만 9522명에서 2011년까지 약 11.2% 늘었다. 뇌혈관 질환으로 인한 사망자는 인구 10만 명당 50.7명에 이른다. 허혈성 심장질환(27.1명), 고혈압성 질환(10.1명) 사망자보다 월등하게 많다.

뇌중풍은 보통 50대 이후에 발병하는 걸로 알려져 있다. 하지만 최근 들어 30, 40대의 젊은 환자도 늘어나고 있다. 발병하면 치료를 하더라도 심각한 후유증을 남길 수 있어 예방이 최선이다. 유성욱 고려대 안암병원 신경과 교수의 도움말로 뇌중풍에 대해 알아보자.

가. 증상 나타나면 빨리 병원으로

뇌중풍은 뇌 조직으로 공급되는 혈관이 막혀 발생한다. 혈액과 산소를 제공받지 못한 뇌는 급속하게 손상된다. 크게는 뇌혈관이 막혀 발생하는 '뇌경색(허혈성 뇌혈관 질환)'과 막혔던 혈관이 파열되면서 생기는 '뇌출혈(출혈성 뇌혈관 질환)'로 구분된다.

일단 발병하면 주로 한쪽 얼굴과 팔다리가 마비되거나 감각이 둔해진다. 자신의 살이 남의 살처럼 느껴지기도 한다. 말이 제대로 안 나오거나 눈 한쪽이 보이지 않을 수도 있다. 심하면 어지러움 때문에 걸을 때 중심을 잡을 수 없다. 의식장애가 생겨 쓰러지기도 한다. 뇌중풍의 시작은 '동맥경화'다. 동맥혈관 안쪽 벽에 콜레스테롤이 쌓이는 바람에 혈관 벽이 딱딱하고 두꺼워지는 것이다. 동맥경화가 생겨도 당장은 아무런 증상이 없다. 이 때문에 환자가 알아채지 못하는 사이에 몇 년에 걸쳐 서서히 진행되는 때가 많다.

뇌중풍이 발병했다면 신속하게 치료받아야 한다. 시간이 지날수록 뇌 손상이 심해지기 때문이다. 빨리 치료할수록 생명을 건질 확률은 높아진다. 문제는 뇌중풍 의심 증상이 나타나도 대처가 늦다는 데 있다.

증상이 나타난 뒤 3시간 이내에는 병원에 도착해야 한다. 의료진은 즉각 막힌 혈관을 뚫기 위해 혈전용해제(TPA)를 정맥주사로 주입한다(혈전용해술). 응급 처치가 끝난 뒤에는 환자의 상태를 관찰한다. 때에 따라서는 허벅지의 대퇴동맥에 카테터를 삽입해 뇌동맥을 뚫기도 한다(동맥 내 혈전용해술).

최근엔 발병 뒤 4, 5시간 이내까지도 혈전용해술을 시행할 수 있을 만큼 의료기술이 발달했다. 그래도 가급적 빠른 게 좋다. 혈전용해술 시행 시점이 늦어질수록 치료 효과는 떨어지고 부작용과 후유증이 많이 남기 때문이다.

나. 나트륨 적고 칼륨 많은 음식 먹어야

뇌중풍은 환자 본인에게만 치명적인 질환이 아니다. 환자를 돌봐야 하는 가족도 정상생활이 어렵다. 따라서 병이 생기기 전에 미리 위험인자를 알아두는 게 좋다.

우선 고혈압과 당뇨병을 주의해야 한다. 이 두 질병은 뇌중풍을 일으키는 주요 위험요인이다. 당뇨병 환자가 뇌중풍이 걸릴 위험은 일반인보다 2, 3배 높다고 알려져 있다. 혈당이 높으면 작은 혈관들에서도 동맥경화 현상이 나타난다. 이런 상태를 방치하면 더 많은 혈관이 막히게 된다. 결국 뇌 전체로 장애가 확산될 수 있고, 치매가 생기기도 쉽다.

흡연, 술, 기름진 음식, 짠 음식은 피의 흐름을 방해한다. 과식도 피해야 한다. 비만과 운동 부족 또한 뇌중풍의 원인이기 때문이다. 당뇨병 환자는 혈당관리를, 고혈압 환자는 혈압 관리를 꾸준히 해야 한다. 반면 걷기, 산책, 수영 등을 규칙적으로 하면 혈관이 튼튼해져 병을 예방하는 데 도움이 된다. 스트레스를 풀기 위해 명상을 하는 것도 좋은 방법이다. 잠을 자기 직전이 명상 효과를 높인다는 것도 알아두자.

칼륨은 많이 섭취하는 게 좋다. 하루 권장량은 4.7g 이상이다. 저지방우유, 치즈, 떠먹는 요구르트, 과일, 야채 등을 많이 먹도록 하자.[4]

4. 결핵 집단 감염 급증

한국이 결핵 후진국으로 되돌아갔다. 우리나라 결핵 환자가 급증하면서 결핵 집단 감염 사례도 크게 늘고 있다.

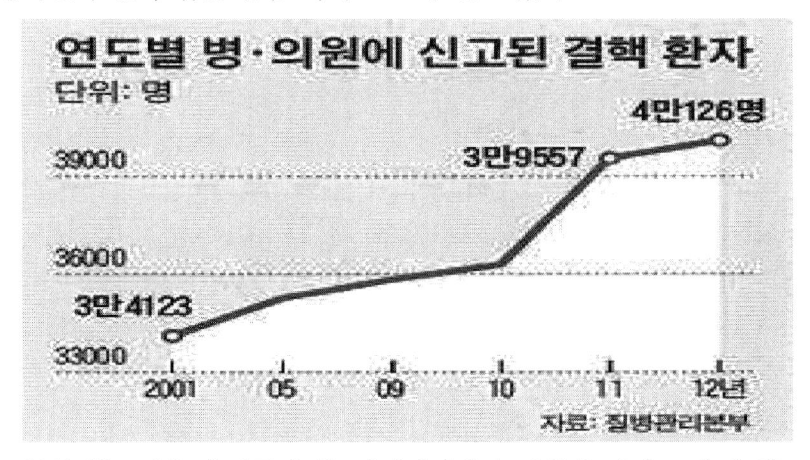

30일에는 서울 용산구의 한 어린이집에서 결핵에 걸린 도우미 할머니 때문에 교사 3명과 어린이 2명이 잠복 결핵에 걸린 것으로 밝혀졌다. 또 지난 8일에는 경기도 용인의 어린이집에서 결핵에 걸린 보육교사에 의해 원생 22명과 교사 2명 등 24명이 잠복 결핵에 걸린 것으로 밝혀졌다. 이 같은 사례가 급증함에 따라 부모들의 불안감도 커지고 있다. '잠복 결핵' 은 결핵균에 감염됐으나 결핵균이 잠복해 증상이 나타나지 않는 상태를 말한다. 잠복 결핵 상태로는 타인에게 결핵균을 감염시키지 않지만 6개월 이상 꾸준한 약물치료를 받아야 한다.

질병관리본부가 펴낸 통계에 따르면, 2011년 한 해 동안 학교 등 공동생활을 하는 곳에서 결핵 환자가 발생해 역학조사를 한 건수는 1156건에 달했다. 질병관리본부 조은희 연구관은 "역학조사 결과 집단 감염으로 판정하는 건수는 절반 정도" 라며 "2012년 역학조사 건수는 현재 집계 중이나 1200여건으로 추정하고 있다" 고 말했다. 집단 감염 사례가 2011년 580건, 2012년 600여건에 이르는 셈이다.

서울의 한 소아과 병원에서 아이에게 도장식(圖章式) 예방접종을 하고 있다. 작은 바늘이 9개가 있는 도장식은 피부에 깊지 않게 접종해 흉터가 남지 않아 부모들이 선호하고 있으나 그 때문에 접종 효과가 떨어지는 경우가 있다고 전문가들은 말한다(이준헌 기자).

질병관리본부에 따르면 우리나라 결핵 발생 환자는 2011년 3만9557명에서 지난해 4만126명으로 늘었다. 결핵은 결핵 환자의 기침 가래 방울 속에 섞여 나온 결핵균이 공기 중에 떠다니다가 다른 사람이 호흡할 때 폐 속으로 들어가 발생한다. 집단생활을 할 경우 쉽게 감염될 수 있다.

우리나라는 1965년 결핵 환자 수가 124만명을 넘었다. 경제성장에 따라 주거 위생과 영양 상태가 개선되고 정부의 체계적인 예방접종으로 환자 수가 급격히 줄었다.

하지만 환자 수가 전체 인구의 1%대로 떨어지자, 2000년부터 결핵 예산을 대폭 줄였다. 정부가 성급하게 결핵 대책에서 손을 떼면서 다시 환자 수가 급증하기 시작했다. 정부의 방심으로 결핵 후진국으로 후퇴한 것이다.

OECD(경제협력개발기구) 국가 중에서 우리나라는 1990년대 후반부터 15년 동안 결핵 발생률(10만명당 환자 수) 1위를 기록하고 있다. 세계보건기구(WHO)에 보고된 217개국 중 결핵 발생률은 76위이다. 한 해 평균 결핵 환자가 4만명 발생해 3000명가량이 결핵으로 숨진다. 2009년 우리나라 결핵 발생률은 인구 10만명당 90명으로 중국(96명)과 비슷한 수준이다.

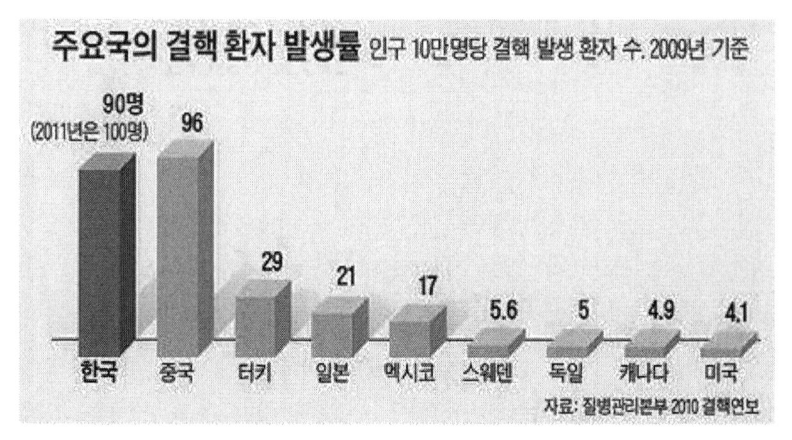

보건당국은 우리나라 국민의 3분의 1이 잠복 결핵 환자인 것으로 보고 있다. 질병관리본부는 "10대는 10%, 20대는 20%, 30대는 30% 씩으로 연령이 늘어날수록 잠복 결핵 환자가 늘어난다" 고 말했다. 조은희 질병관리본부 연구관은 "잠복 결핵 환자 중 5~10%가 결핵으로 발병한다" 며 "이 때문에 정부도 이런 잠복 결핵환자까지 모두 치료 대상으로 삼아 적극적으로 치료하기로 했다" 고 말했다.

심태선 서울아산병원 호흡기내과 교수는 "결핵 환자와 접촉한다고 모두 걸리는 것은 아니고 통상 면역력이 약한 25~30%만이 감염된다" 고 말했다.

전문가들은 "2주 이상 기침하거나 체중이 줄고 잘 때 식은땀을 흘리면 결핵을 의심하라" 며 "특히 당뇨병 환자들은 결핵에 취약해 정기적인 결핵 검진을 받아야 한다" 고 말했다.[5)]

결핵(結核)은 1882년 독일 세균학자 로베르트 코흐가 처음 결핵균을 발견했다. 폐결핵 환자가 기침이나 재채기를 할때 결핵균이 침방울로 공기 중에 퍼져 주변 사람들의 폐에 들어가 감염시킨다. 접촉자의 25~30% 정도가 감염(잠복 감염)되고, 감염된 사람 중 5~10%가 결핵에 걸린다.

5. 서유견문에 나타난 위생론

유길준의 『서유견문』[6]의 위생론에 관한 내용은 인간의 건강과 관련된 '신명(身命)의 자유와 통의(通儀)'를 근본적으로 설정했다는 점에서 당시 서양의 근대 위생론의 핵심을 잘 짚었다. 그는 '정직한 도리로 행동거지를 조심하여 자기의 분수를 지나치지만 않는다면 구애도 속박도 받지 않고, 자주적인 즐거움을 누릴 수 있는 것'으로 신체의 자유를 말했고, '자기의 생명과 몸을 정직한 방법으로 보존하며, 남의 방해를 막아내고 불법 침범을 피해, 건강하고 안락한 상태를 보존해 가지는 것'으로 신체의 통의를 정의했다. 이 자유와 통의는 어디에서 연원하는가?

『서유견문』은 이것이 하늘로부터 품부 받은 인간의 가장 중요한 것이라 하였다. 그렇기 때문에 생명과 몸을 보호하여 안녕과 건강한 복을 누리는 것은 인간의 쾌락이며, 불법한 조처로써 사람의 터럭하나 손가락 하나라도 상해를 입히는 것은 하늘이 내려준 도리를 배반하는 것이 된다. 따라서 유길준은 '신체의 권리는 국법을 범하지 않았을 때는 자유롭게 행동하며, 밖으로부터 오는 상해를 방비할 수 있을 따름'이라 단정했다.

유길준은 『서유견문』에서 살아 있는 동안에 자신의 신체를 강년하게 하는 것을 개인의 의무로 파악했기 때문에 특별히 그것을 실천할 수 있는 개인 위생법의 소개에 많은 지면을 할애했다. 『서유견문』 제 11편 중 「양생하는 규칙」 부분이 이를 담고 있다. 여기서 유길준은 지체운동, 규칙적인 수면과 청결한 숙소, 규칙적인 식사 시간과 충분한 소화, 가옥과 도로의 청결, 국법의 준수 등을 주요한 양생 방법으로 소개하면서, 천 갈래 만 갈래 자질구레한 양생

방법은 모두 이 몇 개의 항목에서 비롯하는 것이라 했다. 이 가운데 그는 지체운동의 시례로 자전거 타기, 말 타기, 야간 배 타기, 체조 등을 들었는데, 이는 당시 조선 일반인의 현실과 크게 괴리된 것으로서, 그의 위생론이 조선의 실정을 고려하여 재창조된 것이 아니라 서양의 견문을 그대로 소개한 것임을 시사한다.[7)]

6. 더 건강해지려면 '자기혈관 숫자' 알아야

질병관리본부, 전국 17개 시·도와 255개 보건소는 매년 9월이 되면 심뇌혈관질환 예방관리 합동캠페인을 수행한다. 2014년부터 '자기혈관 숫자알기, 레드서클 캠페인' 메시지로 건강한 혈관을 위해 스스로의 혈압, 혈당, 콜레스테롤 수치를 알고 예방 관리하는 것의 중요성을 알리는 것이 요점이다.

혈압, 혈당 그리고 혈중 콜레스테롤은 혈관의 건강 정도를 보여주는 삼총사로 혈압은 수축기혈압 120㎜Hg 미만이면서 이완기 혈압 80㎜Hg미만, 혈당은 공복혈당 100㎎/dL미만, 혈중 콜레스테롤은 총 콜레스테롤 200㎎/dL을 정상으로 본다. 정상수치를 벗어나면 고혈압, 당뇨병, 이상 지질혈증이 생기고 심근경색이나 뇌졸중과 같은 중증 심뇌혈관질환이 생길 가능성도 높아진다.

강원도의 고혈압 인지율은 58.6%, 당뇨병 인지율은 21.2%로 타 시·도에 비해서 높은 편이고, 이상 지질혈증 진단 경험률은 15.6%로 타 시·도와 비슷한 수준이다. 그러나 연령대에 따라서는 고혈압 인지율이 20대는 24.3%, 30대는 56.3%, 70대는 54.2%이고 당뇨병 인지율은 20대에서 6.8%, 30대에서 15.4%로 낮은 편이다.

고혈압 진단 경험자의 치료율의 경우 전체는 94.1%이나 30대는 52.9%로 절반 수준에 그치고 당뇨병 진단경험자의 치료율도 전체는 91.5%지만 30대는 61.3%에 그친다. 3·40대는 아직 유병률이 낮아 별다른 증상이 없으면 건강하다고 생각할 수 있다. 그런데 혈압, 혈당, 콜레스테롤 수치는 증상으로 느낄 수 있는 게 아니기 때문에 질병이나 증상이 없어도 일 년에 한 번은 검사로 확인하는 것이 필요하다.

고혈압, 당뇨병, 이상 지질혈증은 전단계와 예방관리법에도 공통점이 있다. 다른 위험요인이 없을 때 고혈압은 수축기혈압 140mmHg 이상이나 이완기혈압 90mmHg 이상을, 당뇨병은 공복혈당 126mg/dL 이상이나 식후혈당 200mg/dL 이상 또는 당화혈색소 6.5% 이상을, 이상 지질혈증은 혈중 총 콜레스테롤 240mg/dL 이상이나 나쁜 콜레스테롤(LDL) 160mg/dL 이상을 약을 먹어야 하는 진단기준으로 삼는다.

수축기혈압 120~139mmHg 또는 이완기혈압 80~89mmHg는 고혈압 전단계, 공복혈당 100~125mg/dL이나 식후혈당 140~199mg/dL 또는 당화혈색소 5.7~6.4%는 당뇨병 고위험군,총 콜레스테롤 200~239mg/dL 이나 나쁜 콜레스테롤 130~159mg/dL는 경계 단계로 아직 약은 먹지 않아도 예방관리가 필요한 단계이다.

올해는 코로나19로 신체활동 감소, 우울감, 긴 장마와 침수피해로 채소와 과일의 부족으로 건강한 식생활에 악영향을 호소하는 경우가 많다.

지금이라도 내 혈압, 혈당, 혈중 콜레스테롤 수치를 확인하고 일상생활에서 금연, 절주, 신체활동 늘리기, 채소와 과일 먹기 스트레스 조절하기로 적절한 예방관리를 실천한다면 고혈압, 당뇨병, 이상 지질혈증 환자만이 아니라 누구나 건강한 혈관으로 한 걸음 다가갈 수 있다. 이번 심뇌혈관질환 예방관리 합동캠페인이 자기혈관 숫자 알기로 건강한 혈관·건강한 강원을 위한 새로운 시작점이 되길 기대한다.8)

7. 우리는 '어차피족' 인가 '최소한족' 인가

김한민씨는 작가이자 환경단체에서 활동하는 '비건' 이다. 그는 팬데믹의 시대가 인간과 동물의 관계를 재정립할 마지막 기회라고 생각한다. 그는 '최소한' 뭐라도 해보자며 희망을 말한다.

시사IN 조남진: 김한민씨는 코로나19의 원인이 공장식 축산업이라며, "사회적 거리두기보다 더 중요한 것이 '자연과 거리두기' " 라고 말했다.

김한민씨는 책을 몇 권 낸 작가이자 만화가다. 칼럼니스트이며 번역가다. 해양환경단체 시셰퍼드에서 활동하는 비건(vegan)이기도 하다. '비거니즘(veganism)' 은, 고통을 지각하는 동물로부터 나온 육고기는 물론이고 관련된 각종 제품이나 서비스를 거부하는 철학이자 사상이다. 김씨는 2018년부터 각 지자체 단위로 열리는 각종 '동물축제' 에 반대하는 축제를 기획·추진해왔다. 최근에는 창작집단 '이야기와 동물과 시(이동시)' 를 만들었다. 작가, 예술가, 활동가들이 모여 동물의 처지에서 '동물의 마음' 에 대해 이야기하는 퍼포먼스를 펼치곤 한다.

"얼굴이 있는 것을 먹지 않는다" 라는 마음으로 채식을 시작한 김씨는 "팬데믹으로 혼란한 지금이, 인간과 동물의 관계를 재정립할 마지막 기회" 라고 믿는다. 그에 따르면, '비거니즘' 이야말로 평범한 개인들이 지구와 동물 그리고 인간을 효과적이고 강력하게 돕는 운동이다.

☞ 인류의 육식 생활이 코로나19 팬데믹의 근본적 원인이라고 보나?

범죄가 일어나면 누가 왜 그랬는지 알고 싶어 하는 것처럼 코로나19 발생 초기에는 그 원인을 탐색하려는 움직임이 있었다. 하지만 분석과 반성의 분위기는 빠르게 식고 말았다. 중국인 혐오('박쥐 먹는 인간들')와 중국 봉쇄가 이슈로 부상하더니 어느새 마스크, K방역, 비대면 경제 활성화 등으로 옮아갔다. 현재까지 밝혀진 바에 따르면 코로나19는 박쥐에서 천산갑을 매개로 사람에게 전파됐을 가능성이 높다.

중국에서 박쥐는 식용으로 쓰인다. 멸종위기 동물인 천산갑은 한약재와 식재료로 밀거래된다. 동물의 서식지를 무분별하게 파괴해 온 것을 반성하지 않는다면, 이번 팬데믹으로부터 교훈을 얻을 수 없다. 지난 7월, 유엔은 '본질적인 문제를 찾지 못하면 제2, 제3의 코로나19가 온다' 라는 내용의 보고서를 냈다. 이 보고서는, 국제사회가 코로나19의 전 세계 확산에 따른 경제적 피해와 환자 치료에만 집중하면서 근본적인 해결책을 놓치고 있다고 경고한다. 한국인들은 K방역을 자화자찬하고 있다. 그러나 성공적 방역 때문에 근본적인 성찰을 놓친다면 우리는 (코로나19가 지나간 뒤에도) 일련의 '감염병X' 들을 계속 안고 살아야 할지도 모른다.

☞ 감염병이 결국 '인간과 동물 간 잘못된 관계' 때문이라는 말로 들리는데.

'사회적 거리두기' 보다 더 중요한 것이 '자연과 거리두기'

다. 야생동물이 서식하던 곳을 농지, 목축지, 공장부지 등으로 바꾸면서 동물과 인간의 접점이 늘어났다. 결국 종간 접촉이 잦아지고 특정 동물에게만 감염되던 병원체가 사람에게 직간접으로 감염을 일으키게 되었다. 동물 서식지 파괴의 대표 사례가 아마존이다. 지난해 아마존에 가서 불법 벌채 현장을 보았다. 마치 거대한 골프장에 있는 것 같았다. '밀림' 아마존은 없었다. 벌목의 가장 큰 이유는 식탁에 오를 소를 키우거나 가축 사료용 대두를 재배할 땅을 확보하기 위해서다. 인간을 위한 생태계 파괴가 인수공통감염병의 유발 가능성을 높이고 있다. 최근 사람에게서 발병하는 신종 감염병의 75% 정도가 동물에서 유래하는 인수공통감염병이다. 아프리카에서 발생한 에볼라와 중동·한국에서 유행한 메르스도 인수공통감염병이었다. 동물은 바이러스와 수만 년 동안 공진화해왔다. 반면 인간은 신종 감염병에 대한 면역력이 없다.

운송수단이 발달하고 인구이동이 늘어나면서 감염병은 더욱 빠르게 퍼진다. 농축산 식품 무역의 증가도 감염병 확산의 요인이 되고 있다. 인수공통감염병은 사람과 동물, 환경이 밀접하게 연관되어 있음을 역설적으로 보여준다.

☞ 팬데믹은 예견된 사건이었을까?

바이러스 자체는 인류의 기원과 궤를 같이한다. 문제는, 인구의 증가와 거대 농축산 기업이 만든 유통망이 팬데믹을 더욱 촉진한다는 점이다. 팬데믹의 중요한 고리 가운데 하나가 거대 농축산 기업이다. '팬데믹을 원하는 신이 있다면, 공장식 육류 공장은 신이 만든 가장 완벽한 발명품이다' 라는 말이 있을 정도다.

미국·브라질·캐나다·독일에서는 대형 육가공 업체 직원 수천 명이 코로나19에 감염되었다. 지난 6월엔 독일 노르트라인베스트팔

렌주의 퇴니에스 육가공 업체에서 1500여 명이 확진 판정을 받고 7000명이 자가 격리되었다. 직원 상당수는 터키 등지에서 온 외국인 노동자였다. 비위생적인 생활공간이 바이러스 확산의 원인이라는 분석이 많다. 육가공 공장은 고기뿐 아니라 직원들로 빽빽이 채워져 있다. 동물에게 비위생적인 공간이 인간에게 위생적일 수는 없다.

진화생물학자 롭 월러스는 저서 〈팬데믹의 현재적 기원〉에서 바이러스성 전염병의 기원을 거대 농축산업에서 찾았다. 커다란 농장을 짓기 위해 울창한 숲을 베고 야생동물의 서식지를 침범하는 과정에서 생태계에 있던 병원균이 세상 밖으로 나온다. 병원균은 거대 농축산 기업이 만든 유통망을 따라 전 세계로 퍼져나간다.

☞ 코로나19 팬데믹이 아주 특수하거나 희귀한 사건이 아니란 말인가?

〈스필오버〉와 〈인수공통 모든 전염병의 열쇠〉를 쓴 데이비드 콰먼 등 과학자들은 이미 10년 전부터 '새로 등장할 바이러스는 야생동물에서 비롯되고, 그것은 아마도 박쥐일 것'이라고 경고해왔다(실제로 에볼라바이러스, 헨드라바이러스, 니파바이러스, 사스, 메르스 등 병원균은 모두 박쥐에서 출발했다). 전문가들은 인간이 동물의 생태계를 파괴하는 행위를 멈추지 않는 한 감염병은 반복될 수밖에 없다고 말한다.

미래에 올 감염병X는 곧 동물X의 문제와 다름없다. 인류는 앞으로 더 두꺼운 마스크를 쓰고 화상통화를 주된 소통 수단으로 삼아야 할지도 모른다.

2018년 7월 '제1회 동물의 사육제-동물축제 반대 축제'에서 동물 후보 대토론회가 열렸다.

☞ 한 매체에 '육식을 즐기는 지식인을 의심하라' 는 내용의 칼럼을 쓴 적이 있다.

현대사회는 공장식 사육을 통해 고기를 대량으로 찍어낸다. 이런 시스템으로 동물에게 고통을 가하고, 기후와 땅, 물과 숲을 훼손한다. '육식' 을 단지 개인의 선택이자 취향의 문제로만 봐도 되는 것일까? 과학자들은 이미 오래전에 동물이 고통을 느낀다는 사실을 증명했다. 인간은 동물의 고통을 경감시킬 윤리적 의무를 지닌다. 비거니즘은 인간을 넘어 '동물의 소수자성' 을 인식하는 사고의 전환을 이끌어낸다. 특정 인종이나 성소수자에 대한 차별과 억압은 동물에 대한 그것과 서로 연관되어 있을 뿐 아니라 상호 교차한다. 현실적으로 보더라도 고열량 육식 위주의 식생활로 의료비 지출이 늘어나고 있다. 영양과잉이 암·당뇨·고혈압·비만의 원인이라는 분석도 나온다. 지식인이라면 지금 같은 방식으로 육식을 즐기는 게 옳은지, 고려해봐야 하지 않을까. '정의' '윤리' '평등' '가치' 를 말할 마이크와 지면을 가진 지식인이라면 기후변화와 지구에 영향을 미치는 문제에도 관심을 기울여야 한다.

☞ 복지농장(동물에게 미치는 고통이나 스트레스를 최소화한 사육 환경)에서 나오는 육고기를 소비하는 것은 그나마 윤리적이라고 할 수 있지 않을까?

이렇게 되묻고 싶다. 당신이 실제로 '복지농장' 에서 나온 육고기를 먹고 있을까? 소·돼지 복지농장은 전체의 0.5%에 채 미치지 못한다. 복지형 육계 농장은 많이 잡아도 5% 정도다. 이마저도 신뢰할 수 있는지 의문이다. 또, 소와 돼지가 뛰어다니기에 충분한 목초지에서 일생을 보내다가 마지막 순간에 어쩔 수 없이 도살당한다고 치자. 동물들에게 그런 (복지) 환경을 제공하는 동시에 지금 같은 육고기 수요를 만족시키려면 지구가 세 개 내지 네 개 정도 더 필요할 것이다. 결국 수요를 극적으로 줄이는 수밖에 없다. 전 세계에서 육식이 낯선 정도가 되면 복지농장이 실제로 가능할 수도 있겠다.

☞ 유례없는 장마를 겪으며 축사에 있던 소가 물에 휩쓸렸다가 다시 농장주 품으로 돌아왔다는 보도가 있었다. 생명의 위대함을 전해주었지만 결국 도살될 운명임이 자명해서 혼란스럽다는 반응이 있다.

겉으로 보면 비거니즘은 '이것저것 안 먹는다' '안 쓰겠다'는 거부운동으로 보인다. 조금 더 깊이 들여다보면 동물과 인간이 연결되어 있다는 감각을 깨우는 운동이다(김씨의 저서 〈아무튼, 비건〉의 부제는 '당신도 연결되어 있나요?' 이다). 농장주는 자식같이 기른 소가 돌아왔다는 기쁨을 말하지만, 그 소가 도살될 운명을 피하지는 못할 것이다. 어느 부모도 수익을 얻으려고 자식을 죽이지 않는다. 보는 입장에서 인지 부조화가 오는 것이 당연하다. 어린이들은 접시에 놓인 고기가 옆 농장에서 본 동물이라는 걸 깨닫고 나면 먹지 못한다. 아직 동물을 타자화하지 않은 거다. 어릴 때는 동물과 나를 연결시키는 능력이 있는데, 성장하면서 외면하고 만다. 그러니까 물에 떠내려간 소가 구출된 영상을 보고 생명의 경이로움을 느끼면서 소고기국밥을 먹어도 아무렇지 않다. '구출된 소가 어떻게 될까?' '에이, 모르겠다' 에서 그친다.

동물권에 관심을 갖는 사람들은 최소한 도망 간 동물을 다시 잡아들이지는 말아야 한다고 주장한다. 해외에는 도살장에서 구출한 소에게 안식처를 제공하는 동물 쉼터(animal sanctuary)가 있다. 동물들이 편안하고 행복하게 사는 모습을 보여주어야 한다. 이를 시각화하는 게 매우 중요하다. 실제로 행복하게 사는 소가 존재하고 그게 내 눈앞에 보인다면, 지금의 환경이 얼마나 잘못되었는지도 선명해진다.

☞ '어차피 지구는 망한다' '나 하나쯤이야' 하고 비관하는 사람들에게 전하고 싶은 말은?

아무것도 하지 않는 사람들이 더 비관하는 법이다. 스웨덴의 청소년 환경운동가 그레타 툰베리는 전망이 좋아서 환경운동을 하는 걸까? 뭐라도 해봐야 하는 것 아닌가. 나는 '어차피 끝났다' 고 비관하는 쪽을 '어차피족', '최소한 뭐라도 해보자' 고 희망을 말하는 쪽을 '최소한족' 이라 부른다. 환경운동은 '어차피족 대 최소한족' 사이의 투쟁이다. '최소한' 에서 기적이 일어날 수 있다.

☞ '최소한족' 이 늘어나고 있다고 보는가?

최근에 확실히 더 늘어났다. 여러 경로로 반응을 느낀다. 지난해 말에는 군대와 병원, 학교처럼 공공급식을 시행하는 곳에서 채식 식단을 보장해야 한다는 논쟁이 불붙었다. 또 서울시교육청은 '채식 선택제' 를 도입하겠다고 밝혔다. 매우 긍정적이다. 하지만 기후위기를 인식한 청소년들이 문제를 꾸준히 제기해서 얻어낸 성과일 뿐, 정치권에서 먼저 반응한 건 아니다. 자연은 투표권이 없기 때문에 자연을 대변할 사람들이 목소리를 내고, 정치권의 변화를 독촉해야 한다. 또 환경세와 비슷한 맥락에서 육류세 도입이 필요하다. 육류를 못 먹게 할 수는 없지만 '어떤 육류' 를 먹는지 의식해야 한다.

시사IN 신선영창작집단: '이야기와 동물과 시' 가 8월 20일 '절멸, 질병X 시대 동물들의 시국선언' 행사를 열었다. 비대면으로 진행된 이날 행사의 사진은 참가자의 발언 모습을 추후 합성한 것이다.

☞ 동물축제를 반대하는 축제를 해왔다. 어떤 내용인가?

'산천어 축제' '고래 축제' '오징어 축제' 등을 반대하는 축제다. 대다수의 동물축제에서 하이라이트는 '손으로 잡기' 이고 최종 목적은 '먹기' 이다. '산천어 축제' 를 냉정하게 보면, 강원도 화천군에 살지 않는 산천어를 일부러 양식해서 얼어붙은 강 아래에 가둬놓고, 죽이고 구워 먹는 행위 아닌가? 2018년 서울대 천명선 교수 연구팀이 조사한 86개 지역 동물축제 실태를 보면, 84%에 이르는 축제가 동물에게 폭력적이다. 2018년에 열린 강원도 주문진 오징어 축제에서는, 주최 측의 요청으로 동료들과 함께 오징어의 신비를 알리는 과학 콘서트를 선보일 예정이었다. 하지만 '오징어도 만지면 고통을 느낀다' 는 내용이 도마 위에 올랐다. '오징어 잡기' 행사가 비판적으로 비칠 우려가 있다는 것이다. 결국 관광객 감소를 이유로 과학 콘서트가 취소되고 '오징어 맨손 잡기' 행사 횟수는 이전에 비해 늘어났다.

☞ 최근 창작집단 '이동시(이야기와 동물과 시)' 가 '절멸, 질병X 시대 동물들의 시국선언' 을 발표했다.

'이동시' 는 올해, 형인 김산하 박사(야생 영장류 학자)와 함께 기후위기와 동물권 이슈를 예술적으로 풀어내기 위해 꾸린 창작집단이다. 동물의 입장을 대변하는 게 아니라 동물이 직접 말하는 형식을 취했다. 근본적인 변화가 가능하려면 관점의 전환이 필요하다. 작가・과학자・시인・활동가 등 서른 명이 천산갑・박쥐・사육곰・개・소 등 17종의 동물이 되어 인간에게 경고 메시지를 전했다. 동물이 죽기 전에 남긴 유언은 서식지 파괴 중단, 야생동물 거래 퇴출, 공장식 축산 시스템의 퇴출 등이다. 요조, 이슬아, 김탁환 등 작가들이 동물의 시각에서 글을 쓰고 낭독했다. 동물 선언문은 이동시 SNS 채널에 연재된다. 이 퍼포먼스의 이름은 '절멸' 이다. 이래도 바꾸지 않는다면 공멸뿐이라고. 서로가 서로를 잃고 말 거라는 메시지다.[9]

8. '1번' 환자 완치시킨 김진용 전문의, "최악의 경우 대비한 과감한 결단 필요하다"

코로나19 '1번' 환자를 완치 퇴원시킨 김진용 인천의료원 감염내과 과장은 코로나19 사태에 대해 꽤 비관론자이다. 그는 '미적대다가는 큰일이 터질 수 있다' 며 "낙관은 정말 안 된다" 라고 강조했다.

시사IN 조남진: 김진용 인천의료원 감염내과 과장이 음압실에서 치료 중인 코로나19 환자의 병실 상황을 체크하고 있다. 27일 일 인천시 송림동 인천의료원 병동은 태풍 전야처럼 고요했다. 대구·경북을 중심으로 코로나19 확진자 수가 급증하자 보건복지부는 2월 28일까지 전국 공공의료기관 모든 병상을 비우라고 지시했다. 아직 옮길 병원을 찾지 못한 환자 한두 명이 링거 대를 끌며 걷는 소리가 텅 빈 병원 복도에 울렸다. 최대한 '격리식' 병상을 운영하기 위해 급하게 설치한 유리 차단문이 층마다 복도 중앙을 가로막고 있었다.

2월 27일 현재 인천의료원에 입원해 있는 코로나19 환자는 1명.

2월22일 확진된 59세 여성이다. 김진용 인천의료원 감염내과 과장은 이 환자를 치료하며 곧 다가올 태풍을 준비하는 중이다. 중국 우한 출신의 코로나19 '1번' 환자를 완치 퇴원시켜 국민에게 잠시 희망을 안겨주었던 김진용 과장은 코로나19 사태에 대해 꽤 비관론자이다. 그는 지금 적막한 이 병동이 조만간 코로나19 환자들로 가득 차고, 격리 음압병동 앞 물품실에 겹겹이 쌓아놓은 치료·방역 물품도 머지않아 동이 날 것이라 예상한다. 그의 비관론이 틀리려면 어떻게 해야 할지 물었다.

☞ 현재 입원 환자 상태는 어떤가?

금요일(2월21일)에 보건소에서 검사하고 토요일 오전에 들어왔는데 일요일부터 산소포화도가 떨어졌다. 두통이 너무 심하고 옆구리가 아프다고 했다. CT를 찍었더니 엑스레이상에는 안 보이던 폐렴이 보였다. 코로 산소를 공급하니 산소포화도가 올라가 두통은 사라졌고 열은 아직 나는 상태다.

시사IN 조남진: 김진용 인천의료원 감염내과 과장(아래)은 "코로나19가 조금 무서운 독감? 그건 아니라고 본다" 라고 말했다.

☞ 퇴원한 1번 환자와 비교하면 어떤가?

운 좋게도 두 환자 모두 발병 초기부터 관찰할 수 있었는데 경과가 비슷하다. 1번 환자도 엑스레이는 깨끗한데 CT를 찍으니 하얗게 폐렴이 보였다. 열만 나고 기침도 없는데 CT상에만 병변이 관찰됐다. 또 한 가지 비슷한 점이 바이러스 배출량의 경과다. 메르스는 발병 2주 차에 가장 높았는데 코로나19는 증상 3일째 벌써 1000만copies/mL를 넘어간다. 이 말은 환자가 숨차거나 호흡곤란, 산소가 필요한 상태가 되기 전에 바이러스가 이미 많이 나간다는 뜻이다. 병원 내 감염, 지역사회 감염으로 뿌릴 것을 싹 뿌린 뒤 오히려 폐렴이 생길 때쯤이면 바이러스 배출 농도가 떨어져서 전염력이 낮다. 검역이 굉장히 어려운 바이러스다.

☞ 어떻게 확산을 막아야 하나?

2017년 미국 질병통제예방센터(CDC)가 마련한 '유행성 인플루엔자 예방을 위한 지역사회 완화 지침'을 참고할 만하다. 신종 인플루엔자 대유행 시 핵심적인 완화 전략 중 하나가 '비약물적 중재(nonpharmaceutical inter-ventions)' 였다. 열나면 집에 있고 기침 예절을 지키고 손을 씻는 것은 기본이고, 대유행이 오면 '자택 분리(home isolation)' 보다 한층 더 강한 '자택 격리(home quar-antine)' 가 필요하다. 열이 나면 그 사람은 물론이고 가족까지 3일은 집에 있으라고 되어 있다. 물론 코로나19는 인플루엔자와 달리 3~5일째 가장 많이 배출되고, 2주간 천천히 배출량이 떨어지니 이 기준보다 더 강해야 할 것이다.

☞ 병상과 의료진이 부족한 상태에서 확진자를 모두 입원 치료할 수 있을까?

의료 자원은 결국 제한돼 있다. 갑자기 서지(surge: 급등기)가 오면 아무리 자원이 많아도 붕괴될 수밖에 없다. 커브를 낮추는 게 중요하다. 이제까지 나온 임상 결과, 좋아질 환자는 금방 좋아지고 나빠질 사람은 3~5일 사이 급작스레 폐가 나빠진다. 그때가 제일 치료가 필요한 시기이다. 그래서 그때까지는 병원에 있어야 한다. 대신 퇴원을 빨리 하는 방안을 고려해야 한다.

지금 격리 해제(퇴원) 기준은 메르스 때처럼 증상이 없어지고 48시간 지나 24시간 간격으로 두 번 음성이 나와야 한다. 그건 환자가 소수 발생했을 때 완전 가두려고 하는 거고. 이제 격리 차단(봉쇄) 전략을 일부 유지하면서 완화 전략으로 오버랩해야 한다. 우한과 같은 상황이 온다면, 코로나19 바이러스가 나오는 2~3주 가운데 초기 5~10일 입원하고 나머지는 집으로 가서 자가격리 (원격) 치료로 가야 할 가능성이 있다. 대구에서 입원 대기 중 사망하는 코로나19 확진 환자들이 발생하자 정부는 3월1일 경증 환자들을 지역별 '생활치료센터' 에 입소시키는 방안을 마련했다.

☞ 설득이 쉽지 않을 것 같다.

국민들이 서로 타협해야 한다. 환자가 '나는 끝까지 치료하고 갈래' '경증이지만 불안하니 계속 있을래' 라고 주장해도, 전문가가 판단하고 사회적 합의가 이뤄져야 한다. 의사 판단이 100%가 아니어서 5일째 괜찮다가 6일째 나빠지는 경우도 있을 수 있다. 그런 걸 커버하기 위해 24시간 콜센터 진료라든지, 지금까지 없었던 시스템이 생겨야 한다. 새로운 감염병에 똑같은 시스템으로 대응하려고 하면 답이 안 나온다. 내가 제안했던 '드라이브 스루(drive through)' 같은 새로운 아이디어도 일부 지역에서 시행이 됐다. 이렇게 안 쓰던 방법을 써야 한다. 우한에서 왜 포클레인을 총동원해서 1000병상 병원을 급조하는지 생각해봐야 한다. 확 나빠질 수 있는 기간 적절히 산소를 공급해줄 곳이 필요하기 때문이다.

☞ 응급실 폐쇄, 의료진 자가격리, 검체 채취 과정에서도 과부하가 많이 걸린다.

장기간 다중이용 공간 폐쇄는 절대 반대다. 바이러스는 혼자 살 수 없다. 사람 세포에 기생해야만 산다. 희석한 락스만 뿌려도 다 죽는다. 마트나 아웃렛 같은 곳에 확진자가 다녀가면 소독하고 환기한 후 다시 열면 된다. 하지만 인플루엔자처럼 쉽게 생각하란 말은 절대 못한다. 의료진의 보호구 레벨을 낮추자고도 못하겠다. 감염 전파력을 이야기할 때 쓰는 '어택 레이트(attack rate: 전파가능확률)' 라는 수치가 있다. 똑같은 조건에서 100명에게 뿌렸을 때 몇 명이 걸리나를 의미하는데, 따로 실험할 것도 없이 청도대남병원에서 실험이 돼버렸다. 거의 98% 아닌가. 이 바이러스 항체를 가진 사람이 지구상에 한 명도 없다. 조금 더 무서운 독감? 그건 아니라고 본다. 의료기관의 과도한 폐쇄도 분명 문제가 있다. 거기를 평소처럼 써야 할 환자들이 다 죽는다. 광둥·베이징은 아니지만 우한은 겪은 일이다. 우리가 현명하게 자원을 나눠서 광둥·베이징의 길을 가느냐, 우한의 길을 가느냐의 차이다. 지금 그 기로에 서 있다.

☞ 비약물적 중재는 얼마나 효과가 있을까?

감염학자, 예방의학자, 수학자, 통계학자 등이 모인 감염병 조기경보 연구진들이 코로나19 확산 상황에서 장거리 대중교통수단(KTX, 비행기, 고속버스) 제한과 비교해 비약물적 중재의 효과를 수학적 모델링으로 분석해봤다. 교통수단을 제한하면 곡선이 늦춰지긴 하는데 피크(꼭짓점)가 안 떨어졌다. '열나면 멈추는' 비약물적 중재를 하면 발생 곡선이 느려지고 피크점도 내려갔다. 아직 정식 발표되지 않은 자료지만 정부에도 보고된 것으로 알고 있다. 같은 연구단에서 코로나19 확진 환자와 접촉자 격리 시점에 따른 효과도 추정해봤다. 감염자와 접촉자가 최대한 빠른 시일 내에 격리될수록 전체 감염자 수는 확연히 줄어든다. 주목할 점은 격리 시점이 빨라지는 것보다 접촉자도 '함께' 격리시키는 게 더 주효하다는 점이다. 감염된 지 평균 1일 후에 감염을 인지하고 감염자와 접촉자를 모두 격리한 최선의 시나리오에서 전파 가능 확률(폐쇄되고 밀집된 공간일수록 높아진다)이 60%에 도달하더라도 전체 인구의 5%만 코로나19에 감염된다. *시사IN 조남진:* 김진용 과장이 완치돼 우한으로 돌아간 1번 환자로부터 받은 메일을 보여주고 있다.

☞ 한국뿐 아니라 전 세계가 코로나19로 비상이다.

얼마 전 이탈리아의 한 의약품 전공자가 내 코로나19 임상 논문을 보고 메일을 보내왔다(이탈리아는 2월 27일 기준 확진자 수 450명을 넘겼다). 치료 약물을 탐구하는 듯했다. 전 세계가 코로나19에 관해 궁금한데 아는 건 적어서 공동 대응해야 하는 상황이다. 우리나라가 비행기 편수로 따졌을 때 감염병 위험도가 상위 5위 안에 들어 있다. 다른 나라도 우리보다 늦게 겪을 뿐 비슷할 것이다. 미국의 경우 인구밀도가 낮지만 하층 의료체계가 더 엉망이라 아무도 장담 못한다.

중국 우한 의사들이 그 정신없는 와중에 7만2314 케이스를 바탕으로 미국 학회지(〈American Medical Association〉)에 논문을 냈다. 제목이 '중국 코로나19 집단발병의 특성과 중요한 교훈(Characteristics of and Important Lessons From the Coronavirus Disease 2019 (COVID-19) Outbreak in China)' 이다. 교훈을 공유하겠다는 거다. 자기들이 잘했다고. 많이들 중국을 무시하지만 배울 건 배워야 하는 게, 그래도 그들은 (코로나 확산세가) 꺾였다. 우한시도 꺾였다. 나에게 치료받고 우한에 간 1번 환자에게서 어제 메일이 왔다. 괜찮으냐고, 한국 상황을 듣고 걱정된다고.

☞ 우리도 희망이 있을까?

지금이 고비인 것 같다. 비약물적 중재를 지금은 할 수 있다. 더 퍼지면 못한다. 정책 결정자와 국민이 합심하면 베이징 수준보다 잘 막을 수 있다. 잠복기가 2주까지 가는데 미적대다간 얼마나 큰 여파가 오는지를 보게 된다. 그때 준비하면 늦다. 최악의 시나리오를 대비한 과감한 결단이 필요하다. 낙관은 정말 안 된다.[10][11]

9. 추석까지 '코로나 집콕' 9개월...기자들의 내 집 관찰기

지난 1월 국내에 코로나 첫 확진자가 생긴 뒤 9개월 가까이 흘렀다. 길어야 한두 달이면 끝날 줄 알았던 바이러스와의 싸움은 언제 끝날지 모르는 상황.

비대면 추석이라는 비현실적인 명절까지 맞게 됐다. 아쉽지만 귀향을 포기하고 '집콕'을 선택한 이들도 적잖다. 코로나 시대에 맞는 첫 명절, 집의 무게는 더 커졌다.

그 사이 집은 재택근무하는 사무실, 온라인 수업이 펼쳐지는 교실, 극장을 갈 수 없는 관객의 영화관, 문 닫은 피트니스를 대신할 체육관, 무엇보다 바이러스 외침을 막아낼 보루로 굳게 자리매김했다.

사람 만나는 게 주 업무인 기자들도 사회적 거리 두기에 동참해 집에 머무는 시간이 많아졌다. 바깥세상 관찰자에서 집안 관찰자가 된 이들의 눈엔 어떤 것이 포착됐을까. 기자 6명이 지난 9개월 간 헐적 '직주(職住)일체형' 재택근무를 경험하며 느낀 집에 대한 생각을 담았다. 집으로 들어간 워킹맘, 밀레니얼 원룸족, 부모에게 얹혀사는 캥거루족 등 각자 처한 위치에서 새롭게 발견한 '나와 집' 이야기다.

◇ 삼시 세 끼 전쟁이 시작됐다, 싱크대

그곳은 전쟁터. 물 마를 새, 잠잠할 틈 없다. 등교 대신 원격 수업을 하는 아이, 탄력적 재택근무에 들어간 부모가 삼시 세 끼 쏟아내는 잔해는 생각보다 많다. 학교 급식과 외식이 베풀어준 자비가 이제야 보인다. 그곳은 또한 풀가동 밥 공장. 비대면 배송으로 현관문 앞에 쌓인 식료품 택배는 상자 옷을 벗고 개수대에서 환승 대기한다. 잠시 숨을 고르고 냉장고, 가스레인지, 에어 프라이어, 각자의 행선지로 이동한다.

집에서 코로나 직격탄이 떨어진 공간은 싱크대다. 비우기 무섭게 설거지 거리가 쌓이고, 처리하기 무섭게 회사 일이 밀려온다. 반복되는 분노의 수세미질과 헹굼질. 이것은 전쟁이다.

그러고 보니 싱크대는 진짜 전쟁의 산물 아니던가. 붙박이 싱크대, 수납장, 개수대가 붙은 오늘날 일체형 부엌의 효시는 1926년 오스트리아 여성 건축가 마가레테 쉬테-리호츠키가 설계한 '프랑크푸르트 부엌' 이다. 1차 대전 후 주택난 해소용으로 독일에서 등장한 대규모 공공주택의 부엌 시스템이었다. 이 싱크대 후손이 전 세계 주방으로 뻗어나갔다. 아이러니하게도 전후 복구 유산은 94년이 흐른 2020년 각 가정에서 코로나와 전쟁을 치르는 격전지가 됐다. 언제쯤이면 이 전쟁을 끝내고 삼시 세 끼 집밥 도돌이표를 멈출 수 있을까, 급식과 외식의 단비를 맛볼 수 있을까. 싱크(sink)대 앞에서 싱크(think)해 본다(김미리 기자). 전쟁터가 된 김미리 기자의 싱크대. 분노의 설거지와 헹굼질이 반복된다.

◇ 과부하 걸린 원룸의 구원자, 스피커

오늘 해야 할 일은 끝났다. 침대에 엎어진다. "삐걱." "팅, 탱." 침대의 스프링 소리에 미간이 찌푸려졌다. 휴대폰에 작은 블루투스 스피커를 연결했다. "누가 뭐라 해도 난 나야. 난 그냥 내가 되고 싶어. I wanna be me, me, me." 쿵쿵거리는 걸 그룹 노래가 흐른다. 잔잔한 인디음악만 흘러나오던 기계지만 요즘은 2000년 이후 태어난 아이돌 가수의 노래만 잔뜩이다. 수명을 다해 지지직거리는 전등, 옆방에서 물을 쓰면 꿀렁거리는 싱크대도 거슬린다. 스피커 음량을 더 올렸다.

옆방, 윗방 소음으로 둘러싸인 조유진 기자의 원룸. 구세주는 스피커였다.

"가운데 방이라 난방 안 해도 따뜻해. 대학가인데도 조용하고." 여섯 평 남짓한 원룸에 만족하며 산 지 1년이 넘었다. 그 애정에 배신당한 건 최근. 코로나로 사람들이 집에 갇힌 뒤다. 한 층에 네 집씩 다닥다닥 붙어 있는 4층 건물에 사람이 꽉 차 있다. 원룸의 '고요' 는 이웃의 침묵으로 유지되고 있었다는 걸 이제야 깨달았다.

내가 사는 202호는 201호와 203호에 끼인 방. 그들의 사생활이 소리에 실려 벽을 뚫고 왔다. 201호 세입자는 코로나를 피해 '집콕 데이트' 를 즐기는 연인이었다. 까르르 웃다가 금세 투닥거렸다. 203호 남자는 코인 노래방을 사랑했던 게 틀림없다. 복식호흡으로 노래를 연습했다. '멜론 탑 100' 에 있는 이별 발라드를 잘 불렀다. 문을 두드릴까 하다가 '그들도 내 방 소음에 시달리고 있겠지' 싶어 말았다.

한번 신경이 곤두서자 내 방에서 나는 소리까지 듣기 싫어졌다. 이중창부터 화장실의 작은 창까지 내 방의 모든 구멍을 막았다. 얇은 벽과 문은 무력했다. 마지막으로 내 귓구멍을 아이돌 가수 목소리로 막았다. 본디 원룸은 침실 겸 거실 겸 부엌으로 태어났다. 코로나 시대엔 사무실, 데이트 장소, 노래방, 피시방 역할까지 한다. 과부하 걸린 원룸의 소음 차단막, 나의 스피커(조유진 기자).

◇ 집구석 수퍼히어로, 비누의 재발견

귀가하면 욕실로 직행한다. 비누부터 만진다. 촉감은 둥글고 미끌미끌하다. 물에 적셔 문지르면 곧 거품이 일어난다. 질병관리본부 지침대로 손 구석구석을 30초쯤 씻는다. 비누가 불안과 공포를 가라앉힐 수 있다는 사실을 최근에야 알았다.

신종 코로나 바이러스와 싸우느라 이 세정제와 보내는 시간이 길어졌다. 무엇보다 손을 훨씬 더 자주 씻는다. 직장에서는 화장실, 집에서는 욕실에 더 빈번히 들락거린다. 하루에 손을 10번 씻으면 5분, 20번이면 10분이 걸린다. 샤워까지 합치면 날마다 15분쯤 비누가 내 손에 붙어 있다시피 한다. 코로나 사태가 만든 뉴노멀(new normal · 새로운 표준)이다.

며칠 전에는 상점에 갔다가 위생용품 코너에서 비누를 재발견했다. 종이 갑에 담긴 이 물건을 자세히 관찰하다 올 초까지는 보지 못한 글자에 눈길이 사로잡혔다. '항균 기능 강화.' 매운 고추로 이름난 충남 청양에서 만든 상품이었다. 무게가 100g이라는 것도 처음 알았다. 욕실용은 아니지만 딱풀처럼 생긴 '휴대용 비누'도 날렵하면서 믿음직스러워 보였다.

고대 메소포타미아의 수메르인이 산양 기름과 나무의 재를 끓여서 비누를 처음 만들었다는 설이 있다. 비누는 19세기 이후 대중화돼 인류의 수명을 20년 늘린 발명품이다. 한동안 존재감을 잃었던 이 물건은 전염병이 창궐하자 다시 영웅으로 등장했다. 비누는 손 소독제와 달리 향기롭고 바이러스를 더 확실하게 없애준다. 욕실은 구석진 자리에 있고 그곳에 늘 비누가 있다. 집구석의 재발견이기도 하다. 뽀득뽀득 손을 씻으며 정신위생까지 덤으로 얻는다. 촛불이 어둠을 밀어내듯이 비누는 불안을 몰아낸다. 영웅은 아무 말이 없다. 미끌미끌한 침묵, 그 듬직함이 고맙다(박돈규 기자).

박돈규 기자의 눈엔 집의 구석, 욕실에 있는 비누가 들어왔다. 코로나 시대의 수퍼히어로다.

◇ 문을 열었다, 부모님의 '낯'이 보였다

"과일 갖다 줄까? 아님 주스 마실래?"

방문을 열어 고개만 들이민 어머니가 물어본다. "됐어요, 나중에 제가 알아서 챙겨 먹을게요" 라고 답을 하면 어머니가 고개를 더 길게 빼서 방을 둘러보고 방문을 닫고 나간다. 부모님과 함께 사는 '캥거루족' 변희원 기자에겐 문이 새롭게 다가왔다.

나에겐 어릴 때부터 방문이 열려 있는 꼴을 못 보고 언제나 닫아놔야 하는 버릇이 있다. 코로나 사태 이전까지 내 방문은 열린 적이 별로 없다. 아침에 출근하고 밤늦게 집에 들어갔다. 주말에 외출하지 않을 때는 방 안에서 밥을 먹고, 컴퓨터로 영화를 보며 시간을 보냈다. 화장실도 방 안에 있어서 방문을 열고 나갈 일이 없었다. 부모님이 방문을 열고 들어올 일이 없긴 매한가지였다.

코로나 사태 때문에 재택근무를 시작하면서 내 방문은 자주 열렸다. 오랜만에 집에 오래 머무는 자식이 신기하기도 하고 궁금하기도 했는지, 부모님은 가끔 방문을 열고 들어와 간식을 주거나 동네, 친구 이야기를 하고 나갔다. 이런 근무 환경에 익숙하지 않아서 몇 번 짜증을 냈고, 사춘기를 맞은 소녀처럼 방문을 걸어 잠근 적도 있다.

재택근무를 한 지 한 달이 지난 어느 날 오후, 방문을 벌컥 열어보았다. 어머니는 소파를 뒹굴며 넷플릭스를 보고 있었고, 아버지는 물구나무서기를 연습하고 있었다. 처음 보는 광경이었다. 대체 그동안 방문 밖에서는 무슨 일이 일어나고 있었던 거지? 나는 부모님이 신기하고 그들의 일상이 궁금해졌다. 이제 방문을 열면 다 알게 될 것이다(변희원 기자).

◇ 식구(食口)를 찾은 식탁

남편이 식탁을 없애고 작은 테이블을 들이는 게 어떻겠냐고 물었다. 부엌과 거실의 경계에 있는 식탁을 치우고, 거실 공간을 더 넓게 쓰는 게 효율적이지 않겠느냐고 했다. 내심 동조했다. 같은 일을 하는 남편도 나도, 식탁에 앉아 밥 먹을 일이 잘 없다. 네 살 된 아이는 친정엄마와 오후 6시 반쯤 유아 식탁에 앉아 저녁을 먹는다. 친정엄마는 그 옆에서 앉지도 서지도 못한 채 어정쩡한 모양새로 저녁을 때운다. 저녁 드셨느냐는 물음엔 언제나 같은 답이 돌아온다. "○○이 먹을 때 같이 먹었으니 신경 쓰지 마."

맞벌이 워킹맘 남정미 기자 가족에겐 식탁이 집의 척추가 됐다.

코로나 바이러스로 아이 어린이집 휴원이 장기화하면서, 남편과 나 각각 5일씩 휴가를 냈다. 독박육아로 지친 친정엄마를 쉬게 해 드리기 위함이었다. 어린이집 휴원자와 재택근무자, 돌봄 휴가자가 모인 곳은 식탁 앞. 우리는 버리려던 식탁에 마주 앉아 아침, 점심, 저녁을 같이 먹었다. 아이는 자신이 모르는 주제라도 열심히 떠들고, 밥도 더 많이 먹었다. 식탁에 앉으니 '식구(食口)' 란 말을 절감했다. 한집에 살면서 끼니를 같이하는 사람들. 코로나로 집의 변방인 줄 알았던 식탁이 갑자기 집의 중심, 새로운 척추가 됐다.

식탁 위 반찬은 친정엄마 표. 엄마는 떠나기 직전까지 감자를 볶고, 돈가스를 한 덩이씩 소분해 냉동실에 넣어두고, 미역국을 한 솥 끓여 놓으셨다. 때로 식탁은, 먼 곳의 식구와 나까지 연결한다(남정미 기자).

◇ 내가 없을 때 너는 나를 찾았다, 원룸의 빛

내가 부재중일 때 네가 오는지 몰랐다. 네가 부재중일 때 나만 너를 찾는 줄 알았다. 일방통행 아닌, 엇박자 사랑이었을 뿐. 재택근무하며 평일 대낮에 찾아온 너를 드디어 만났다. 나의 작은 원룸에 쏟아진 빛이었다.

빛 잘 드는 원룸에 둥지 튼 기쁨은 오래가지 못했다. 1년 전 근처에 들어선 고층 원룸 빌딩이 어둠을 몰고 왔다. 이른 아침부터 들어오는 눈부신 빛이 싫어 설치했던 암막 커튼은 무용지물이 됐다. 밖이 가려지면서 집에 들어오는 빛의 3분의 2 정도가 사라져 버렸다.

원룸족 곽창렬 기자는 평일 낮 원룸에 쏟아진 빛을 마주했다.

재택근무 때문에 종일 집에 있다 보니 빛의 묘한 흐름을 추적할 수 있었다. 오전 11시쯤 해가 중천에 떠오르자 비로소 집에 활기가 돌았다. 오후 2시가 절정이었다. 늘 밖에 있는 시간, 태양은 몰래 왔다가 자취를 감췄던 것이다.

아이러니는 절정에 이른 순간 하루를 슬슬 마감해야 할 것 같은 생각이 든다는 점이다. 해가 고층 건물 뒤로 숨으며 빛의 양이 급격히 줄어들기 때문이다. 활기찬 세상 모습이 컴컴한 원룸에선 잘 체감되지 않는다. 하루가 훨씬 일찍 끝나는 느낌이다. 코로나는 빛을 가득 안고 사는 일상이 얼마나 아름다운지 느끼게 한다.

무뎌진 시간 감각은 밤의 휴식 시간에도 이어진다. 스포츠채널엔 코로나로 올스톱된 스포츠 중계 대신 옛 프로야구가 무한 반복된다. 라이브의 세상이, 라이브의 빛이 그립다(곽창렬 기자).[12]

10. '비만과 웰빙' 으로 승부 걸다

대기업이 제약업계에 진출해 성공을 맛본다는 것은 결코 쉽지 않은 일이다. 실제로 대기업의 업계 진출이나 진출이 성공으로 이어진 사례만 봐도 제약업계의 벽은 대기업에 있어서도 쉽게 넘지 못하는 벽이다.

결코 만만치 않은 제약 시장에서 (주)한화의 계열사인 드림파마는 '비만과 웰빙' 이라는 특성화된 아이템으로 승부를 걸고 있다.

가. 비만치료제 중심에서 항노화 중심으로

드림파마 김동섭 마케팅 본부장은 "그 동안 드림파마는 만성질환 및 심혈관계 질환의 원인인 비만을 치료하기 위한 치료제로 비만 시장에서 맏형 노릇을 해왔다" 며 "비만 치료 하나만큼은 그 어떤 대형 제약사에게도 지지 않을 정도의 노하우와 기술이 축적돼 있다" 고 말했다.

실제로 비만치료제 시장은 지난 2002년을 기점으로 드림파마(푸링 외)를 중심으로 한국애보트(리덕틸캡슐), 한국로슈(제니칼캡슐)등이 이끌어왔다.

여기에 최근 시부트라민제제 특허 만료로 인해 한미약품, 대웅제약, 동아제약, 유한양행 등 대형제약사들까지 대거 가세하면서 비만치료제 시장은 성장과 함께 경쟁도 치열해지고 있다.

김동섭 본부장은 "물론 비만관련 시장은 계속 성장하고 확대될 것이기에 비만 치료제 시장의 맏형으로서 그 몫은 다하겠지만 드림파마의 미래 동력은 뉴트리션, 에스테틱 등 항노화 중심의 비급여 품목인 항노화 분야 토탈케어 시스템이 될 것" 이라고 설명했다.

이를 위해 드림파마는 보톡스, 필러, 성장호르몬 등의 항노화 품목 라인업을 구축하는 한편 분야별 특화 프로그램인 에스테틱 분야에서는 시술 습득을 위한 교육 코스를 운영하고 뉴트리션 분야를 위해서는 영양 진단 및 처방 툴을 제공하는 등의 구체적인 계획을 수립했다.

김 본부장은 “항노화 품목은 정부의 잇단 약가인하 정책으로 갈수록 손해를 보고 있는 급여 품목을 대체할 수 있는 가장 유망한 주자”라며 “드림파마의 제2의 전성기는 항노화 품목들이 이끌어 나갈 것”이라고 말했다.

또한 김 본부장은 “항노화 품목과 함께 암, 가자면역질환 치료를 목적으로 하는 ‘바이오의약품’과 생활습관병, 노인성 질환을 타깃으로 하는 ‘천연물의약품’도 드림파마의 신 성장 동력이 될 것”이라고 덧붙였다.

나. 케미칼은 ‘라이센스’ 천연물은 ‘R&D’

드림파마가 중소를 넘어 대형제약사로 발돋움하기 위해 선택한 전략은 케미칼은 ‘라이센스’ 천연물의약품은 ‘R&D’라는 선택과 집중이다.

다시 말해 케미칼 의약품은 3~4임상에 들어갈 정도의 유망품목 중심으로 비교우위 품목을licence-in해 시장을 공략하고 천연물 의약품은 꾸준한 R&D를 통한 신 물질 신약으로 글로벌 경쟁력을 확보하겠다는 것.

이를 위해 드림파마는 지난 11월에 출시한 서방형 식욕억제제 ‘판베시서방캡슐30mg’을 비롯해 천식치료용 흡입제 ‘BUSAL’, 외용 항균진제 ‘Luliconazole’ 등을 올해 잇달아 라이센스 했으며 바이오의약품 개발을 위해서도 오는 2010년까지 매년 300억씩의 투자를 계획하고 있다.

이와 함께 드림파마는 약국시장도 겨냥해 약국이 원하는 품목 중심으로 올해 20개 정도의 일반약을 출시, 일반약 활성화에 앞장서겠다는 각오다.

김동섭 본부장은 “드림파마의 고도화된 선택과 집중화 전략은 2010년까지 드림파마를 비만 시장의 리더 유지는 물론 천연물의약품, 바이오의약품 및 웰빙의약품 시장에서도 국내를 넘어 세계적 경쟁력을 갖춘 회사로 만들 것” 이라고 강조했다.

“다가오는 cGMP 시대에도 한미 FTA 시대에도 드림파마의 목적의식과 지향점은 분명합니다. ‘특성화된 최고의 웰빙제약사’ 가 되기 위해 드림파마가 먼저 뛰어들겠습니다. 푸르디푸른 블루오션으로 말입니다.” 13)

15. 포스트 코로나 ‘로컬 가치’ 에 주목

진자 수가 증가와 감소를 반복하며 코로나19 팬데믹(세계적 대유행) 사태가 지속되고 있다. 짧은 시간에 인간 사회를 송두리째 뒤흔들었고 어느 곳이든 예외는 없다. 평창도 사회적 거리두기 방침에 따라 대표 축제인 효석문화제, 송어축제 등 지역문화축제가 모두 취소됐다. 이처럼 우리는 코로나19로 인해 21세기 그 어느 때보다 많은 변화에 직면하고 있다. 그중 두드러지는 것은, 현대를 관통했던 글로벌(Global)화의 흐름이 멈추고 '로컬(Local)', 즉 지역적 가치가 주목을 받기 시작했다는 점이다. 높아진 '로컬 가치'는 평창과 같이 관광산업이 지역 경제의 큰 부분을 차지하는 지자체들에 새로운 기회가 될 수 있다. 코로나 이후 해외여행이 불가능해진 상황이 지역에서 즐길 수 있는 다양한 '로컬 콘텐츠'에 대한 관심으로 이어진 덕분이다.

한 숙박 플랫폼의 조사에 따르면 올 6월 기준 4박5일 이상의 장기 숙박 예약은 전년 대비 70% 이상의 증가를 보였다. 해외 여행을 대신해 국내 여행을 장기로 즐기는 변화가 생긴 것이다. 지자체는 이러한 변화를 기회로 삼아야 한다. 하루 이틀 훑고 가는 관광 상품이 아닌 '한 달 살이' 가 가능할 만큼 오래도록 머무르고 싶은 매력적인 로컬 콘텐츠를 고민해야 한다. 동시에 코로나19로 인해 비대면 디지털 이벤트에 익숙해졌을 대중에게 지역 행사 개최 시 오프라인과 더불어 온라인을 적극 활용하는 방안 등도 강구해야 한다.

이렇듯 코로나19 이후 지역경제 활성화 방안을 고민하는 한편에는 이번과 같이 질병 재해로 인해 지역 간 이동이 극도로 제한되는 상황이 재발할 수도 있다는 염려와 대비 또한 동반돼야 한다. 이에 따라 유사시 외부에 대한 의존도를 줄이고 '로컬' 그 자체로 자생할 수 있도록 '적정인구' 를 이뤄내는 것. 그것이 미래 대비를 위해 당면한 과제라고 할 수 있다.

실제 평창의 경우 2015년 대비 약 5%의 인구 감소를 겪었을 정도로 지역소멸의 위기에 있다. 평창과 같은 위기를 겪는 지자체들이 인구 유치를 통해 '로컬' 의 내실을 다지기 원한다면, 필자는 코로나19로 인해 강화된 디지털 인프라에 주목해야 한다고 생각한다.

미국 경제 전문지 포브스(Forbes)는 코로나19가 대중에게 재택근무, 온라인 수업 등을 익숙하게 했다며 코로나 이후에도 이러한 변화는 지속될 것이라고 전망했다. 지자체는 이러한 변화의 관성에 발맞춰 재택근무 및 온라인 수업을 위한 모바일과 ICT(정보통신기술)를 접목한 통신 인프라를 확충하는 한편, 지역에 거주함으로써 얻을 수 있는 이점을 적극 홍보해야 한다. 평창의 경우 청정 자연환경과 레저 활동에 대한 접근성이 그 이점이라 할 수 있다. 이처럼 도심이 아닌 곳에서도 경제활동이 가능한 동시에 삶의 질을 높일 수 있다는 점을 대중에 홍보한다면, 이는 인구 유입을 이뤄내는 유인이 되리라 기대한다.

코로나19 이후 새로운 정상 기준, 즉 '뉴노멀(New Normal)' 이 도래할 것이란 전망은 흡사 이전의 세계로 다시는 돌아갈 수 없다는 절망적인 말처럼 들린다. 하지만 지자체가 '로컬 가치' 에 중점을 두고 그 이후의 시대를 대비한다면, 앞서 언급한 절망이 '지역경제 활성화' , '인구 증가' 등의 희망으로 바뀔 수 있다. 그 어느 때보다 지자체와 다양한 구성원이 합심해 위기를 기회로 바꾸는 노력이 필요한 때다.[14)]

12. 코로나를 이기는 묘약은 가족 간 믿음이다

우리는 웅장하고 거대한 자연물이나 조형물 앞에 서면 감탄을 넘어 경외심마저 갖는다. 반면 작고 미미한 사물들에 대하여는 거의 존재감을 잊고 살다시피 한다.

그런데 작고 미미한 것이 모여 대규모 군집이나 무리를 이루게 되면 유형무형의 힘이 생긴다. 벚꽃을 비롯하여 억새·갈대·진달래·철쭉 등 군락에서의 감동이나, 수만 마리의 동물 무리가 대규모로 이동하는 모습은 장관을 넘어 압도된다. 공항이나 항로를 꼼짝 못 하게 묶어놓는 안개의 위력도 미세한 물방울 모임에서 비롯된 것을 보면 이해가 쉽다.

작고 힘없는 것들이지만 대규모가 발산하는 위력은 공포를 만들기도 한다. 미생물에서도 이러한 힘은 여전히 위협적이다. 천연두·흑사병·에이즈 등을 비롯하여 지금 창궐하고 있는 코로나19 바이러스와 전 세계가 힘겨운 전쟁 중이다.

미미하다고 생각되는 미생물은 대처가 더욱더 어렵다. 보이는 적은 공격이나 방어가 용이하지만 보이지 않는 적은 난감하다. 다행히 코로나19 바이러스는 눈에 보이지는 않지만 대표적 감염증상은 발열과 호흡기 관련 통증으로 나타난다. 이러한 유증상자를 대상으로 검사와 격리치료에 들어가 안정적인 효과를 거두고 있다. 그런데 근래에 무증상 감염자가 나타나고 이를 매개체로 한 확산이 대두하고 있다. 코로나19 사태는 개인만의 문제가 아니기 때문에 예방수칙과 거리 두기 등 지시와 통제에 따라야 할 의무가 있다. 우리 스스로가 감염과 확산방지를 위한 경계심을 늦추지 않으면 반드시 극복할 것이다.

한편, 경제난과 코로나19 와중에서도 총선은 무리 없이 치렀다. 이는 미국 유럽을 비롯한 선진국에 상당한 감동을 주었고, 좋은 사례가 되고 있다. 이러한 위기 속에서도 버티게 하는 힘의 원천은 정부와 건전한 사회, 뭐니 뭐니 해도 가족 간의 깊은 유대와 기대가 아닐까 한다. 내 가족의 안녕이 사회와 국가 안녕으로 직결된다. 그러기에 모두가 한마음으로 경제난과 전염병 등 총체적 위기 극복을 위해 노력하고 있는 것이리라. 다행한 것은 고통 속에서도 국민의 가슴마다 희망의 꽃씨를 가득 품고 있다.

15세기 선승 일휴(一休)의 선시를 조용히 떠올려본다.

“벚나무 가지를 부러뜨려 봐도 / 그 속엔 벚꽃이 없네. / 그러나 보라, 봄이 되면 / 얼마나 많은 벚꽃이 피는가.” 15)

17. 우리의 관계는 병마보다 강하다

방골성 골육종. 희귀암 진단을 받았다. 생각지도 못했던 병으로 수술을 하게 됐다. 3주를 넘긴 긴 입원 기간과 퇴원 후에도 이어진 넉 달간의 항암치료는 더욱 예기치 못했던 투병의 일상이었다. 혜영(39)이 인생에서 가장 깜깜했던 터널을 지나던 그때 힘이 되어주었던 사람들이 있다. 곁에 있어주었던 이들은 아팠던 그 시간들을 인생의 자원으로 바꿔놨다고 했다. 지난달 3일 만난 혜영은 몸의 안부를 묻고 돌봐주었던 여성들, 병마보다 강했던 정의로운 여자들의 이야기를 들려줬다.

- 투병 생활은 어떻게 시작되었나요.

“2017년 11월 말 암 진단을 받고 12월 초에 바로 수술을 했어요. 퇴원하고도 4개월 정도 항암치료를 받았죠. 2018년은 전부 회복하는 데 보냈어요. 지금은 일상생활을 하는 데는 무리가 없지만 수술을 받은 다리에는 장애가 남았어요. 쪼그려 앉거나 뛰거나 하지는 못하는 상태입니다.”

사진을 찍는 프리랜서인 그는 서울 은평구에서 고양이 두 마리와 함께 사는 1인 가구다.

- 혼자 아플 때 가장 서럽다고 하잖아요. 암을 이겨내기까지 많

은 사람들의 돌봄이 필요한 시간이었을 것 같아요.

"투병 생활이라는 것이 대부분 가족의 돌봄에 기대잖아요. 특히 어머니가 맡는 경우가 많고요. 그런데 저희 어머니가 70대 중반이에요. 나이가 많으시죠. 그래서 당시 같이 살던 친구와 동네 친구들이 저의 돌봄을 맡아줬어요. 몸과 마음의 돌봄 모두. 그래서 회복할 수 있었어요. 아프기 전에도 서로 일상의 안부를 물어왔던 친구들이에요. 같은 페미니스트였기 때문에 이런 방식의 돌봄을 상상할 수 있었던 것 같아요."

'릴레이 돌봄' 을 해줬던 친구들은 환자의 치료와 회복을 위해 필요한 항목을 꼼꼼하게 적어 서로 인수인계를 했다. 또 요일별로, 시간대별로 7명이 맡을 수 있는 시간을 적은 타임테이블을 공유하며 간병을 해줬다(혜영 제공).

친구들은 그를 위해 '릴레이 돌봄' 을 해줬다. 요일별로, 시간대별로 7명이 맡을 수 있는 시간을 적은 타임테이블이 있었다. 누가 몇 시에 오고 가는지 확인하고, 돌봄이 필요한 항목도 적어 인수인계를 했다. 하루 20분, 재활 운동하는 시간에 필요한 기계는 복도에서 받아 오면 되고 씻길 때 필요한 수건의 종류가 무엇인지, 침대 시트를 교체할 때 간호사실 앞에 비치돼 있는 것을 쓰면 된다는 주의까지 꼼꼼하게 매뉴얼로 적어 공유했다. 이 돌봄 매뉴얼에는 마사지는 어깨와 등을 해줘야 하며, 다인실 냉장고 안에 혜영의 물건이 놓인 냉장실 번호와 '딸기와 배를 선호한다' 는 것도 적혀 있었다.

- 간병인 경험이 있는 프로가 돌봐준 것 같아요(웃음).

"다 동네에서 자주 연락하던 친구들이에요. 한 친구가 소통방에 '혜영이 지금 이런 상태이니 돌봄이 가능한 사람들이 모여보자'

고 해줬고 모두가 저의 재활과 회복을 위한 움직임을 시간별로 짜줬죠. 하루 종일 누워 있기만 한 것은 아니고 재활운동도 해야 했고, 산책할 수 있는 시간도 있어서 휠체어를 타고 다녔거든요. 대소변도 친구들이 받아줬어요."

친구들은 1층 코스와 암병동 코스를 만들어 하루 한두 번, 그를 휠체어에 태워 같이 산책을 나갔다. 소변을 볼 때는 어떻게 도와야 하는지, 대변일 때는 어떤 것을 준비해 어디서 처리를 해야 하는지 서로의 경험을 바탕으로 병실 한쪽에 써 붙였다. 큰 수술을 받은 그가 24일, 거의 한 달 가까이 병원에서 일흔이 넘은 엄마와, 그래도 큰 어려움 없이 지낼 수 있었던 것은 꽤 능숙한 간병인이 돼준 친구들 덕이다.

- 어떻게 그런 돌봄이 가능했을까요. 가족도 해주기 힘들잖아요. 사실 남인데 일부러 시간을 내고, 계획을 세워서 병원에 오는 건 '이 사람을 낫게 하겠다' 는 강한 마음이 있어야만 하는 것 같아요. 그런 연대를 경험하지 못한 사람은 쉽게 상상할 수 없어요.

"제가 다른 복은 없어도 인복은 있다고 생각해요(웃음). 저는 관계의 폭이 넓지는 않아요. 페미니스트 친구들 말고는 친구가 없어요(웃음). 그런데 이 친구들의 특징이 정의로움이 있다는 것이에요. 제가 아픈 몸이 되니까 저희 관계에서도 정의로움이 발동한 것 같아요. 서로 동료로 생각하기 때문일 거예요. 동료가 아플 때 나의 역할은 무엇일까. 그 생각을 행동으로 옮기는 힘이 있어요. 역할을 찾아 나서게 만드는 것이죠."

혜영이 동네 친구들과 타로 스터디를 하고 있다. 그가 나고 자란 은평구는 상대적으로 주거비가 저렴한 동네다. 그래서 비혼인 1인 가구가 많이 살고 있는 곳이기도 하다. 집 근처에는 여성주의자들이 만든 의료복지사회적협동조합 '살림의원' 과 생애문화연구소

'옥희살롱' 이라는 공간이 있다. 이곳들을 중심으로 페미니스트들이 모여있고 그 역시 이런 환경에 영향을 받았다고 했다(혜영 제공).

혜영은 은평구에서 나고 자랐다. 서울의 주변부, 상대적으로 주거비가 저렴한 동네였기 때문에 비혼인 1인 가구가 많이 살고 있는 곳이기도 하다. 그가 현재 살고 있는 집 근처에는 여성주의자들이 만든 의료복지사회적협동조합 '살림의원' 과 생애문화연구소 '옥희살롱' 이라는 공간이 있다. 이곳들을 중심으로 페미니스트들이 모여 있고 그 역시 이런 환경에 영향을 받았다고 했다.

"지역적인 조건이 좋았어요. 서로 몸의 안부를 묻거나 자신이 할 수 있는 돌봄의 역할을 상상하는 일들이 평소에도 이뤄져요. 이게 제가 살 고 있는 곳의 특성인 것 같아요."

- 몸의 안부를 묻는다는 것은 어떤 것인가요.

"요즘 몸은 어떠냐, 더 아픈 데는 없냐, 지난번에 좋지 않았다고 한 건 어떠냐고 묻는 거죠. 주변에 사는 친구들이 일상적으로 그런 질문을 해준다면 서로 (상대의 상태를) 목격할 수 있잖아요. '이 친구가 요즘 어떤 상태구나' '아, 나아졌구나' , 아니면 '좋지 않은 상황이구나. 다음에는 어떤 질문을 해야겠다' 라고 생각하는 것이죠. 가볍게 형식적으로 묻고 답하는 경우도 있지만 정성스럽게 물어주면 자세히 얘기하기도 해요."

혜영은 지방으로 출장을 갈 일이 생기면 친구들에게 '오늘 수업이 있어서 언제 내려갔다가 언제 올라온다' 고 '보고' 를 한다. 보고를 받은 친구들은 "알겠다" 며 올라올 때도 이야기하라고 답해준다. 어딘가에서 혼자 아플지도 모를 일이니까.

- 그런데 이런 돌봄이 꼭 여성들만의 역할은 아니잖아요.

"교육의 영향이 있겠죠. '옥희살롱' 교육에서 들은 이야기인데, 여성이 아프면 그 여성은 누가 돌볼까요? 본인, 스스로가 스스로를 돌본대요. 남성은 아내가 돌보죠."

고향인 은평을 떠나 1년2개월, 제주도에서 생활했던 혜영 역시 엄마를 돌보기 위해 다시 은평으로 돌아왔다.

"제주도에 살 때 어머니가 관절이 너무 안 좋아져서 걷기도 어려운 상태가 되셨어요. 엄마 옆에는 아버지도, 남동생도 있었지만 돌봄의 역할을 하지 못했죠. 제가 서울로 와서 엄마를 모시고 병원에 갔고, 진료를 보고 수술 스케줄을 잡았어요. 입원한 엄마를 돌보며 거의 반년 가까이 혼자 간병을 했어요. 집안일도 제가 했고요. 그때 돌봄을 하는 사람의 육체적·심리적 고통이 너무 크다는 걸 알았죠. 그 고통은 사실 다 환자, 아픈 가족에게 갈 수밖에 없어요. 그런데도 옆에 있는 남자들은 왜 돌보지 못할까. 사실 해야 하는 게 맞잖아요. 남성들을 돌봄 영역에 억지로라도 들어오게 하는 게 맞다고 생각해요."

특히 가족 안에서 여성에게 부여되는 돌봄의 부담은 '독박' 수준이다. 서울대 국제대학원 국제이주와 포용사회센터의 '한국의 노인 및 아동 돌봄 가족조사' 연구를 보면 돌봄 전담자의 85%가 여성이었다. 특히 노인 돌봄의 경우 처음에는 배우자(64.8%)가 시작했어도 딸과 며느리에게 그 역할이 넘어오는 경우(71.7%)가 많았다. 혜영이 다른 남성 가족의 도움 없이 어머니를 돌봤듯이 아픈 혜영의 돌봄도 어머니가 '독박' 부담하게 됐다. 원래부터 돌보던 손주와 함께.

"수술하고 열흘 뒤 항암치료가 결정되면서 부모님 집으로 들어갔어요. 그런데 첫 항암치료 후 호흡곤란으로 이틀 만에 응급실을 갔습니다. 이때 응급실에서 나와서는 부모님 집으로 가지 않고 친구랑 살던 집으로 다시 들어갔어요. 가족들과 지냈던 일주일이 너무 불편했거든요. 아픈 몸을 어떻게 대해야 할지 모르는 가족에게 저는 너무 불쌍하거나 혹은 가까이하면 안되는 사람이 된 거예요. 엄마는 짐을 나눠서 들어주는 가족 구성원 없이 저와 손주를 돌봐야 했고요."

그는 항암치료 전 집에서 보낸 일주일간 가족들에게 '아픈 상황에서도 저렇게 예민하고 까탈스러운' 사람이 됐고, 그때 집을 나온 이후 더 이상 엄마를 제외한 가족들을 만나지 않는다.

"1인 가구는 '혼자서 아프게 되는 상황'을 생각하는 것이 공포라고 하지만, 가족들과 (아픈 상황에서) 함께 생활하다 받는 상처가 더 크기도 해요. 가족이 있으면 다 해줄 거라고 생각하지만 그렇지 않잖아요. 돌봄을 '정상 가족' 안에서 모두 해결해야 할까요. 그래서 정부의 역할이 느슨해진 것은 아닐까요. 요즘은 1인 가구도 많고, 혼자 살다 죽는 케이스도 너무 많아요. 이제 국가가 해줘야 해요. 1인 가구가 혼자 아픈 것에 대한 공포에서 벗어날 수 있는 방법을 생각해봤으면 해요."

- 사실 가족들에게 '아팠을 때 나를 대했던 방식이 너무 편치 않았다'는 경험을 말하긴 어려울 것같아요.

"아프거나 죽음으로 앞둔 상황이어도 가족들에게 아픈 이야기는 잘 하지 않죠. 죽음이라는 주제를 가족들끼리 꺼내 놓는 경우는 거의 없을거고요. 저는 친구들하고 일상적으로 이야기를 해요. 아프거나 죽게될 때 어떤 돌봄을 받고 싶다는 식으로요. 유언장도 같이 썼어요. 어떤 분위기에서 죽음을 맞고 싶은지, 장례식장은 어디가 좋을지, 장례식에서 나오는 음식은 어땠으면 좋겠는지, 얼마되지 않는 재산이지만 남은 돈이 어떻게 쓰였으면 좋겠는지를 구체적으로 생각해보게 됐죠."

혜영은 2018년 항암치료를 마친 뒤 자신의 아픈 몸을 기록하기 위해 자화상을 사진으로 찍어두었다(혜영 제공).

혜영은 암 선고를 받고 느꼈던 공포감은 누구에게 어떤 방식으로 돌봄을 받을 수 있을지 구체적으로 상상하면서 벗어날 수 있었다고 한다. 스스로 몸을 건사하지 못하게 되는 순간. 혼자 사는 1인 가구에게는 공포의 순간이다. 경제적으로, 심리적으로 의지할 가족이 없거나 상대적으로 수입이 적은 1인 여성 가구라면 더욱 그렇다.

"가입했던 보험부터 따지게 되더라고요. 근데 받을 수 있는 돈이 크지 않았어요. 다행이라고 해야할지(웃음) 암환자여서 산정특례를 받아 국민의료보험 혜택을 많이 받았죠. 아픈 후에는 장애와 질병을 가진 여성들의 소모임에 참여하기 시작했어요."

질병 모임에 나가면서 아프다고 마음껏 이야기할 수 있게 된 것이 속이 시원하다고 했다. 아프지 않은 사람에게 통증과 병에 대해 반복적으로 말하는 것은 부담스러운 일이었기 때문이다. 혜영의 병은 완전히 낫지 않는다. 수술로 끼워 넣은 인공뼈가 10년 혹은 그 이후 낡아서 기능을 하지 못하게 되면 다시 수술을 받아야 하지만 암환자에 대한 산정특례는 5년이면 끝난다. 재수술을 받아야 되는 때쯤에는 나이는 더 들 것이고, 경제력은 지금보다 나아질 것 같지는 않다.

" '그때가 되면 어떻게 해야 하나' 라고 하는 공포가 있기는 해요. 저를 지켜주고 있는 친구들과의 관계가 이어진다고 해도 경제적인 부분까지 해결해 줄 수 있는 것은 아니니까요."

하지만 친구들의 돌봄으로 암을 이겨내면서 곁에 있는 누군가가 아프면 돌봐줄 수 있다는 자신감이 생겼다.

"동네에 혼자 사는 할머니가 계세요. 폐지를 수집해 생계를 꾸리는데 반려견인 복똘이와 함께 사시죠. 강아지를 데리고 다니며 산책을 하니까 건강도 챙기게 되고, 심리적 안정감도 찾으셨어요.”

폐지를 주워 생계를 꾸리며 혼자 사는 할머니의 반려견 복똘이의 치료 마련을 위해 여성 1인 가구들이 지난해 10월 연대를 했다. 트위터와 인스타그램에 사연을 올리고 기부를 받자 목표로 했던 100만원이 순식간에 모였다. 친구들의 돌봄으로 투병 생활을 견뎠던 혜영은 만 원, 3만 원씩 보내준 손길이 너무 고마웠다고 했다.

그러던 복똘이가 아팠다. 입 안에 염증이 생기면서 아무것도 먹지 못했다. 복똘이네 이웃이었던 친구가 혜영에게 사정을 전하며 주변의 다른 여성 1인 가구들과 힘을 모아보자고 제안했다. 트위터와 인스타그램에 사연을 올리고 기부를 받자 목표로 했던 100만원이 순식간에 모였다. 만 원, 3만 원씩 보내준 손길이 너무 고마웠다. “저는 돌봄을 받아봤잖아요. 그래서 얼마나 큰 도움인지 알죠.” 복똘이는 건강해졌고 다시 할머니 곁에서 새벽길을 걷고 있다.

동네 친구의 이사를 도운 기억도 들려줬다. “이사하는 친구가 처음에는 ‘아팠던 언니가 어떻게 일을 하겠냐’ 고 했지만, 전 무엇이든 역할이 있을 것이니 도우러 가겠다고 했어요. 근데 그 친구가 이사 전날 아파서 갑자기 입원을 하게 된 거예요.” 이사 당일, 정작 집주인이 없는 이사가 진행됐다. 혜영과 친구 9명이 이삿짐을 싸고 날랐다. 도움이 필요한 사람은 정해져 있지 않다. 예고 없이 찾아오는 돌봄의 순간, 실전을 위해서는 돌보고 돌봄을 받는 연습이 필요하다. 혜영도 투병하며 깨달은 사실이다.

“돌봄을 받은 경험을 누군가에게 돌려줄 수 있다는 것은 좋은 기억이에요. 아픈 사람에게 무엇이 좋았고 필요한 것이 무엇인지 물어보는 시나리오를 쓸 수 있게 된다면, 구체화할 수 있다면 공포는 줄어들어요. 어떤 돌봄을 누구와 해낼 수 있을지 그려볼 수 있는 자원이 (아프고 난 뒤) 저에게 생겼다고 생각해요.” [16]

14. 건강장수 식단: 소식(小食)의 새로운 등장

<100 to the future> 필자 박상철 교수 =이제 120세 시대로 나아가는 지금. 노화(老化) 연구 분야의 세계적 석학인 박상철 교수의 '100 to the future(백, 투더 퓨처)' 시리즈를 연재합니다.

박 교수는 서울대 의과대학과 대학원을 졸업하고 박사학위를 받은 뒤 30년간 서울대 의대 생화학과 교수로 재직했습니다. 과학기술정보통신부 노화세포사멸연구센터와 서울대 노화고령사회연구소장을 역임했고, 현재 전남대 연구석좌교수로 활동 중입니다.

노화 분야 국제학술지 '노화의 원리'에서 동양인 최초 편집인을 지냈고 국제 백세인연구단 의장, 국제노화학회 회장을 역임했습니다. 노화 연구 공로로 국민훈장 모란장을 받기도 했습니다. 새로운 노화이론을 세운 그의 논문은 과학저널 '네이처' 지에 소개됐습니다.

<100 to the future>는 100세까지 보편적으로 사는 미래에 대비하자는 의미로, 영화 '백 투더 퓨처'의 미래 귀환 뉘앙스를 차용한 시리즈 제목입니다. 이제 우리는 100세 시대를 생각했던 것보다 훨씬 앞당겨 경험하게 될 것입니다. 필자는 그 길어진 삶의 의미와 가치, 그리고 건강하고 풍요로운 내일에 대해 실감나게 짚어나갈 계획입니다.

선사시대부터 생명연장을 희구해온 인류는 동서양을 막론하고 불로초로 기대되는 특정식품에 집중적 관심을 기울였고, 이러한 식품에 신비적 요소를 추가하면서 열정적으로 추구해 왔다. 그러나 특이한 식품이나 약물의 효용에 대하여 경험적으로 많은 문제가 제기되었다.

중국의 '신농본초경(神農本草經)'에는 365종의 식품을 상중하로 나누어 오래 먹어도 독이 없는 일상식을 상으로, 몸을 보호하기 위해 오래 복용하는 보약을 중으로, 급성병에 치료약으로 쓰나 오래 먹지 못하는 약성 식품을 하로 분류하면서 장기간 먹을 수 있는 식품을 최우선으로 강조하였다. 아무리 특별한 효과가 인정되더라도 부작용이나 독성없이 장기간 복용할 수 있는 식품이 최우선임을 깨닫게 되었다. 동시에 특정 불로초의 질적 효능보다 섭취하는 양적 문제가 매우 중요하다는 사실도 깨우치게 되었다.

실제로 건강장수를 희구해온 부자나 세도가들에게서 제기되어 온 건강이나 수명에 관한 제반 문제가 과식 또는 운동부족과 같은 잘못된 생활습관에 기인함을 분명하게 알게 되었다. 그 결과 무엇을 먹어야 하는 것보다 기본적으로 적게 먹는 소식이 건강장수를 추구하는 목적에 보다 부합함을 깨달았다. 더욱 현대에 이르러서는 이에 관련한 연구와 조사가 체계적으로 이루어지면서 소식의 과학적인 근거가 마련되고 있다. 특히 풍요로운 사회에 사는 현대인에게 거리낌없이 권장할 수 있는 건강장수 방안으로는 소식의 생활화가 더욱 강한 설득력을 가질 수 밖에 없다.

식이섭취량을 제한하는 소식은 오래 전부터 동양권과 서양권에서 제한된 종교단체 또는 전문가들을 중심으로 발전되어왔다. 동양권에서는 도교사상이 파급되면서 신선사상과 더불어 음식을 제한하는 벽곡사상이 널리 보급되었다. 절곡(絶穀絶穀), 휴량(休糧休糧), 단곡(斷穀斷穀), 각립(却粒却粒)이라고도 하며, 오곡을 먹지 않고, 화식을 피하는 수행법으로 발전되었다.

음식량을 줄이고, 소량을 오래 씹어먹는 방법과 식사에서 배를 60%만 채우거나(腹六分天壽), 80%만 채워야 한다는(腹八分目) 등의 실천방안은 오늘날에도 동북아권에서 아직 널리 유행하고 있다. 서양에서도 히포크라테스 시대부터 과식을 경계해 왔다.

히포크라테스는 잠언집에서 식생활 개선을 일찍이 강조하였다. "적절양보다 많은 음식을 섭취하게 되면 병이 걸릴 수 있다. 우리는 음식을 먹는 횟수와 양에 대하여 그리고 식사시간 간의 길이에 대하여 고려하여야 한다. 그리고 습관, 계절, 지역 및 연령 등에 대하여 생각하고 식이를 정하여야 한다." 고 강조하였다. 현대에도 그대로 적용될 수 있는 식이요법의 혜안을 가지고 있었다.

그러나 생활에 적용하여 실제적인 영향을 준 소식의 건강효과는 베니스의 코르나로(Luigi Cornaro, 467~1566)에 의하여 제기되었다. 스스로 100세를 넘게 살았으며 자신의 경험을 바탕으로 "절제된 삶에 대하여(Discorsi della vita sobria)" 라는 저술을 통해 매일 일정량의 식품과 포도주를 제한적으로 섭취함으로써 건강수명을 유지할 수 있다고 보고하면서 최초로 음식물의 양적 조절 개념을 소개하였다.

그의 주장은 르네상스 이후 유럽인의 건강생활에 구체적으로 영향을 미쳤다. 그러나 풍문에 그쳐있던 소식의 효용성이 과학적으로 규명된 것은 코넬 대학의 맥케이(Clive McCay)가 식이제한만으로 실험동물의 수명을 거의 두 배 이상 연장할 수 있다는 보고가 효시이다. 식이 제한의 수명연장 효과가 객관적이고 실험적으로 입증되는 계기를 이루었다. 이후 효모, 선충, 초파리, 생쥐, 쥐 등의 수많은 동물실험에서도 소식의 건강유도와 수명연장 효과가 입증되어 소식의 수명연장 효과는 학계에서도 이제 거의 정설로 자리매김하고 있다.

인간에게 식이제한이 강제적으로 적용된 사례들을 역사적으로 무수히 발견할 수 있다. 제1차 세계대전 때 덴마크인들은 2년동안 정부의 철저한 식량제한 배급통제를 받았으나 평시보다 덴마크인들의 사망률이 34%나 감소되었으며, 제2차 세계대전 4년동안내내 식량배급을 철저하게 통제 받아온 오슬로 주민들의 사망율이 전쟁 전에 비하여 30%나 감소하였다.

오키나와는 백세인 비율이 인구 십만명 당 50명이 넘는 세계 최장수 지역인데, 주민의 열량섭취가 일본의 다른 지역보다 17% 그리고 미국보다는 40% 더 적게 섭취하고 있음이 판명되었다. 인간에게도 식이제한이 수명연장을 가져올 수 있다는 구체적 증거이다. 이러한 후향적 연구에 덧붙여 전향적 연구를 통하여서도 소식의 인간 건강수명 연장 효과에 대한 연구도 다양하게 추진되었다.

미국 NIA(국립노화 연구소)가 주관하여 추진한 CALERIE (장기간 식이제한의 종합분석)프로젝트와 절식자협회가 추진한 CRON(적절영양식이제한) 연구가 대표적이다. CALERIE 프로젝트에서는 비교적 유의한 효과가 있었으며, 하루 1800Kcal섭취라는 심한 식이제한 그룹을 대상으로 하는 CRON연구에서도 대사개선, 심혈관 기능개선, 암발생억제 등의 긍정적 효과가 보고되었다. 인간 대상 연구성과의 객관성과 엄밀한 분석이 어려움을 고려하여 영장류를 대상으로 식이제한의 수명연장효과 실험을 20년이상 지속한 결과도 보고되어 많은 관심을 일으켰다. 위스컨신 대학 연구진은 소식의 긍정적 수명연장효과를 보고하였고, NIA연구 결과에서는 소식의 수명연장효과는 유의하지 않으나 건강상태를 유지하는 데는 유의하게 기여했음을 인정하였다.

이와 같이 소식의 효과는 전반적으로 긍정적 효과가 인정되면서도 연령에 따른 또는 소식방법에 따른 효과의 차이와 소식으로 인한 생활상 및 건강상의 문제점들이 거론되면서 식이제한의 질적 양적 방법에 대해서 보다 체계적인 접근이 요구되고 있다. 뿐만 아니라 소식을 실천하는 생활습관이 자기희생과 욕망을 억제하여야 하는 각오를 요구하고 있기 때문에 소식의 실전 방법에 대해서 여러 가지 변형이 제안되고 있다.

예를 들면 식이의 전체적 양을 줄이거나, 특정성분만을 줄이는 방법, 또는 매일 지속적으로 하는 것이 아니라 이틀에 하루, 또는 사흘에 하루, 일주일마다 하루씩 금식한다든지, 하루에 1식이나 2식만 하거나 금식시간을 조절하는 방법이 소식이라는 목적을 달성하기 위하여 제안되고 있다. 모두 총체적인 섭취량을 줄여야 한다는 점에서는 공통이다. 그러나 이러한 소식을 실천하는 과정에서 반드시 명심하여야 할 것은 과도한 소식이나 절식은 금기라는 점이다. 반드시 전반적인 영양상태는 정상을 유지하면서 열량이나 특정 식이성분의 제한을 추구하여야 한다는 점이다. 그렇지 못할 경우 생리기능 저하는 물론 면역기능의 저하로 감염 등의 많은 건강상 문제를 일으킬 수 있기 때문이다. 더욱 지금까지 과학적으로 수행되었던 대부분의 동물실험들이 폐쇄공간에서 생활하는 상태로 진행되었기 때문에 일상의 개방된 공간에서 활동하여야 하는 인간에게 그대로 적용할 수 없다는 한계점이 있다는 점도 유념하여야 한다.

가장 확실하고 중요한 점은 과식은 금물이며, 아무리 효과가 좋다고 하더라도 특정 성분의 과잉섭취는 절대 안 된다는 점은 명심하여야 한다. 식이에서도 과유불급(過猶不及)은 여전한 진리이다.[17]

15. 식욕을 조절하는 포만감

뇌교에 있는 부완핵은 내장의 기계적인 자극에 대한 정보를 받아들여 음식 섭취와 물 마시기를 조절하는 다른 부위로 신호를 보낸다.

여름옷은 다른 계절에 입는 옷들에 비해 노출이 많다. 그래서인지 여름이 되면 다이어트에 신경 쓰는 이들이 늘어난다. 건강한 다이어트를 위해서는 운동도 중요하지만, 기름진 야식과 달달한 간식, 때로는 배고픔까지 참아가며 열량 섭취를 줄이는 일도 빼놓을 수 없다. 열량 섭취를 조절하기 위해 흔히 활용되는 방법 중의 하나가 토마토처럼 포만감을 주지만 열량은 낮은 음식을 먹는 것이다. 포만감은 식욕을 조절하는 데 중요한 역할을 한다. 배가 고플 때는 하다못해 장을 보다가도 먹거리를 많이 사게 되지만, 배가 부르면 식욕이 줄어서 기름진 치킨과 피자를 먹을 위험(?)이 감소한다.

올해 초 김동윤 등의 연구자들(김성연 교수 연구팀)이 네이처에 출간한 논문을 통해 포만감이 어떻게 식욕을 조절하는지 알아보자.

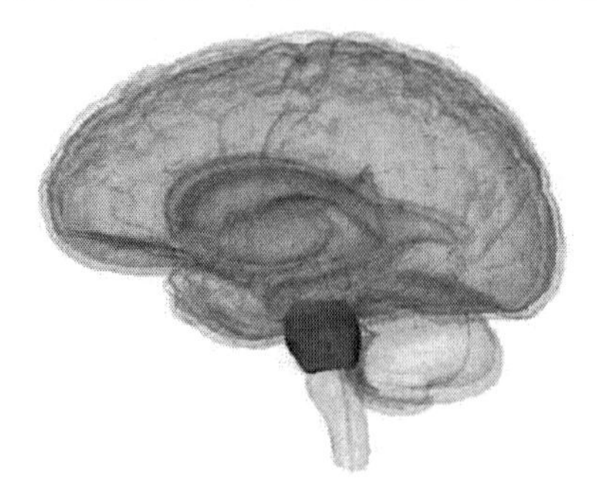
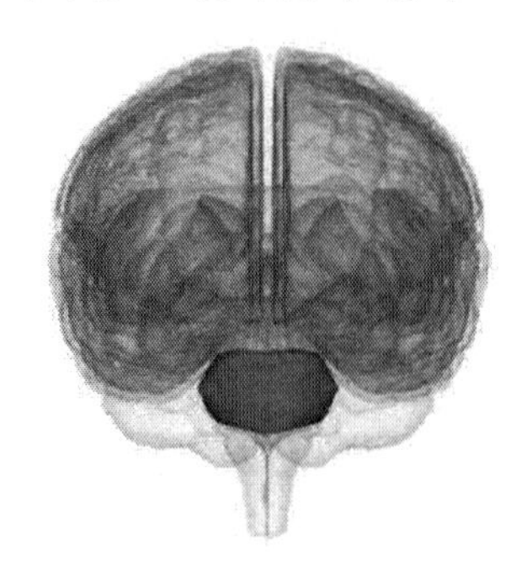

포만감은 내장기관이 기계적으로 팽창했다는 사실이 뇌에 전달되었을 때 생기는 느낌이다. 내장기관의 팽창이 어떤 경로를 통해 뇌로 전해지고, 이 신호가 어떻게 식욕을 조절하는지에 대해서는 밝혀지지 않은 부분이 많았다. 이 원리를 규명하기 위해 연구팀은 뇌교에 있는 부완핵(parabrachial nucleus)에 주목했다. 뇌교는 뇌의 아래쪽에 있는 부위로 척수에서 뇌로, 뇌에서 척수로 신호가 지나가는 통로이다. 뇌교는 얼굴근육의 움직임(씹기, 삼키기, 표정 등)과

호흡, 내장 운동을 인식하는 데 중요한 역할을 한다. 특히 부완핵은 내장의 기계적인 자극에 대한 정보를 받아들여, 음식 섭취와 물 마시기를 조절하는 다른 부위로 신호를 보낸다. 그래서 배부른 정도에 따라 식욕을 조절하기에 적절한 위치에 있다.

연구자들은 생쥐 실험을 통해, 프로다이놀핀 유전자라는 유전자를 발현하는 부완핵 신경세포들이 물을 마시거나 고체로 된 음식을 섭취할 때 활성화된다는 사실을 발견했다. 이 신경세포들은 음식의 맛이나 온도 등 다른 요인에는 반응하지 않았지만, 혀나 식도, 위장을 기계적으로 누르거나 팽창시키는 자극에는 반응했다. 더욱이 이 신경세포들이 반응하는 정도는 위장이 팽창하는 정도에 비례했다. 이상의 결과는 상부 소화기관의 기계적인 팽창이 부완핵에 있는 이 신경세포들의 활동을 조절한다는 사실을 보여준다. 나아가 연구팀은 소화기관의 팽창이라는 두개골 바깥의 정보가 미주신경(심장, 허파, 소화기관의 여러 정보를 뇌로 전달하는 신경)을 통해 두개골 안쪽의 부완핵으로 전해진다는 사실을 발견했다. 미주신경을 절단했더니 소화기관의 팽창이 부완핵 신경세포를 활성화시키는 현상이 사라졌기 때문이다.

소화기관 팽창으로 인한 부완핵 신경세포들의 활동은 식사량과 수분 섭취 감소로 이어졌다. 연구자들은 부완핵 신경세포를 활성화시키면 생쥐가 음식을 먹으려고 시도하는 횟수가 줄어든다는 사실을 발견했다. 그러나 일단 음식을 먹기 시작한 후에는 부완핵 신경세포들이 활성화되어도 먹는 시간이 줄어들지 않았다. 포만감이 음식을 먹기 시작하는 것을 제어해줄 수는 있지만, 그럼에도 일단 먹기 시작했을 때 멈춰주지는 못하는 모양이다.

그렇다면 반대로 부완핵 신경세포들이 억제되면 평소보다 더 많이 먹고 마시게 될까? 그렇지는 않았다. 수분(또는 염분)이 부족하지 않은 상태에서는 부완핵 신경세포들이 억제되었다고 해서 수분(또는 염분)의 섭취가 늘어나지 않았다. 그러나 염분이 부족한 상황에서는 부완핵 신경세포들이 억제됐을 때 염분 섭취가 늘어났다. 이 결과는 부완핵 신경세포의 억제가 식욕(또는 갈증)을 직접 늘리기보다는 식욕(또는 갈증)이 있을 때 섭취량을 늘려준다는 것을 뜻한다. 하기야 먹고 마시는 것처럼 중요하고 섬세한 일이 하나의 뇌 부위의 활동만으로 조절되어서는 위험하지 않겠나. 연구자들은 체내 영양분과 수분을 비롯한 여러 요소가 식욕에 관여하며, 소화기관의 각 부위에서 생겨나는 다양한 정보가 음식 섭취를 단계적으로 조절할 것이라고 추론했다.

첨단 과학이 아무리 발전해도, 인간은 먹어야 사는 동물이다. 먹는 것은 굉장히 어려운 과업이기도 하다. 일하다가 끼니를 놓치는 사람들, 불규칙하고 건강하지 않은 식습관으로 대사증후군에 걸린 사람들, 다이어트로 스트레스 받는 사람들, 스트레스로 폭식하는 사람이 많은 것이 그 증거다. 소개된 논문은 식욕의 일부분만 알려주지만, 무언가를 먹고 싶은 나를 이해하고, '먹는 일'을 보다 편안하고 능숙하게 대하는 데 도움을 준다. 먹는 일 하나도 자신을 이해하는 즐거운 과정이 되기를 바란다.[18]

16. 수면과 면역력

밤에 잠을 잘 자는 것이야말로 복 중의 복일 것이다. 잠을 어떻게 자느냐가 낮 시간의 내용을 결정한다. 밤에 잠을 설치게 되면 낮의 생활이 정상적으로 이뤄지기 어렵다. 적정 수면시간이라는 것이 있는데 보통 8시간가량이 좋다고 한다. 개인에 따라 차이가 있으나 이 정도면 적당하다는 것이다. 수면시간이 낮의 활동을 결정하지만, 반대로 낮 시간을 어떻게 보내느냐가 수면의 질로 연결된다. 낮과 밤, 활동과 휴지(休止)가 긴밀하게 상호작용을 한다는 것이다.

우리나라는 수면시간이 부족한 나라로 꼽힌다. 경제협력개발기구(OECD) 18개 회원국의 평균 수면시간이 8시간 22분이라고 한다. 반면 우리나라는 7시간 41분으로 가장 낮은 수준이다. 한국갤럽이 성인1000명을 대상으로 실시한 조사에서는 평균 6시간24분에 그쳤다. 적정 수면시간에 크게 미달한다. 국민건강보험공단의 조사에서는 2019년 60세 이상 불면증 환자가 12만7321명에 달했다. 2015년의 8만7864명에 비해 50% 가량이 증가한 것이라고 한다.

수면 부족은 면역력을 약화시켜 각종 질병에 걸릴 위험을 높인다. 고혈압 치매 비만 우울증과 같은 성인병에 취약해 진다고 한다. 직장인들에게는 업무효율을 떨어뜨리는 요인이 된다. 이런 개인적 문제로만 끝나는 것이 아니다. 불특정 다수에게 치명적 피해를 주는 각종 사고로 이어지기도 한다. 엄청난 인명 피해를 내는 대형 교통사고 가운데 졸음운전이 원인이 된 사례가 적지 않다.

최근 미국 펜실베이니아 주립대는 중년의 하루 수면시간이 6시간 이하면 인지기능이 저하될 위험이 높다는 연구 결과를 내놨다. 6시간 이상 자는 사람에 비해 기억력 등 인지기능이 저하 위험이 2배 가량 높아진다는 것이다. 요즘 신종 코로나바이러스 감염증이 확산되면서 불면증을 호소하는 사례가 늘고 있다. 가뜩이나 부족한 수면시간이 더 나빠진다면 코로나 대응력도 그만큼 떨어진다. 틈틈이 햇볕을 쬐고 가벼운 운동을 하는 게 도움이 된다고 한다. 잘 자야 코로나 이길 힘도 생긴다는 데, 쉬운 일이 아닌 모양이다.[19]

17. "질병권이란 '잘 아플 권리'…만성질환자에겐 건강권보다 소중"

"우리 사회가 지금처럼 질병을 몸에서 삭제해야 하는 배설물 같은 존재로만 본다면, 만성질환자를 포함해 질병과 함께 살아가야만 하는 아픈 몸은 불행한 패배자로 살 수밖에 없다. (…) 질병이나 죽음 자체가 비극이 아니라, 그것을 온전히 자신의 삶으로 겪어낼 수 없을 때 비극이 된다. 우리에게 필요한 것은 고된 노동을 반복해도 결코 아프지 않은, 무한히 노동할 수 있는 몸이 아니다. 자연이 생명체에 부여한 생로병사를 낙인이나 차별 없이 겪을 수 있는 몸이 필요하다. 질병권이 보장되는 잘 아플 수 있는 사회가 필요하다."

여성·평화·장애 운동을 넘나드는 전업활동가 조한진희(43·사진)는 지난해 펴낸 책 〈아파도 미안하지 않습니다〉에서 '질병권'이란 개념을 제안해 주목받았다. 그가 질병에 관해 사유하기 시작한 건 개인적 경험 때문이다.

조한진희는 2009년 팔레스타인에 3개월간 현장활동을 다녀온 뒤 건강이 악화됐다. 서 있다가 이유 없이 쓰러지고 하혈도 이어졌다.

여러 병원을 돌아다녔지만, 원인 불명이었다. 종합건강검진에서 발견한 병명은 갑상선암. 그러나 암이 현기증의 원인은 아니었다. 2~3년쯤 지나, 팔레스타인에서 접촉한 독성물질에 의한 것이란 진단을 받았다. 투병 생활은 그 후에도 계속됐다. 증세에 따라 대증요법 치료를 받았다. 지금은 "완치와 투병의 중간쯤" 에 있다.

조한진희가 말하는 질병권은 '(잘) 아플 권리' 를 의미한다. 건강권처럼 치료받을 권리를 포함하지만 초점이 다르다. 건강권이 사회 구성원 개개인을 어떻게 건강하게 만들 것인가에 초점을 둔다면, 질병권은 만성적으로 아픈 몸으로도 온전히 잘 살 수 있어야 한다는 데 초점을 맞춘다.

지난 25일 경향신문과의 전화 인터뷰에서 그는 "과거 의학이 발달하기 전에는 질병에 걸릴 경우 '회복 아니면 죽음' 이었다" 며 "의학이 발달한 지금은 완치되지 않더라도 완화된 상태에서 만성질환을 갖고 살아가는 사람들이 많다" 고 말했다. 이러한 만성질환자들의 몸을 이야기할 때 질병권이 건강권보다 더 적절한 틀이 될 수 있다는 것이다.

조한진희는 특히 '질병의 개인화' 를 비판하며 '건강 불평등' 에 주목한다. "부촌 주민일수록 더 긴 건강수명을 누립니다. 우리의 건강은 사회 구조적 문제로서 몸에 드러나게 됩니다. 누구든지 노력하면 건강해질 수 있다는 건 판타지에 불과합니다." 코로나19 사태에서 문제가 된 '확진자 낙인찍기' 는 질병을 개인화하는 대표적 사례다. 개개인의 주거환경이나 노동여건이 모두 다른데도 '조심 좀 하지' '이런 시국에 꼭 돌아다녀야 하나' 같은 비난이나 조롱이 쏟아졌다.

조한진희는 "거리 두기·손 씻기·마스크 착용 등 방역수칙은 필요하다" 며 "다만 개인방역을 강조하는 단계를 지나 사회적 시스템 전환까지 논의해야 한다"고 말했다. 아프면 사나흘 집에서 쉬라는 '구호'를 넘어 유급병가·상병수당을 제도적으로 보장해야 한다는 것이다.

실제로 '직장갑질119'가 지난 9월 직장인 1000명을 대상으로 실시한 조사에서, 응답자의 62%가 직장에 유급병가 제도가 없다고 답했다. 39.9%는 연차휴가를 자유롭게 사용할 수 없다고 했다. 직장갑질119는 "회사에서 하루 연차 사용 인원을 1명으로 제한한다. 원하는 날 연차를 쓰려면 가위바위보를 해 이겨야 한다"는 콜센터 노동자의 제보를 소개하기도 했다.

질병권이 보장되는 사회는 아픈 사람들에게만 유리할까. 조한진희는 그렇지 않다고 말한다.

"한국 사회에는 질병에 대해 자연스러운 두려움 이상의 공포가 있습니다. 질병 자체가 겁나기도 하지만, 아프면 가난해지고 직장과 학교 등에서 배제된다는 점 때문입니다. 내가 아파도 빈곤층으로 추락하지 않고 직장·학교에서 배제되지 않을 거라는 신뢰가 쌓인다면, 아픈 사람에 대한 혐오가 사라지고 건강에 대한 강박관념도 완화될 겁니다. 그만큼 더 자유롭고 평등한 사회로 다가설 수 있습니다. 질병권을 보장하면 모든 시민의 삶이 나아집니다."[20)]

18. 질병권, 현재를 살아내기 위한 권리

'질병권(疾病權)'은 《페미니스트 저널 일다》 중 조한진희의 글[1)]에서 처음 등장하고, 이는 『아파도 미안하지 않습니다』(동녘, 2019)로 이어진다. 기본적으로는 문자 그대로 '아플 권리'를 의미한다. 단순해 보이지만 자연스럽게 이해되지는 않는 단어다.

가. 아플 시간

우선은 조금 더 익숙한 '건강권' 부터 생각해보자. '건강권' 은 건강할 권리라는 뜻인데, 사람이 모두 당연히 건강하다면 건강 '할' 권리는 필요하지 않을 것이다. 그러니 건강권은 지금 건강하지 않은 사람이 건강해질 권리와 지금 건강한 사람이 앞으로도 건강할 권리를 포함한다. 즉 건강의 성취와 유지를 위한 권리가 건강권이다. 여기서 '건강' 을 '질병' 으로 바꿔 보자.

그러면 질병권은 '질병의 성취와 유지를 위한 권리' 가 되는데, 이것이 적절할까?

질병권이 처음 다루어진 원문의 맥락을 보면, 질병은 사람의 몸을 해치는 노동조건의 결과물로 등장한다. "아플 권리도, 아프지 않을 권리도 없는 사회" 를 바꾸기 위해서 원문이 강조하는 것은 노동조건의 개선과 더불어 성차별과 페미사이드(femicide)를 포함하는 혐오범죄가 없는 사회 환경의 구성이다.[2]

"아픈 사람도 원하면 적정한 시간과 강도로 노동할 수 있는 권리를 원한다. 적절하게 아플 수 있는 시간을 원한다. 버스 정류장 가로수의 싹이 움트는 모습을 음미할 수 있고, 퇴근 후 아무것도 하지 않으며 고요 속에서 온전히 휴식을 취해도 불안하지 않기를 원한다. 다시 말해, 우리가 아플 수 있는 권리를 원한다. 질병권을 허하라!" [3]

이어지는 선언에는 질병권이 실현되는 구체적인 모습들이 열거되어 있다. 나는 여기서 '시간' 에 주목한다. 발열, 콧물, 설사, 기침과 같은 증상은 몸이 가진 면역력이 나쁜 균을 몸에서 몰아는 데 필요한 과정이지만, 우리는 종종 그러한 증상들이 일상에 불편하고 아프다는 이유로 약을 먹어서 바로 가라앉히려고 한다.

조한진희는 그 원인을 건강과 능력을 동일시하는 사회에서 찾는다. 그는 건강이 곧 능력인 사회에서 어떤 아픔이든 바로 제거해야 하는 상황에 내몰린 '조급한 환자들'을 보며, 감기에 걸렸을 때 병원에 가기보다 집에서 쉬는 게 더 흔한 풍경이었던 어린 시절의 '아플 시간'을 떠올린다.[4]

그렇다면 몸이 아플 시간은 어떻게 몸이 아플 권리로 이어지는가? 아픈 사람에게 아플 시간이 없다면 아픔은 사회적으로 드러날 수 없고, 말해질 수 없고, 고려될 수 없기 때문이다. 아플 시간이 주어지지 않는 사회에서 아픈 몸은 일터나 지역사회가 아닌 집이나 병원에만 존재할 수 있게 된다. 그러니 기본적으로 아플 권리는 아플 시간의 보장 혹은 요구에 기초할 수밖에 없다.

이때 '아플 시간'은 앨리슨 케이퍼가 언급하는 '불구의 시간(crip time)'을 통해 생각해 볼 수 있다. 불구의 시간은 "장애와 관련된 사건들이 항상 늦게 시작하는 것처럼 보이거나, 장애인들이 기하는데, 케이퍼는 불구의 시간이 단지 "확장되기만 하는 것이 어디에든 제시간에 도착하지 못하는 것처럼 보이는" 상황을 이야 아니라 폭발해버린" 시간이라고 말한다. 불구의 시간은 그저 '더 많은 시간'이 아니라, 우리가 평소에 생각하는 시간이나 '제때'의 개념이 어떤 몸을 전제하고 있는지 따져 물음으로써 시간 자체를 재고하게 만든다는 것이다.[5]

이러한 맥락에서, 충분한 아플 시간과 쉴 시간을 보장해 달라는 요구, 즉 질병권의 요구는 기존에 일터의 몸이 어떤 방식으로만 상상되었는지 지적하고 있다고 볼 수 있다.

이는 '건강이 노동의 자격으로 규정되는 사회에서 건강한 몸은 어떤 몸인가?' 라는 물음인 동시에, 누구나 노동할 수 있는 사회에 대한 요구이기도 하다. 여기서 노동이 지금 우리가 살아가는 사회에서 함께 살아가기 위해 꼭 필요한 조건이라는 점을 생각한다면, 질병권은 아픈 사람의 성원권이다.

때로 질병을 정체성으로 수용한다고 이야기할 때 완치할 방법이 생긴다면 그것을 거절하겠냐고 묻거나, 질병이나 통증을 긍정할 수 있냐고 묻는 사람들이 있다. 이 물음들이 질병을 치료 대상으로만 전제하기에 문제라고 지적하기는 쉽다. 나에게 어려운 건 실제로 질병이 나를 힘들게 하는 기억들을 어떻게 다룰 것이냐의 문제였다.

'아플 시간' 을 생각하면서, 나는 질병이 바랄 만한 것인지, 긍정할 수 있는 것인지 생각하려면 가장 먼저 필요한 것은 질병을 직면할 기회라고 생각하게 됐다. 질병을 직면할 가장 기본적인 조건은 아플 시간이다.

그래서 나는 질병권을 아픈 사람의 성원권이자, 아픈 사람들이 자신의 몸을 직면할 기회 혹은 그 기회를 주장하는 권리라고 정의한다. 언제 올지도 모르는 완치를 생각하기 전에, 지금 당장 자신이 살아가는 몸에 대한 존중, 그리고 자신의 몸을 충분히 느낄 시간을 위한 권리.

나. 미래를 위한 현재가 아닌, 현재를 위한 미래

요컨대, 건강권이 아직 없거나 언제나 잃을 수 있는, 따라서 계속해서 (신년 계획 같은) '목표' 로 설정되는 건강을 위한 권리, 즉 미래를 위한 권리라면 질병권은 지금 당장 내 몸과 함께 살아갈 때 필요한 권리, 즉 현재를 위한 권리다. 그렇게 현재를 직면할 수 있을 때, 비로소 질병과 통증이 긍정되고 정체성으로 수용될 수 있는지 고민할 수 있게 된다.

따라서 질병권은 건강권의 '건강'을 단지 '질병'으로 바꾼, 건강권의 대칭으로서의 '질병의 성취와 유지'를 위한 권리가 아니라, 질병이 "죽음이 아닌 삶의 조건"[6]이 될 수 있도록 하는 권리일 것이다. 조한진희는 최근 한국문화인류학회의 발표에서 질병권이 "건강권을 포함하지만 초점이 다르고 좀 더 확장된 개념"이라고 언급하며, "질병을 중심에 배치하고, 아픈 몸을 사회의 기본몸으로 설정하며, 질병을 겪는 상태도 삶의 '정상적' 시기로" 이해하는 방식이라고 말한다.[7] 즉, 건강권과 질병권은 초점이 다르다.

이처럼 '현재'를 중심으로 두는 질병권은 비단 정체성으로서의 질병을 상상할 수 있게 할 뿐 아니라, 지금 우리가 마주한 코로나19라는 현재를 잘 겪어내는 데에도 하나의 중요한 열쇳말이 될 수 있다.

나는 코로나19와 이를 둘러싼 사회의 모습을 '참사'로 규정하면서, 모두가 살아남으려면 지금 우리가 살아가는 세상은 "건강이 아닌 난치를 새로운 기준으로 삼아야 한다"고 주장한 바 있다.[8] 코로나19의 확산은 자본주의와 산업화를 중심으로 복잡하게 얽힌 현대 사회의 위험들이 사회의 주변부에서부터 현실화된 하나의 참사이며, 그 속에서 드러난 건 건강한 사람만을 시민으로 상상하는 사회에서는 건강한 사람조차 좋은 삶을 살 수 없다는 사실이었다.

한편, 내가 인터뷰한 어느 아픈 사람은 코로나19 때문에 건강한 사람들이 위험해지니 그제야 아픈 사람들에게 항상 필요했던 편의가 실현되고 있다며 아픈 사람들에게 성원권이 없었던 현실을 지적하기도 했다. 나는 이에 공감하면서, 동시에 바로 이러한 상황이 낫지 않는 아픈 사람들의 몸으로 코로나라는 현재를 살아내기 위한 질병권에 더 많은 사람이 공감할 수 있는 토대가 될 수도 있다고 생각한다.

질병과 함께 살고 싶은지의 여부는 개개인의 맥락에 따라 다를 수 있지만, 질병과 공존할 수밖에 없다는 것은 부정할 수 없이 이미 도래한 현실이다. 울리히 벡은 위험사회의 특징 중 하나로 치료될 수 없는 만성질환의 극적인 증가를 꼽는다.[9] 질병권은 그러한 현실에서 지금 당장 사람들이 살아가는 환경을 바꾸어 위험사회에서 생존하기 위한 도구라고도 할 수 있다. 또한, 손에 잡히지 않는 '건강' 대신 명백히 느껴지는 아픈 몸이라는 현재를 통해 미래를 계획하고 건설해 나가겠다는 선언이기도 하다.

현대 자본주의 사회의 건강중심주의는 언제나 건강을 잃을 수 있는 위험사회, 그리고 좋은 삶을 위한 필수 조건으로 정의된 '건강'을 모두의 몸에 기입하려는 생명정치의 결합이다. 건강중심주의는 건강한 사람을 살게 하고, 아픈 사람을 치료하려 하며, 치료되지 않는 사람에게서는 좋은 삶의 기회를 빼앗는다.

건강권과 질병권은 모두 누구나 좋은 삶을 누릴 수 있도록 해야 한다고 전제한다는 점에서 같지만, 건강권이 '건강'과 '좋은 삶'을 누릴 기회의 분배에 집중한다면 질병권은 지금 정의된 '건강'과 '좋은 삶'이라는 개념 자체를 따져 물으며, 더 많은 사람이 좋은 삶을 누리기 위한 구체적인 방안들을 고민한다.

질병권은 치료를 거부하는 것이 아니라, 치료와 더불어 치료 바깥의 삶을 상상함으로써 아픈 사람이 아픈 사람으로서 함께 살아가는 사회를 기획한다. 그러므로 질병권은 단순히 건강권의 '건강'을 '질병'으로 바꾼 것이 아니며, 건강권과 반대되는 개념도 아니다.

질병권과 건강권은 서로 보완하며 조금이라도 더 많은 사람이 지금보다 나은 삶을 누리려면 무엇이 필요한지 고민한다. 더 많은 아픈 몸의 이야기가 세상에 나와서 질병권이 실현되는 더욱 구체적인 장면들을 함께 그려볼 수 있게 되길 희망한다.[21][22]

19. 태반에 암수가 있다고

태반(胎盤)은 태아와 모체의 자궁내막을 연결하여 모체로부터 산소와 영양분 공급, 태아 보호, 태아의 노폐물 배출 등의 기능을 담당하는 기관이다. 태아를 감싸고 있는 장막의 일부가 자궁 내막에 붙어서 생기는 것으로 모체의 자궁 내막에 붙어 태아와 탯줄로 연결되어 있다.

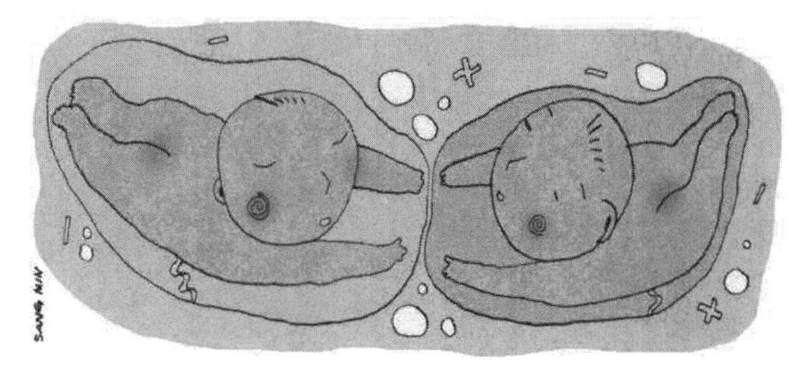

살아있는 화석이라 불리며 은행나무문(門)에 속하는 유일한 종인 은행나무는 암수딴몸이다. 암나무와 수나무가 있다는 뜻이다. 소나무처럼 암꽃과 수꽃이 한 나무에 있는 암수한몸이 식물엔 흔하지만 동물에선 암수딴몸이 대세다. 어류나 파충류에선 짝짓기를 안 하고도 새끼를 낳는 처녀생식 개체가 가끔 발견되지만 포유류는 필히 암수가 짝짓기를 해야 한다.

흔히 털과 젖으로 표상되는 포유동물은 자궁에서 아이를 키운다. 그런데 쉽게 잊히는 생물학적 사실이 하나 있다. 그것은 태아를 키우는 장소가 한쪽 성에 치우친다는 점이다. 암컷 포유동물은 엄청난 양의 에너지를 투자해야만 자신의 유전자를 후대에 전달할 수 있다. 이런 면에서 암컷과 수컷의 생식 전략은 크게 다를 수밖에 없다. 왜 그런지 조목조목 따져보자.

인간을 포함해 처녀생식을 하지 않는 포유류 동물 세계에선 암수 두 성에서 비롯한 유전자, 즉 난자와 정자가 필요하다. 두 세포가 만나 하나의 수정란이 되면서 인간 생식의 대장정이 시작된다. 수정란은 보면 볼수록 놀라운 세포다. 난자와 정자는 결코 간세포나 신경세포가 될 수 없다. 최종 단계까지 분화됐기 때문이다. 하지만 수정란은 모든 세포로 거듭날 수 있다. 이를 수정란이 전(全)형성능을 가졌다고 말한다. 양성(兩性)에서 유래한 두 종류의 세포가 필요한 이유는 바로 이 전형성능을 획득하기 위해서가 아닐까 과학자들은 추측한다.

수정란이 거듭 분열해 그 수가 200여개에 이르면 이들 집단은 기능이 다른 두 종류의 세포로 분화한다. 하나는 태아가 될 세포들, 다른 하나는 태반이 될 세포들이다. 그렇다. 태반은 엄마가 아니라 태아가 만든다. 각별한 형제라 해도 그들이 사용했던 태반은 다르다. 따라서 장차 여성으로 자라날 태아가 한동안 사용할 태반은 암태반이다. 태아와 태반이 같은 수정란에서 발원한 까닭이다. 수태반을 사용하는 태아는 반드시 남자아이가 된다. 이때 암수 사이엔 미묘한 이해관계의 충돌이 일어난다.

인간의 태아는 약 아홉 달 동안 태반을 통해 영양분을 공급받는다. 두툼한 태반은 엄마와 태아 순환계가 만나는 경계면 역할을 한다. 엄마와 태아의 혈액은 태반을 경계로 가까이에서 서로 영양분과 노폐물을 교환한다. 포도당이나 미네랄과 같은 영양소를 얻은 태아는 대사 폐기물을 어미의 순환계로 보내 제거한다. 수컷 포유류는 수태반을 통해 가능하면 태아를 크고 건강하게 키우려 한다. 그 일이 자신의 유전자를 후손에게 전달하는 데 유리하기 때문이다. 반면 암컷 포유류는 미래에 있을 또 다른 생식에 대비해 자원을 안배하려 한다. 여러 명의 태아를 두는 일이 자신의 유전자를 널리 퍼뜨리는 데 도움이 될 것이기 때문이다. 이렇듯 서로 상충하는 이해관계는 암태반과 수태반의 크기에도 고스란히 반영된다.

사람에게서 간혹 발견되는 포상기태(胞狀奇胎)라는 임신 증상은 암수 이해관계가 각기 다르다는 점을 극적으로 보여주는 흥미로운 사례다. 비정상적으로 커다란 태반과 액체가 들어찬 덩어리가 가득한 기태 구조물은 수정 후 약 5개월이면 자연 유산되지만 암으로 발전할 수도 있기에 수술로 제거한다고 한다. 과학자들이 이런 기이한 태반의 유전자를 분석한 결과는 사뭇 놀랍다. 어떤 이유로 핵이 사라진 난자에 정자가 들어갈 때 포상기태가 생긴다는 결과가 나온 것이다. 난자의 핵이 없으면 대신 수정란은 정자의 유전자를 두 벌 복제해서 손실을 만회하고자 한다. 우연히 정자 2개가 핵이 없는 난자에 들어가도 비슷한 상황이 연출된다. 암수의 유전자를 제대로 갖추지 못한 수정란은 정상적인 태아로 자라지 못했지만 태반의 크기만은 엄청나게 커진 것이다.

포상기태 사례에서 보듯 우리는 비록 이해관계가 다르다 해도 태아를 만들 때 반드시 난자와 정자가 필요하다는 사실을 재확인했다. 난자에서 온 유전자는 엄마에게서, 정자에서 온 유전자는 아빠에게서 왔다는 신호를 충실히 전달한 것이다. 암수 태반이 바로 그 증거다. 생식생물학은 엄정하다.[23]

20. “폐경호르몬요법이 유방암 발생 높인다는 건 오해”

여성이 나이가 들면서 난소가 노화되어 기능이 떨어지면 배란 및 여성호르몬 생산이 더 이상 이루어지지 않는데, 이로 인해 나타나는 현상이 바로 폐경이다. 대개 1년간 생리가 없을 때 폐경으로 진단한다. 이러한 변화는 대개 40대 중후반에서 시작되어 점진적으로 진행된다. 대략 50세 전후에 폐경이 나타난다.

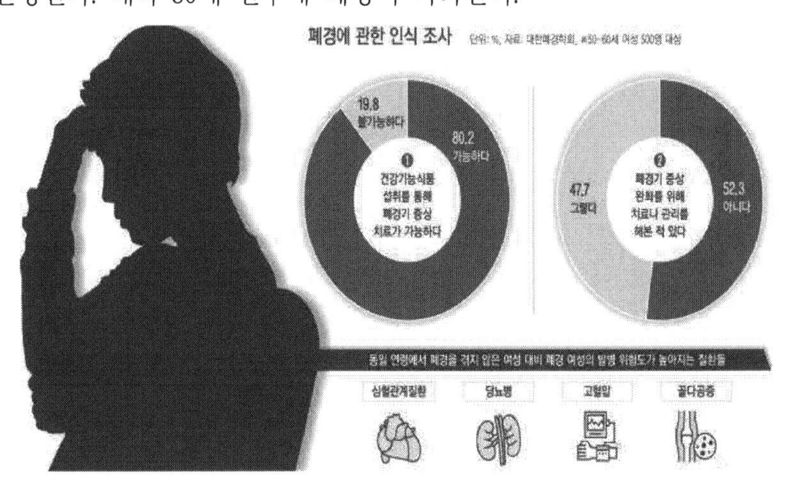

대한폐경학회(회장 김탁)가 국내 폐경 여성 500명을 대상으로 실시한 ‘폐경 질환 인식 및 치료 실태조사’ 결과를 보면, 국내 폐경 여성들은 폐경 이후 고혈압이나 당뇨병, 골다공증 등 만성질환 발병이 늘어나는 것을 걱정하지만, 폐경 이후 만성질환 발생 위험을 줄여주는 폐경호르몬요법에 대한 인식 수준은 매우 낮은 것으로 나타났다.

폐경 여성 10명 중 8명(80.3%)이 폐경 증상을 경험했는데, 빈도가 높은 증상(복수 응답)은 불면증 및 수면장애(58.1%), 안면홍조(48.7%), 야간 발한과 식은땀(48.0%), 질 건조나 성교통과 같은 생식기 증상(44.3%), 상실감과 우울감 같은 심리적인 문제(43.9%) 등이었다. 폐경 이후 가장 우려되는 것을 묻는 질문에서는 고혈압·당뇨병 등 만성질환 발병률의 상승(27.4%)을 답한 응답자가 가장 많았다.

김탁 회장(고려대 안암병원 산부인과 교수)은 "폐경으로 인한 여성호르몬의 부족은 안면홍조나 수면장애, 야간 발한과 같은 삶의 질을 저하시키는 폐경기 증상뿐 아니라 장기적으로는 심혈관질환, 당뇨병, 골다공증 등 만성질환의 발병 위험을 높일 수 있어 적극적인 치료와 관리가 필요하다" 고 밝혔다.

하지만 폐경 여성의 치료 인식률은 매우 낮았다. 폐경기 증상 개선에 가장 도움이 되는 방법을 묻는 질문에 병원 방문 치료(폐경호르몬요법)를 답한 응답자는 24.6%에 불과했다. 증상 개선을 위해 실행한 치료나 관리법을 묻는 질문에서 가장 많은 수의 응답자가 건강기능식품 섭취(78.8%)를 꼽았다. 이어 생활습관 개선(56.6%), 폐경호르몬요법(38.3%), 약국에서 구매한 일반의약품 복용(28.3%), 한의원 방문(20.2%) 등이었다.

폐경호르몬요법은 폐경 전후 발생하는 다양한 증상을 개선하기 위해 세계적으로 권장되는 치료법이다. 폐경호르몬요법은 안면홍조, 발한, 피로감, 두통 등 폐경기 증상 조절에 효과적일 뿐 아니라 폐경 초기부터(발생 10년 이내) 사용할 경우 심혈관질환이나 당뇨병, 골다공증 등의 발생 위험을 줄여주며 전체 사망률도 낮춘다.

설문에 참여한 폐경 여성의 75.4%가 폐경호르몬요법을 받으며 가장 우려하는 점으로 암 발생 위험을 답했으며 폐경호르몬요법을 선택하지 않은 이유에서도 절반에 가까운 42.7%의 응답자가 암 발생 위험을 답했다. 폐경호르몬요법을 중단한 폐경 여성을 대상으로 한, 중단 이유에 대한 질문에서도 암 발생 위험(63.8%)에 대한 우려가 가장 큰 원인으로 지목되었다. 이에 대해 김 회장은 "국내 유방암 환자들은 발병 연령이 비교적 이르고 유병률 또한 낮은 편이라 폐경호르몬요법으로 인한 유방암 발병 위험이 있는 여성이 극히 제한적임에도 아직도 많은 여성들이 암 발생에 대한 우려로 호르몬치료를 주저하고 있어 안타깝게 생각한다" 고 말했다.

- 폐경호르몬요법 시작 시기는.

"폐경호르몬요법은 조기에 시작할수록 효과적이다. 60세 이상 혹은 폐경으로부터 10년, 20년이 지난 시점에서 폐경호르몬요법을 시작한 여성의 경우 조기에 폐경호르몬요법을 시작한 여성에 비해 심혈관질환, 뇌졸중 등의 절대적 위험도가 높은 것으로 알려져 있다."

- 폐경호르몬요법이 유방암을 유발한다는 설이 있는데.

"폐경호르몬요법이 유방암 위험을 증가시키는지에 대해서는 아직 명확히 증명되지 않았다. 호르몬요법의 종류와 복용 시기, 복용 기간, 개인의 건강상태에 따라 상반된 연구 결과가 있기 때문이다. 유방암 환자가 아닌 건강한 여성이 유방암 걱정으로 폐경호르몬치료를 망설일 필요는 없다는 것이 학계의 중론이다. 다만 유방암 환자의 경우 폐경호르몬요법이 재발을 증가시킬 수 있어 권고되지 않는다."

- 폐경호르몬요법의 적용 대상은.

"부정확한 질 출혈이 있거나 자궁내막암·유방암 환자, 활동성 혈전색전증, 활동성 간질환 또는 담낭질환을 앓고 있는 경우 폐경호르몬요법을 받아서는 안 된다. 폐경 증상은 개인에 따라 다르고 호르몬요법의 효과와 부작용도 개인에 따라 달라질 수 있으므로, 폐경 증상에 대해 산부인과 의사와 충분히 상담하고 검사를 시행한 후 치료를 받을 것을 권장한다." [24]

21. 암환자에게 효율적인 예방접종법

올해는 코로나19 감염 우려로 백신 접종에 대해 환자뿐 아니라 의료진에게서도 질문을 많이 받았다. 일반적인 원칙은, 암환자도 근치적 수술이 이뤄져 항암치료를 받을 필요가 없으면 면역학적으로 일반인과 비슷하므로 성인 예방접종의 권장사항을 따른다. 암환자는 예방접종 후 항체 생성률이 낮긴 하지만, 어느 정도의 예방효과가 증명되어 항암치료 중인 암환자에게도 필요한 예방접종을 권장한다. 이 글은 암환자의 항암치료 전후 예방접종에 대한 것으로, 장기 이식과 조혈모세포 이식 환자의 예방접종은 다루지 않는다.

암환자는 인플루엔자(독감) 감염 시 일반 성인에 비해 합병증이 유발되는 경우가 더 흔하고 사망률이 증가하기 때문에 매년 10~12월에 인플루엔자 백신 접종을 권장한다. 인플루엔자 백신에는 불활화 백신과 약독화 생백신이 있다. 불활화 백신은 부화란에서 배양한 바이러스를 정제해 불활화시켜서 만든다. 불활화 백신은 널리 사용되고 있지만 소아나 노인에게는 효과가 낮고, 주사로 인한 이상반응이 나타나며, 국소면역이나 세포면역을 유도하지 못한다는 단점이 있다.

항암치료 중인 암환자에게는 생백신을 투여하지 않는다. 최근 도입된 피내접종 백신, 면역증강제 포함 백신은 불활화 백신이므로 고려할 수 있다. 이론적으로 항체 생성까지 접종 후 최소 2주가 필요하므로 백혈구 수가 정상화된 후 접종하고 2주 후 다음 항암치료를 진행하는 것이 가장 효과적인 방법이다. 현실적으로 항암치료 중 인플루엔자 유행 시기가 되어서 백신을 접종해야 하는 경우, 항암치료를 시작하고 2주 이상 경과한 후나 다음 항암화학요법 시작 2주 전에 접종하며, 호중구감소증이 있는 중에는 접종을 피한다.

성인에게 접종을 추천하는 폐렴사슬알균(폐렴구균) 백신에는 23가지 항원을 포함하고 있는 피막다당류 백신(PPV23)과 13가지 항원을 함유하고 있는 단백결합 백신(PCV13)이 있다. 일반적으로 PPV23은 50~75% 정도의 예방효과를 보이는 것으로 알려져 있으나 항암치료를 받는 암환자는 예방효과가 감소한다. 암환자는 면역저하 상태이므로 PCV13을 먼저 접종한 후 최소 8주 후 PPV23을 추가 접종할 것을 추천하고 있다. 과거에 PCV13을 접종받은 경우 PPV23을 1회 추가 접종하면 되고, 이전에 PPV23을 접종받은 경우에는 1년 이상 간격을 두고 PCV13을 추가하면 된다.

항암치료 시작 직전 또는 치료 중에 백신을 투여받는 경우 항체 생성률이 낮으므로 적어도 항암치료 시작 2주 전에 백신을 투여받아야 한다. 항암치료 시작 전에 접종받지 못한 경우, 항암치료 종결 3개월 이후에 접종하는 것이 가장 효과적이다. 면역 저하 상태가 지속되어 침습성 폐렴사슬알균 감염이 발생할 위험이 높은 환자는 5년 후 PPV23을 재접종한다.

침습성 헤모필루스균 감염증을 유발하는 혈청형은 대부분 b형이다. 성인에서 침습성 헤모필루스균 감염증이 발생하는 경우는 매우 드물지만, 비장절제술을 받은 환자에게 패혈증을 유발할 수 있다. 모든 암환자에게 b형 헤모필루스균 백신을 접종할 필요는 없으나, 치료 과정에서 비장절제술을 받는 환자는 접종이 필요하다.

과거 파상풍-디프테리아 백신(Td)이 성인용으로 사용되었으나, 최근 백일해가 추가된 백신(Tdap)이 도입되어 함께 사용되고 있다. 기본 접종을 마친 성인은 10년 주기로 추가 접종을 권장한다. 암환자는 Tdap 백신 접종 후 항체 생성률에 대한 자료가 부족하지만 항암치료 중에 투여받을 경우, 항체 생성률이 낮을 것으로 예상되므로 접종이 필요한 암환자는 항암치료 최소 2주 전에 접종을 해야 한다. 이미 항암치료를 시작한 암환자는 치료 종결 최소 3개월 후 접종하는 것이 예방효과를 높일 수 있다. 사백신이므로 암환자를 포함한 면역 저하 환자에게 안전하게 투여할 수 있다.[25]

22. 50대 절반 앓는 전립선 비대증, 겨울철 과음·약물 주의를

전립선 비대증(前立腺肥大症)은 전립선이 병적으로 비대해져서 빈뇨, 배뇨 곤란, 식욕 부진 따위의 증상이 나타나는 질환이다.

연세가 드신 많은 남성분들은 소변이 자주 마렵고 오줌줄기가 가늘어진다고 느낀다. 이러한 원인의 많은 부분이 전립선 비대증과 관련이 있다. 전립선 비대증은 굉장히 흔하고 최근에는 발생 연령이 점차 낮아지고 비대증은 대략 40대부터 시작을 하고 50대의 50%,80대에는 90% 이상에서 나타나는 흔한 질병이다.

이렇게 흔한 질병이기 때문에 나이가 들면 소변 줄기가 가늘어지는 것이 오히려 당연한 것으로 받아들여진다. 그렇지만 전립선 비대증이 있어도 심하지 않으면 당연히 치료가 필요하지 않지만 투약이나 치료가 필요한 정도의 중등도 이상의 비대증은 60대 남자의 5명 중 1명 정도의 빈도를 보인다고 한다.

전립선 비대증이 심해지면 소변줄기가 약하고 봐도 시원하지 않고, 끝마무리가 잘 되지 않아 배뇨 후 팬티에 묻는 증상, 중간에 줄기가 끊어지기도 하고 자다가 소변보러 자꾸 일어나게 되는 등의 증상이 나타난다. 더 심해지면 소변을 봐도 방광이 다 비워지지 않고 자다가 여러 번 일어나 소변을 보게 되고 소변에 피가 날 수도 있고 급기야 소변을 전혀 볼 수가 없어 응급실을 방문하여 오줌 줄을 차야 하는 경우가 발생하기도 한다. 전립선 비대증이 있는 분들이 겨울에 반드시 조심해야 할 것이 있는데 바로 과음과 약물이다. 일반적으로 겨울이 되면 전립선 비대증으로 소변이 힘들어 응급실을 방문하거나 외래 진료를 하는 빈도가 높아지는데 먼저 일반적인 원인은 날씨가 추워지면 우리 몸의 교감신경의 활동이 활발해지면서 방광이 약간 불안정해지고 소변이 나가는 출구의 긴장도가 높아져 소변이 자주 마렵고 소변을 봐도 시원하지 않게 된다.

과음을 하면 소변이 나가는 출구의 점막이 붓게 되어 소변이 나가기 힘들게 되며 배뇨 시 괄약근의 이완이 잘 되지 않아 비대가 심한 분들 중에는 술을 많이 마시면 소변을 보지 못하는 경우가 많다. 겨울에는 감기 등의 질환으로 약물을 복용하게 되는 경우가 많은데 전립선 비대증에 악영향을 줄 수 있는 약물에는 대표적으로 항히스타민제제와 충혈완화제를 들 수 있다.

이러한 약들은 기침과 코막힘·콧물을 완화시키는 데 사용하는 약물로 감기의 대표적인 증상이어서 감기약에 포함되어 있을 가능성이 크다. 그래서 평소 소변이 불편한 노인 남성들은 감기약을 처방받을 때 반드시 소변이 불편하다는 얘길 의사에게 알려주는 것이 좋다.

끝으로 아주 심하지 않은 전립선 비대증은 대부분 약물로 잘 조절되기 때문에 전문의를 만나 진단을 받는다면 증상을 완화시킬 수 있다. 연세가 드신 남성분의 슬기롭고 건강한 겨울나기에 도움이 되길 바란다.[26]

23. 어깨 통증, 다 같은 오십견이 아니다

어깨 관절은 여러 관절 중 가장 운동범위가 넓고 움직임이 자유로운 관절이다. 손, 손목, 팔꿈치를 포함한 상지의 움직임에 중요한 대들보 같은 관절들이 있기 때문에 어깨 관절에 문제가 생긴다면 일상생활이 어렵다.

어깨통증은 성인의 60% 정도가 한 번 이상 경험한 적이 있을 정도로 발생 빈도가 높다. 운동이나 야외활동 등 활동량이 늘어나는 요즘, 어깨 관절을 무리하게 사용해 통증이 발생하는 경우가 많다. 어깨 통증을 단순히 나이 탓으로 돌리며 시간이 '해결해주겠지' 하고 버티다 보면 치료 시기를 놓쳐 더 악화될 수 있다. 증상이 지속될 때는 정확한 진단을 통해 원인을 찾고 조기에 치료해야 한다.

오십견의 정확한 질환명은 동결견으로, 어깨가 얼어 있는 것처럼 굳고 뻣뻣해 움직일 수 없고 통증이 생기는 것을 말한다. 어깨뼈를 감싸는 관절 주머니에 염증이 생겨 유착되며 쪼그라들어 있는 상태라고 이해하면 된다. 동결견은 시간이 지나면서 통증이 서서히 줄어들고 운동 범위도 조금 좋아지는 것처럼 보일 수 있지만, 적절히 치료하지 않는 경우 일부는 어깨 운동이 제한될 수 있다. 지속적이고 규칙적인 자가 운동도 물론 중요하지만, 통증이 심한 상태에서 무작정 참고 운동을 하는 것은 불난 집에 기름을 붓는 격이다. 적절한 약 복용과 주사 치료로 통증을 유발하는 원인을 먼저 제거한 후 관절 가동범위를 회복하는 운동을 해야 한다.

보존적 치료 방법으로도 호전이 되지 않는 일부 환자의 경우 관절내시경을 이용해 유착된 관절막을 풀어주는 수술을 시행할 수 있다.

회전근개 질환과 동결견은 증상이 비슷해서 혼동하는 경우가 많은데, 두 질환은 운동범위에서 차이를 보인다. 팔을 스스로 들어 올리거나 뒷짐지기조차 어려운 동결견과 달리, 회전근개 파열은 파열된 힘줄 때문에 통증이 발생하고 근력이 약화되지만 끝까지 팔을 들어 올릴 수 있다.

하지만 증상만으로 질환을 구분하는 건 쉽지 않아 전문의 진료와 방사선 검사가 필요하다. 동결견이라 잘못 판단하고 방치하다 보면 충돌이 오래 지속되면서 퇴행성 변화가 진행되어 어깨 힘줄이 파열될 수 있다.

모든 어깨 힘줄(회전근개)의 파열이 심하지 않다면 초음파 영상을 보면서 통증 원인 부위에 직접 약물을 주사하는 '초음파유도하 주사' 나 물리치료 등 비수술적 치료 방법으로도 증상이 호전된다.

하지만 한 번 파열된 힘줄은 대부분 다시 연결되지 않기 때문에 파열의 정도에 따라 수술적 치료 외에는 치료 방법이 없는 경우가 있다. 무조건 비수술적 치료법만 고집하는 것은 옳지 않다는 뜻이다. 수술은 5㎜ 정도의 작은 구멍으로 카메라가 달린 관절 내시경을 집어넣어 수술하는 최소 침습 관절내시경 등으로 시행한다.

무엇보다 어깨 건강을 위해서는 평상시에도 자주 기지개를 켜는 등 생활 속 스트레칭과 꾸준한 운동이 필수다. 컴퓨터 작업을 장시간 지속하는 경우 1시간마다 목과 등, 어깨를 가볍게 스트레칭해주고 휴식을 취하는 것이 좋다. 오랜 시간 팔꿈치를 들고 작업하는 경우, 견갑골과 어깨 주변 근육이 수축하고 경직되어 통증이 발생하기 쉬우니 주의해야 한다. 스마트폰 등 디지털 기기는 눈높이 또는 약간 아래로 두고 사용하고, 어깨를 전체적으로 웅크려서 장시간 사용했다면 주기적으로 스마트폰을 내려놓고 휴식을 취해야 한다.[27]

24. '의술의 신' 아스클레피오스의 고향에서 치유의 지혜를 찾다

아스클레피오스는 아폴로(Apollo)와 코로니스(Coronis)의 아들이다. 코로니스가 이스키스(Ischys)와 부정을 저질렀다는 까마귀의 말에 속아 아폴로는 코로니스를 죽이는데, 나중에 자신의 잘못을 알고 후회와 분노에 휩싸여 까마귀를 흰색에서 검은색으로 바꾸어 버린 다음, 죽은 코로니스의 몸에 잉태되어 있던 아이를 꺼내어 살렸다. 이 아이가 바로 아스클레피오스다.

아폴로는 현자 켄타우로스 케이론(Centaurs Cheiron)에게 아이를 키우게 하였고, 케이론은 아스클레피오스에게 의술을 가르쳐 죽은 자까지 살려 낼 수 있게 만들었다. 그의 죽음에 대해서는 아스클레피오스가 죽은 자를 살려 낸 대가로 황금을 받았다는 이유로 제우스의 노여움을 사 죽었다는 설, 죽은 자를 자꾸 살려 내서 저승에 갈 사람이 없다는 하데스(Hades)의 하소연으로 제우스가 벌을 내려 죽였다는 설 등 여러 가지 이야기가 있다. 아들이 죽자 아폴로는 제우스에게 벼락을 만들어 준 키클롭스(Cyclops)를 죽이고, 이로 인해 아폴로는 테살리아(Thessalia)의 왕 아드메토스(Admetus) 밑에서 1년간 양치기로 살면서 속죄를 하게 되며, 제우스는 아스클레피오스를 별자리로 만들었다. 그 별자리가 뱀주인 자리다. 아스클레피오스는 죽은 후 의학의 신으로 추앙받았다. 그는 정서장애를 가진 사람에게 음악을 처방했다고 전해진다.

아스클레피오스 사후, 그의 이름을 딴 의료센터 아스크레피온(ASKLEPION) 병원이 설립되었는데, 그곳은 세계 최초로 정신치료를 실시한 곳이다. 또한 초기 에게 문명을 꽃피운 페르가몬

(Pergamon)의 중요한 의료센터로 다른 병원과 치료방법이 달랐다고 한다. 물과 진흙, 스포츠, 연극, 도서관 등을 매개로 하여 치료행위를 했다는 기록이 있다. 뱀 한 마리가 몸으로 감아 기어오르는 지팡이를 아스클레피오스의 지팡이라 하여 그의 상징이 되었다. 이 때문에 독 없는 뱀이 환자의 침상 아래를 기어들게 하는 치료의식이 행해지기도 하였다.

가장 유명한 아스클레피오스의 신전은 펠로폰네소스(Peloponnesos) 북동부의 에피다우루스(Epidaurus)에 있는 신전이다. 그 외에도 의학의 아버지인 히포크라테스가 의사로서 처음 시작한 코스 섬(Kos Island), 트리칼라(Tricolor), 페르가뭄(Pergamum) 등지에도 있다.

원래 히포크라테스 선서는 "아폴로와 아스클레피오스와 히기에이아(Hygeia)와 파나케이아(Panacea)와 그 밖의 모든 신 앞에 선서하노니……." 라는 말로 시작되었으나, 후에 종교적 문제 때문에 그 문구는 삭제되었다. 아스클레피오스는 1995년부터 2001년까지 그리스화 1만 드라크마 뒷면에 새겨져 있었다.[28][29]

25. 그리스 신화 속에 담긴 치료와 돌봄을 찾아서... '신화의 쓸모' 출판

"귀족이 있고, 평민이 있다면 누구를 먼저 치료해야 할까? 더 많이 아픈 사람이다. 착한 사람이 있고 못된 사람이 있다면 누구를 먼저 치료해야 할까? 더 많이 아픈 사람이다."

의학의 아버지 히포크라테스의 숭고한 정신을 이어받은 의료인들의 노고가 일상을 무너뜨린 바이러스로 인해 더욱 귀하고 값진 2020년.

어느 해보다 의료보건 뉴스를 많이 접하게 되면서 '왜 WHO나 의사협회 등은 뱀과 지팡이로 로고를 만들었을까?, 어려운 의학용어에는 그리스 신들의 이름이 등장할까?' 하는 궁금증이 꼬리를 문다.

이러한 궁금증을 해소할 수 있는 신간이 나왔다.

인제대학교 오진아 교수가 쓴 '신화의 쓸모' 가 그것으로, 오 교수는 2001년부터 간호학생들을 교육하고 있다. '예술을 통한 돌봄의 이해', '간호사의 눈으로 보는 그리스 신화' 등을 강의하고 있으며, 특히 '돌봄과 예술' 과목은 추천하고 싶은 좋은 강의로 매년 선정될 만큼 학생들에게 인기가 높다.

최근 '치유 코드로 읽는 신화에세이' 라는 부제를 달고 세상에 나온 이 책에서 저자는 "신화는 우리에게 지금 여기서 행복하라고 말한다." 며, 그리스 신들이 인간의 형상을 한 이유도 결국 인간에 대한 삶을 이해함으로써 보다 따뜻한 인류애를 실천하기 위함이라고 강조한다. 그가 책에서 다양한 인간의 모습을 한 그리스 신들을 소개하는 이유이기도 하다.

40장 중 39장 '망각은 선물이다' 에는 히포크라테스의 17대 또는 18대 조상인 아스클레피오스가 소개된다. 아폴론의 아들이기도 한 그가 가지고 다녔던 지팡이로부터 뱀 한 마리가 똬리를 틀고 있는 의학의 상징물이 탄생한다.

"나는 의술의 신 아폴론과 아스클레피오스, 휘게니아, 파나케이아, 그리고 모든 남신과 여신들의 이름으로 나의 능력과 판단에 따라 이 선서와 계약을 이행할 것을 맹세합니다."

히포크라테스 선서에는 아스클레피오스와 그의 딸 휘게니아, 파나케이아가 등장한다.

신화 속 아스클레피오스의 의술은 숨이 완전히 끊어져버린 자도 부활시키는 경지였다. 그가 죽은 자도 살릴 수 있게 된 것은 뱀에게서 신묘한 약초를 얻으면서부터였고, 그가 가지고 다닌 '뱀이 올라가는 모양을 한 지팡이' 는 전 세계 주요국의 의학협회 상징으로 사용되고 있다. 인간의 생명 연장에 관여했던 아스클레피오스는 사후 그동안 베푼 의로운 행실을 인정받아 의술의 신이 되었고 뱀주인자리라는 별자리가 되었다.

또, 아스클레피오스의 다섯 딸인 이아소, 휘게이아, 아케소, 아글레이아, 파나케이아도 모두 돌봄과 관련되어 있다. 이아소는 의료, 휘게이아는 위생, 아케소는 치요, 아글레이아는 빛, 파나케이아는 만병통치라는 의미이다.

이와 같은 그리스 신들의 이야기에 담긴 의학용어를 책에서 소개하며 오 교수는 말한다.

"그리스 신들의 이야기를 보면서 욕망에 사로잡힌 허술한 존재인 인간에 대한 이해의 폭이 넓어지고, 이는 환자 돌봄에 지친 의료인 자신과 동료를 이해할 수 있는 철학이 된다." 라고.

코로나 바이러스로 심신이 지친 이들에게 잔잔한 위로가 될 신간이다.[30)]

26. 아스클레피오스의 신화

코로나19 바이러스 감염에 대한 두려움과 피로감이 만연해 있다. 지금까지 경험하지 못한 힘든 상황에 끝이 보이지 않는다. 모두가 힘든 가운데, 각별히 고단한 시기를 보내는 이들은 방역 담당자와 의료진이다. 그들의 노력 덕택에 우리의 두려움 이상으로 사태가 악화되진 않고 최악의 상황은 피하는 것 같다. 옛 그리스인들이라면, 이들의 헌신을 신비로운 눈으로 바라보았을 것이다. 실제로 그들은 '의사' 와 '간호사' 를 한갓 인간이 아니라 의술의 신 아스클레피오스의 사제들이고 후예라 믿었다. 병으로 고통을 겪고 죽어가는 사람들을 살리는 의술은 연약한 인간에게 신이 베푸는 은혜로운 섭리로서 경외의 대상이었으며, '병원' 은 치유의 역사가 이루어지는 거룩한 신전이었다.

그런데 그 신전의 주인 아스클레피오스는 원래 신이 아니었다. 그의 아버지는 태양의 신 아폴론이었지만 그의 어머니 코로니스가 인간이었기 때문에 둘 사이에 태어난 아스클레피오스는 반인반신의 영웅일 뿐이었다. 신이 아닌 그가 어떻게 신이 되었을까?

가. 아스클레피오스의 기구한 탄생

아스클레피오스의 탄생은 기구했다. 코로니스는 아폴론의 총애를 감격스러워했지만, 불경스럽게도 다른 사내를 마음 깊이 품고 있었다. 이 사실을 안 아폴론은 진노했고, 화살을 쏘아 사내의 목숨을 단박에 끊어버렸다. 한편 아폴론의 누이 아르테미스 여신은 괘씸한 코로니스를 향해 활시위를 당겼다. 아니, 코로니스를 쏜 것은 아르테미스가 아니라 아폴론 자신이었다는 전설도 있다. 비명횡사한 코로니스의 시신이 화장의 불길에 휩싸일 때, 아차 싶었던 아폴론은 황급히 코로니스의 배를 가르고 간신히 아이를 꺼냈다. 태어나지도 못하고 죽을 뻔한 아스클레피오스의 생명이 기적적으로 건져진 순간이었다. 그는 곧 영웅들의 스승 켄타우로스족의 현자 케이론에게 맡겨져 양육되었다. 그에게서 많은 것을 배웠지만, 아스클레피오스에게 가장 요긴한 것은 바로 의술이었다.

그러나 의술의 능력은 선천적인 것이었다. 어둠을 비추는 태양이 그렇듯, 아폴론은 어둠으로 상징되는 모든 것들을 이겨내는 힘이 있었다. 의술도 병마의 고통과 죽음의 공포라는 어둠을 물리치는 밝은 태양과 같은 것으로 이미 아폴론의 것이었다. 그렇게 아폴론의 의술은 아스클레피오스에게 유전되었다. 아스클레피오스의 자녀들도 모두 의술의 귀재였다. 휘기에이아(위생), 이아소(회복), 아케소(치료), 아이글레(화색), 판아케이아(모든 이들의 치유)가 다섯 딸의 이름이다. 이들 모두가 아버지를 도와 신전의 여사제로 일했다. 특급 간호사였다. 세 아들도 아버지를 돕는 신전의 사제로서 의사였고, 이 가운데 둘은 트로이아 전쟁에 그리스 연합군의 군의관으로 참전했다. 이 신화에 비추어 보면, 우리가 찾는 병원은 거룩한 신전이며, 의사는 아스클레피오스 신과 같고, 환자들을 돌보는 간호사들은 신의 딸처럼 신비로운 존재인 셈이다.

그런데 의술은 여타 불사의 신들에겐 불편한 것이었다. 특히 저승의 신 하데스는 당혹스러웠다. 아스클레피오스가 자연의 법칙을 거슬러 늙고 병들어 죽어야 할 사람들을 치유하고, 심지어 죽은 사람까지 되살려내자 저승세계의 출입구가 한산해진 것이다. '이러다가 아무도 저승으로 오지 않겠군!' 걱정이 된 하데스는 제우스에게 불만을 터트렸고, 이에 추동된 제우스는 냅다 번쩍이는 번개를 던졌다. 아스클레피오스는 번개를 맞고 목숨이 꺼져버렸다. 이대로 끝인가? 아들의 죽음을 안 아폴론은 제우스에게 항의했고, 보복했다. 제우스의 번개를 만드는 외눈박이 거신 퀴클롭스를 죽인 것이다. 격노한 제우스와 아폴론 사이에 지난한 신경전이 지속되었다. 마침내 제우스는 아스클레피오스를 불쌍히 여겨 하늘의 별자리로 빛나게 하고, 나아가 불사의 신으로 부활시켜 올림포스에 거주하게 하였다. 한갓 인간에서 불멸의 신이 된 것이다.

로마가 제국으로 군림하던 때, 식민지 유대 땅에 예수가 태어나 가난한 민중의 친구로서 수많은 병자들을 고쳤으나, 유대 종교지도자들의 미움을 사 십자가에 못 박혀 죽었다. 그의 제자들은 그가 다시 살아나 승천했다고 주장했다. 심지어 예수는 인간이지만 동시에 신의 아들이며 신 자체라고까지 했다. 유대인들의 흥미로운 이야기를 접한 로마제국의 이방인들은 어떤 생각을 했을까? 그들은 그 이야기를 낯선 것으로 조롱하고 거부하기보다는 '유대판 아스클레피오스'의 신화라고 귀담아듣고 끄덕였을 것 같다.

나. 아스클레피에이온을 찾은 환자들

고대 그리스 곳곳에 300여 개나 있던 아스클레피오스 신전은 병원 노릇을 했다. 그 신전을 '아스클레피에이온'이라고 한다. 아테네의 디오니소스 극장 옆에도 있었고, 의학의 아버지 히포크라테스의 고향 코스섬에도 여전히 웅장한 자태를 지키며 값진 유적으로 남아 있다. 그러나 가장 유명한 아스클레피에이온은 에피다우로스에 있었다. 아테네에서 차로 두 시간 정도 펠로폰네소스반도로 달리면 갈 수 있는 곳이다. 그런데 파우사니아스는 그곳이 아스클레피오스의 고향이라고 말한다. 그에 따르면, 아스클레피오스의 어머니 코로니스는 임신한 채 신의 화살을 맞고 죽은 것이 아니었다. 에피다우로스로 와 아이를 직접 낳았던 것이다. 미혼인 자신이 아이를 가진 사실을 자기 아버지에게 숨기려고 몰래 아이를 낳아 산에 놓았는데, 염소들이 아이에게 젖을 먹여주고 개들이 아이를 안전하게 지켜주었다. 아폴론의 가호였음은 말할 것도 없다. 그러니 에피다우로스에 아스클레피에이온이 세워진 것은 당연한 일이다. 의학의 아버지 히포크라테스도 여기에서 의학 공부를 했다는 이야기도 전해진다.

그런데 에피다우로스의 유적지는 병원의 모양새라기보다는 일종의 복합 레저타운에 가깝다. 아스클레피에이온과 아스클레피오스가 머물렀다는 원형의 톨로스가 중앙을 이루고 그 주변으로 아스클레피오스, 아폴론, 아르테미스, 테미스를 위한 제단이 있어 성소의 분위기를 자아낸다. 그리고 아스클레피에이온을 찾은 환자들을 위한 숙소와 식당, 목욕탕이 곁에 있었다. 그 정도면 충분할 것 같은데,

가까이 동북쪽으로 단정하게 닦인 스타디온이 보인다. 올림피아 제전처럼 화려하고 성대한 잔치는 아니었지만, 나름 규모가 있던 스포츠 제전이 3, 4년마다 한 번씩 열렸다고 한다. 그리고 멀리 서북쪽으로는 산비탈을 깎아 객석을 만든 웅장한 극장이 위용을 뽐낸다. 병을 고치는 곳이라지만, 놀기 딱 좋은 곳이다. 우울한 분위기는 보이지 않는다.

지금은 치료의 핵심이 수술과 투약처럼 보이지만, 예전에는 휴양과 축제를 치료의 핵심이라 믿었던 것일까?

이곳에 환자가 오면, 일단 몸을 깨끗이 씻고 옷을 갈아입은 뒤, 식이요법에 맞춰 식사를 했다. 무엇보다도 몸가짐을 바르게 하고 신전에 들어가 마음을 차분히 가라앉히고 기도하고 명상에 잠겼으며, 신전 바닥에 누워 숙면을 취했다.

숙면의 목적은 꿈에 아스클레피오스 신을 만나는 것이었다. 사제들은 환자들을 재우면서 아스클레피오스 신이 찾아올 테니 그분의 말을 잘 기억하라고 다독였다. 실제로 많은 사람들이 꿈에서 신을 만났다. 신을 만나지 못하고 다른 꿈을 꾼 이들은 그 꿈을 사제들에게 이야기했다. 사제들은 모든 꿈을 아스클레피오스 신의 계시로 해석하면서 그에 맞춰 적절한 처방을 제시했다. 일종의 플라세보 효과였을까? 환자들은 사제의 처방을 신의 계시라 곧이곧대로 믿고 열심히 따랐다. 틈틈이 운동도 하고 극장에서 음악과 연극을 관람하면서 몸과 마음을 추슬렀고, 운동대회가 열리기라도 하면 열정적으로 응원하면서 스트레스를 날려버렸다. 수많은 환자들이 기적적으로 치유를 경험했는데, 아하, 이것이 과연 신이 부린 신통한 조화였을까, 아니면 그렇게 하면 누구라도 좋아지게 마련인 자연스러운 결과였을까?

아스클레피에이온에서 발굴된 유물들 가운데 특이한 것이 있다.

발과 다리, 손과 팔, 가슴, 머리, 게다가 성기까지 신체의 부분을 정교하게 조각한 물건들이다. 대체 뭘까? 회복된 환자들은 신전을 떠날 때, 자신의 치유된 부분을 조각하여 신에게 감사의 표시로 바쳤던 것이다. '신이여 고맙습니다. 이제 회복된 이 몸은 내 것이 아니라 당신 것이니, 착하고 바르게 살겠습니다.' 이런 결심의 표시였다. 에피다우로스의 풍경을 하나하나 떠올려 보니, 코로나의 위기를 헤쳐 나갈, 뭔가 슬기로운 지침이 보이는 것만 같다.[31)]

27. 제약 · 의료 · 바이오

최대집 대한의사협회장이 세 번째 탄핵위기에서 벗어났다. 하지만 현 의협 집행부가 위기상황을 넘겼다고 끝이 아니다. 탄핵안이 부결됨에 따른 의료계 내부 갈등은 더 커졌다. 어쩌면 의정 갈등보다 골이 더 깊어진 내홍을 없앨 수 있을지가 관건이다.

지난 27일 대한의사협회 대의원회 임시총회에 참석하는 최대집 의협회장(권창회 기자)

가. 세 번의 위기에도 살아남은 최대집 회장

최대집 의협회장은 2018년 5월 1일 제40대 대한의사협회장으로 취임한 이후 불과 5개월 만에 첫 번째 탄핵 위기에 놓인다.

당시 문재인케어 저지에 대한 의료계 내부적으로 시각 차이가 있었기 때문이다. 의료계는 문재인케어가 기존 비급여 영역을 건강보험 내 진입시키는 소위 '급여화' 과정에서 저수가 문제가 확산될 것을 우려해 반대했다.

이 과정에서 최대집 회장이 총대를 메고 투쟁할 것으로 판단됐지만 민영보험의 일부재정을 가져오는 방식의 '더 뉴 건강보험' 등을 제안했다. 이에 반발한 의협 대의원회는 '문재인 케어 저지와 수가 정상화 대책을 위한 비상대책위원회 구성'을 발의했다.

쟁점은 문 케어와 유사한 더 뉴 건강보험 제시, 상복부 초음파 급여화 당시 아무런 지침도 내리지 않고 가처분만 신청, MRI까지 예비급여 80%받아드리고 예비급여가 없다고 만족, 관행수가 60%밖에 받지 못하고 자화자찬, 의・한・정 협의체에서 의료일원화 밀실합의 등이었다.

비상대책위원회 구성 자체를 탄핵안으로 보기 어렵지만, 비대위는 사실상 최대집 집행부의 일련의 행보에 대해 반대하는 조직으로 운영될 예정이었다. 당시 투표에 참여한 의협 대의원 중 178명 중 129명(72.5%)이 비대위 구성안에 반대표를 던졌다.

지난해 12월에는 불신임 안건이 공식적으로 올라왔다. 의협 대의원회 일부 의원들은 '더 뉴 건강보험'의 공론화 과정과 의결절차의 적법성 관련 자료 등에 문제를 삼았다. 특히 문케어을 막겠다고 했는데 모든 정책이 정부 흐름대로 흘러가고 있음에 대한 비판적 의견이 있었다. 이때도 대의원회 투표결과 239명중 204명이 투표에 참여해 반대 122표(59.8%)로 최 회장의 불신임 안건은 부결됐다.

마지막으로 지난 27일 의협 대의원회 임시총회에서도 최대집 의협회장이 탄핵안이 부결됐다. 이날 불신임안을 두고 대의원 203명 중 3분의 2 이상인 136명이 찬성하지 않았다.

이번 탄핵안은 공공의대 설립, 의대정원 확대 보건의료정책으로 의사 파업 사태가 커졌는데 최대집 의협회장이 지난 9월 4일 정부·여당과 독단적으로 합의했다는 것이 문제가 됐다. 이처럼 세 번의 위기에도 최대집 집행부는 살아남았다. 임기는 내년 4월까지다. 현 상태라면 추가로 불신임안이 나올 가능성은 작다. 이제 차기 회장 등 이슈로 사안이 넘어갈 시기이기 때문이다.

지난 27일 최대집 의협회장 탄핵안이 부결되자 일부 의사들이 거센 반대의사를 표명하며 회의장 진입을 시도 중이다(권창회 기자)

나. 더 거세진 젊은 의사들 분노, 달랠 수 있을까

의협 대의원회는 최대집 회장에게 다시 한번 기회를 줬지만, 내부 갈등은 심화되고 있다. 이미 전공의들 대다수는 현 의협 집행부에 대한 불신이 크다.

대한전공의협의회(대전협)가 진행한 '최대집 회장 및 의사협회 임원 불신임의 건' 사전 조사 결과에서 최 회장 불신임은 2233개 응답 가운데 88% 찬성을 보였고, 의협 임원 불신임의 건은 85% 찬성률을 기록했다.

이를 두고 대전협은 "최대집 회장과 이하 집행부는 '정무적 판단'이란 정치적 사욕을 위한 농간이었는가 아니면 감옥을 두려워했던 회장 개인의 비겁함 때문이었는가. 이것이 젊은 의사들의 뜻이며, 처절한 분노가 담긴 결과"라고 지적했다. 실제 불신임안 투표가 진행됐던 서울 스위스그랜드호텔서울 컨벤션홀 앞에서 의대생, 전공의 등이 최 회장의 불신임을 가결해달라는 피켓 시위를 벌였다.

의대생, 전공의와 최 회장의 탄핵을 주장하는 의사 일부가 대의원만 입장할 수 있는 총회 장소에 들어가려다 경호원 등에 막히면서 소란이 벌어지기도 했다.

추후 논란은 27일 대의원회 임총에서 탄핵안과 동시에 논의됐던 '비대위 구성'으로 확대될 전망이다.

당시 재적 대의원 242명 중 174명이 투표에 참여했고 찬성과 반대가 87명으로 동수여서 부결됐는데, 이 과정에서 의혹이 제기되고 있기 때문이다. 무기명에서 기명투표로 다시 혼합투표로 전환되는 등 논란이 있었다.

이동욱 경기도 대의원은 28일 "비대위 구성과 관련해 논란이 크다. 모 대의원은 무기명으로 투표했으면서 다시 기명으로 투표하는 등 의혹이 있다. 또 가결 선포 전에 이의제기가 있었는데 이를 묵인하고 가결했다. 있을 수 없는 일"이라고 지적했다. 그는 "대의원회 운영위에서 바로잡아야 할 부분이다. 비대위를 통해 대응해야 할 부분이 많다. 부결로 끝내서는 안 된다"고 언급했다. 결국 최대집 의협회장 및 현 집행부에 대한 탄핵안과 비대위 구성이 모두 부결된 상황이지만 갈등은 심화되고 있다.

최대집 회장과 현 집행부는 탄핵안 부결 다음날인 28일 언론과의 접촉을 피한 채 숨 고르기를 하고 있다. 발등에 불 떨어진 의사국시 문제 등 현안을 어떻게 풀어야 할지 고민함과 동시에 내홍을 조율하는 지점을 찾아야 하는 숙제를 안고 있다.[32]

28. 인간과는 달리…고릴라는 골다공증 없는 이유

인간과 가장 가까운 친척이지만 고릴라는 인간과 달리 노화 질환의 하나인 골다공증을 겪지 않는 것으로 나타났다.

골다공증은 뼈를 형성하는 무기질과 기질의 양이 동일한 비율로 과도하게 감소된 상태를 말한다. 골다공증은 뼈 손실과 약화를 유발한다.

사진=Matt Gibson/gettyimagesbank

미국 존스홉킨스대학교 의대 기능해부학 및 진화센터 연구팀은 컴퓨터 단층촬영(CT) 판독장치를 사용해 르완다에서 온 고릴라 34마리의 다리와 팔, 척추 뼈를 분석했다.

고릴라는 암컷 16마리와 수컷 17마리였고, 연령대는 11~43세였다. 분석에 사용된 뼈들은 야생에서 죽은 고릴라에서 나온 것이었다.

연구 결과, 고릴라 뼈의 노화 징후 중 일부는 장골(긴뼈)의 지름이 전반적으로 넓어지고 뼈 벽이 얇아지는 등 사람과 비슷했다. 하지만 고릴라 뼈에는 사람들에게서 나타나는 노화와 관련된 골다공증과 연관성이 있는 가속적인 뼈 무기질 손실이 없었다.

인간의 경우, 여성이 남성보다 골밀도가 떨어지는 경향이 있지만, 고릴라는 수컷과 암컷의 골밀도나 전체적인 힘에서 큰 차이가 없었다.

연구팀은 "인간과 고릴라의 이런 차이는 고릴라가 평생 동안 새끼를 낳고, 뼈의 손실을 막는 호르몬 수치를 유지하기 때문일 것"이라고 설명했다. 연구팀의 크리스토퍼 러프 교수는 "이와 함께 고릴라의 활동 수준이 훨씬 높기 때문에 더 강한 뼈를 자라게 하고 유지하는데 도움이 될 수 있다" 고 말했다.

이번 연구 결과(Skeletal ageing in Virunga mountain gorillas)는 '필러소피컬 트랜스레이션스 오브 더 로열 소사이어티 비(Philosophical Translations of the Royal Society B)' 에 실렸다.[33]

29. 인류는 '질병 공동체'

오늘날 전염병(傳染病)은 'Contagion' 또는 'Contagious Disease' 라고 영역된다. 라틴어 어원으로 '터치' (touch · 만지는

것)라는 뜻이 담겼다.

아픈 사람에게서 건강한 사람으로 접촉을 통해 옮겨진다. 유럽에서 전염을 뜻하는 단어 'Contagio' 가 만들어진 것은 14세기 말이다.

최소한 흑사병(페스트) 이후부터 쓰인 단어로, 고대에는 사용되지 않았다. 서양의학에서 질병이 아픈 사람에게서 건강한 사람으로 전달될 수 있다는 개념이 부족했음을 시사하는 부분이다. 물론 고대 서양에서 전파로 병이 옮겨질 수 있다는 개념이 없었던 것은 아니다

피에라르 두 티엘이 1353년 흑사병으로 죽은 사람을 파묻는 사람들의 모습을 그렸다(로열벨기에도서관 자료)

로마시대에 살던 그리스 의사 갈렌(Galen · 129~200년) 등의 저서에서 발견되는 '질병의 씨앗(seed)' 이란 말은 질병의 상호소통성을 담은 초기 용어에 가깝다. 그러나 이것이 오늘날 전염의 의미에 해당하거나 오늘날 세균처럼 '씨앗' 을 상상했다고 보기는 어렵다. 갈렌은 '씨앗' 이 환자로부터 나와 다른 사람에게 옮겨지는

것이라고 설명하지 않았다. 공기 등 주변 환경에 떠돌아다니며 질병을 일으키는 일종의 미립자처럼 설명했다. 혹자는 서양에서 전염이란 개념이 부족했음과 비교해 동양 도가에서 결핵의 원인으로 벌레란 의미의 '충'(蟲)을 언급했음을 들며, 동양이 서양보다 세균 이론에서 앞섰다고 주장한다. 그러나 '충'은 기생충인지 구체적인 물체를 상상한 것인지 분명하지 않다. 도가의 전설에서 미신처럼 상상된 동물에 가깝다는 게 일반론이다.

오늘날 전염의 의미와 유사한 아이디어가 등장한 것은 16세기 유럽에서 새로운 유행성 질병, 매독이 나타난 이후다. 매독은 인쇄술이 발달한 뒤 나타난 첫 유행병이었고, 당시 신대륙 발견 뒤 등장한 신종 감염병이었다. 매독의 유래에 관해 다양한 논쟁이 벌어졌고, 아직 정확하게 원인이 밝혀졌다고 보기는 어렵다. '매독'(Syphilis)이란 단어를 만든 이탈리아 의사 지롤라모 프라카스토로는 질병의 발생 원인 중 하나로 질병 상처에서 일종의 부패성 물질이 전파돼 질병을 일으킨다고 주장했다. 오늘날 세균 이론의 원조라고 할 수 있다. 새로운 질병의 등장이 질병에 대한 새로운 이해를 촉진했다.

가. 신이 내린 벌이냐 선물이냐

그렇다면 유행병의 경우 사람에게서 사람으로 옮는다는 이해가 아닌 어떤 이해가 존재했을까? 고대의 이해에 따르면, 질병은 아픈 사람에게서 생겨났다기보다 불결하거나 오염된 환경에서 발생했다. 감염병(Infectious Disease)이란 단어는 라틴어 어원으로 불결함, 더러움 등의 뜻이 담겼다. 상처가 불결하고 나쁜 기운에 감염돼 부패하고 오염된 결과가 질병이라는 것이다. 대규모 유행병은 오염되고 나쁜 기운이 다량으로 발생해 유행이 일어나는 것으로 이해 됐다.

비록 유행병이 사람에게서 바로 파생되거나 전파된다고 여기지 않았더라도 '인적 요소'를 빼놓고 상상하기는 어려웠다. 불결하고 오염된 집단과 그 집단이 거주하는 환경은 나쁜 기운을 뿜어내는 온상으로 여겨졌다. 환자들이 내뿜는 기운은 공기를 타락시켜 질병을 전파할 수 있었다.

중세 기독교 사회에선 오염과 불결이 '죄'의 이미지로 상상됐다. 특히 나병과 같이 외양이 바뀌는 질병은 신이 내린 '천형'으로 형상화됐다. 흑사병 같은 대규모 유행병이 일어났을 때 종교가 제시한 가장 손쉬운 설명은, 사람들의 죄악을 신이 분노로 다스린다는 것이었다. 그러한 죄악의 성격을 띤 집단 중 가장 대표적인 집단은 기독교의 가르침을 받아들이지 않는 유대인과 이슬람교도였고, 더러운 행위와 죄악에 쉽게 노출된 빈곤 계급이었다.

유행병 상황에서 이런 '위험 집단'을 다루는 데 크게 두 방향이 있었음을 중세 유럽의 흑사병 대응 방식에서 알 수 있다. 하나는, 유대인과 같이 죄악을 짊어진 이들에게 학살을 자행하거나 재산을 몰수하고 처벌해 축출하는 방식이다. 이 방법은 공포에 떠는 대중에게 카타르시스(정화)를 안겨주었겠지만 궁극적으로 별 효과가 없음이 드러났다.

흑사병은 유대인이든 기독교인이든 가리지 않았다. 다른 하나는, '페스트 하우스' 등 환자를 수용할 수 있는 수도원 같은 시설에 빈민을 가두고 사회에서 격리하는 방식이다.

중세 도시들 사이에서 위생 관련 법규가 제정되면서 이 방법은 더욱 체계적으로 발전한다. 빈민이 거주하는 지역은 위생 명령의 대상이 되었고, 환자는 페스트 하우스에 감금해 이동을 제한했다. 감염 지역을 불이나 향을 피워 소독하고 주검을 신속하게 처리하며 항구로 들어오는 배를 검역하는 등의 조처도 이때부터 했다.

모든 중세 사회에서 흑사병을 죄와 결부해 사고한 것은 아니었다. 유사하게 흑사병을 앓은 이슬람 사회는 흑사병을 일종의 재난처럼, 그리고 환자를 순교자처럼 이해했다. 질병을 신이 내려준 선물이라며 자비로운 구원이라고 생각했으며, 공동체 회복에 대응의 초점을 맞추었다.

질병이 발생한 지역에서 도망가거나 소수 그룹을 박해하는 등의 일은 거의 생기지 않았다. 원죄에 대한 인식 등이 이러한 대응 차이를 낳았을 거라고 추측할 뿐이다. 질병에 대한 집단적 공포가 인간이 보일 수 있는 하나의 반응일지라도 인류 사회의 전형적인 모습은 아니었다.

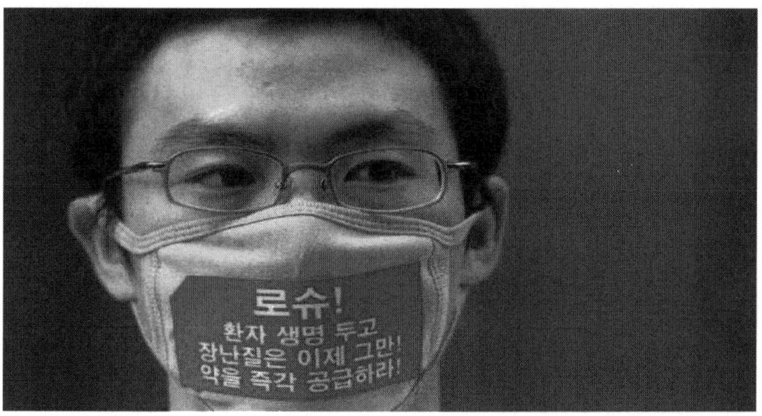

에이즈는 다양한 '환자 권리 운동'을 촉발했다. 2000년 제약회사를 규탄하는 시민단체 회원(박승화 기자)

나. 진정한 의미의 팬데믹, 콜레라

19세기 들어 제국주의가 심화되고 전 지구적 자본주의 체제가 완성되면서 감염병 유행은 새로운 양상을 맞는다. 하나는 감염병 확산 속도가 과거에는 상상할 수 없을 정도로 빨라졌다는 점이다. 다른 하나는 감염병 대응이 중요한 제국 통치 기술로 자리잡았다는 점이다. 서양의학에선 세균 이론을 정립해 감염병 대응의 새로운 전기를 마련할 수 있었다. 세균 이론 정립에 가장 큰 공헌을 한 감염병으로 콜레라를 들 수 있다.

19세기 유행한 콜레라는 오늘날 우리가 진정으로 '팬데믹'(감염병 세계적 유행)의 시초라고 할 수 있는 질병이다. 질병의 세계적인 유행이 콜레라 이전에 없었던 것은 아니다. 중세 아시아와 유럽을 휩쓸었던 흑사병이 그러하고, 구대륙의 신대륙 침략 뒤 전파된 천연두가 그러하다. 그러나 한 대륙에서 유행한 뒤 1~2년 지나 대륙을 건너 유행한 질병은 콜레라가 처음이다.

콜레라 유행은 제국주의 시대 교통과 운항의 발전으로 전 대륙이 연결됐음을 여실히 보여준다. 이뿐만 아니라 '미지의 질병' 전파 방향이 달라졌음에 주목해야 한다. 콜레라 이전의 질병은 대부분 '문명' 사회에서 이른바 '비문명' 사회로 전파됐다. 중동이나 아시아에서 토착화된 질병이 서쪽 또는 동아시아로 이동하면서 치명적인 위력을 발휘했다. 반면 콜레라는 인도 벵골 지방의 토착화된 질병이 영국 군대가 그 지역에 주둔하면서 전파됐다. '비문명' 지방에서 미지의 질병이 전파된 것이다. 농경사회 수립 뒤 대유행과 풍토화를 몇 차례 거치며 유지된 인간-질병 생태계가 제국주의를 거치면서 새 국면에 이르렀다.

콜레라 전파 초기, 의학자들은 유행의 원인을 정확하게 알지 못했다. 세균이 질병을 전파한다는 세균 이론과 오염된 환경의 물질이 부패해 발생하는 나쁜 기운이 질병을 유발한다는 장기 이론이 경합을 벌였다. 존 스노의 연구로 물이 콜레라의 전파 경로임이 밝혀졌고, 로베르트 코흐가 콜레라균을 발견해 세균 이론이 정립됐다.

특히 콜레라균 발견은 세균 발견에서 일본을 포함해 서구 문명국가들의 경합으로 이어졌다. 그러나 콜레라 유행의 유산은 세균 이론 정립에만 있지 않다. 좀더 중요하게는 위생 청결과 소독이라는 새로운 관습을 남겼고, 이는 서구 근대 문명의 이정표로 자리잡았다. 세균 이론이 서양의학의 과학적 무기로 활용될 수 있었던 때는 19세기 말이다. 이전 제국주의 시기에는 서양의학의 역할이 위생과 구분, 청결의 관습에 더 많이 기대고 있음을 기억해야 한다.

플로렌스 나이팅게일, 에드윈 채드윅 등 당대의 유명한 위생개혁론자들은 콜레라가 전염된다는 것을 부정한 장기 이론의 신봉자였다. 이들은 공중보건 도시 행정을 개혁하고 병원을 청결하게 함으로써 감염병 유행 정도와 여러 질병의 사망률을 낮추는 데 기여했다.

위생개혁론자의 주장도 사회개혁에 기여했지만 서구 사회의 두려움도 한몫했다. 즉, 콜레라는 '아시아에서 온' 질병에 노출된 서구 사회의 취약성을 드러냈다. 다른 유행병도 대규모 사망자를 냈지만 오염과 불결함, 더러움으로 가득 찬 질병이 문명화된 사회에도 얼마든지 전파될 수 있다는 두려움이 컸다. 미국 같은 경우 1832년 처음 콜레라가 생겼을 때 '구세계의 타락한' 질병은 빈곤층 외에 발 딛지 못할 것으로 믿었다. 그러나 이후 세 차례 더 콜레라가 유행하면서 도시를 중심으로 위생개혁을 하는 것으로 탈바꿈했다. 콜레라 유행은 감염병에 대한 새로운 근대적 이해를 불러일으켰을 뿐만 아니라 근대적 관습, 문화, 행동 양식이 도입되는 계기가 되었다.

콜레라는 제국주의 정부에 근대적 공중보건 체계를 앞다퉈 세우게 했다. 당시는 신종 감염병이던 콜레라 자체가 제국주의의 산물이었고, 서구 문명은 새로운 전염병에 적응하는 위생 시스템을 만들기 위해 분투했다. 그 결과 발달한 위생 지식과 관습으로 무장하고 또 다른 식민지를 찾아나섰다. 구한말 콜레라 유행에서 조선 사회가 서구 문명에 압도됐던 검역과 위생, 격리 조처 등은 이 과정에서 생겨났다.

다. 말라리아와 기생충 연구, 제국의 의학

제국주의 시대 중요한 질병(또는 팬데믹)으로 콜레라만 거론하는 건 어쩌면 불공평한 처사일지 모른다. 제국 본국에 영향을 미친 질병 중심의 기록일 수 있기 때문이다. 아프리카 지역에는 이미 높은 수준으로 황열병·말라리아 등이 있었고 제국주의 침범이 가속하면서 유라시아뿐 아니라 아메리카 대륙에까지 퍼졌으나 이는 어디까지 열대기후성 질환으로 간주됐다. 말라리아는 군대와 관료 등 식민지 거주민에게는 심각한 질병이었으나 제국의 '본국'에는 큰 영향을 미치지 못했다. 적어도 콜레라처럼 공중보건의료 체계까지 변모시키지는 않았다.

그러나 말라리아는 제국의 의학이 식민지 환경에 효과적으로 대응할 수 있게끔 변모시켰다. 열대성 질환을 퍼뜨리는 원충을 발견하고 원충과 매개동물인 모기의 감염 주기를 규명했고, 열대성 질환이 유행하는 지역에 의학연구소를 세워 질병 예방과 치료를 위한 연구를 했다.

식민지에서 제국의 의학자들이 건너와 연구했던 내용 중 기생충학이 큰 비중을 차지한 것은 우연이 아니다. 일제는 식민지 조선의 경성제국대학에 기생충학교실을 만들어 연구에 박차를 가했다. 그러나 이 의학 연구가 식민지인들의 삶을 개선했다고 보기는 어렵다. 제국 지배자들은 말라리아 감소를 위해 늪지대를 없애고 모기를 박멸했으나, 어디까지나 군 주둔 지역 중심으로 행한 일이었다.

우리나라의 경우 일제강점기 농지 개간이 늘면서 말라리아 유행이 오히려 늘어나는 양상도 보였다. 일본 제국주의는 예방적 치료제인 키니네를 투여했으나 당시 효과적인 방법으로 입증된 매개곤충인 모기를 박멸하는 데까지 인력과 경비를 투여하지 않았다. 말라리아 유행이 소멸 단계에 이른 건, 해방 뒤 한국 정부가 세계보건기구(WHO)와 공동으로 디디티(DDT)를 이용한 말라리아 박멸 사업을 벌이면서다.

콜레라 외에 자본주의 도시화가 낳은 질병으로 결핵을 들 수 있다. 콜레라가 무차별로 전파돼 휩쓰는 질병으로 이해됐다면, 결핵은 조용히 침투해 치명적인 사망으로 이어지는 질병에 가까웠다. 좁은 주거 환경과 낮은 영양 수준을 배경으로 전파되는 결핵은 도시화를 거치면서 더 유행되는 양상을 보이며 1600~1800년대 유럽의 전체 사망자 수의 4분의 1을 차지했다.

결핵은 워낙 빈곤 가계를 중심으로 전파된 탓에 오랫동안 유전병으로 오인됐다. 결핵의 전염성이 밝혀진 것은 1882년 코흐가 결핵균을 발견하고 나서다.

하지만 결핵균이 등장한 이후에도 균이 결핵의 주요 원인인지는 의심받았다. 같은 균에 노출돼도 결핵에 걸리는 사람과 그렇지 않은 사람의 차이가 컸다. 결핵은 세균이 원인이더라도 영양과 면역 상태에 따라 이환율(병에 걸리는 비율)이 달라질 수 있음을 최초로 보여준 질병이었다.

코흐가 결핵 치료제로 내놓았던 투베르쿨린이 이전에 결핵균에 노출된 적이 있는지를 알려준다는 것을 알게 된 뒤 인체 저항력, 즉 면역력에 대한 관심이 커졌다.[34][35]

30. 감염병은 인류를 어떻게 변화시켰나

김민희 아나운서. 네. 여러분 건강에 도움 되는 정보만을 알기 쉽게 전해드리는 메디 IN 시간입니다. 오늘도 쿠키뉴스 유수인 기자 나와 있습니다. 안녕하세요.

유수인 기자 ▷ 네. 안녕하세요. 유수인 기자입니다.

김민희 아나운서; 네. 오늘은 어떤 내용 준비되어 있습니까?

유수인 기자 ▷ 오늘은 감염병에 대한 내용 준비했습니다. 예로부터 감염병은 인류의 문화, 종교, 정복전쟁 등 역사에 지대한 영향을 끼치는 존재였죠. 실제로 2015년 발생했던 메르스 사태 이후 우리나라도 많은 것이 달라졌습니다. 밀폐된 공공장소에서 고개를 돌리고 기침을 하는 등 기침예절을 지키는 사람이 늘었고, 손 세정제와 마스크 등 위생용품 판매량도 증가했는데요. 이로 인해 국내 병원의 감염관리 시스템도 조금씩 개선됐습니다. 그래서 오늘은 감염병은 언제 어디서 생겨난 건지, 또 어떤 과정을 거치며 인류를 변화시켰는지 살펴보는 시간 갖겠습니다.

김민희 아나운서. 네. 얼마 전 WHO는 21세기를 전염병의 시대라고 규정했습니다. 21세기 들어 신종플루와 에볼라 바이러스 등 인류를 위협하는 전염병이 자주 나오고 있기 때문인데요. 유수인 기자, 이 감염병이라는 건, 어떻게 생겨나는 겁니까?

유수인 기자 ▷ 감염병은 병원체, 숙주, 환경요인의 상호작용에 의해 발생합니다. 대부분 야생동물을 통해 사람으로 전파됐는데요. 메르스의 낙타, 사스의 박쥐를 생각해보면 알 수 있죠. 그래서 어느 나라, 지역도 감염병 위협으로부터 자유로울 수 없는 겁니다.

김민희 아나운서. 네. 그럼 인류를 위협하는 감염병은 처음으로 언제 나타난 건지, 과거로 돌아가 보죠. 인류가 모여 살기 시작하면서 이 감염병이 생겨났다고요?

유수인 기자 ▷ 네. 제일 처음 전염병이 창궐하기 시작한 것은 인류가 농사를 짓기 시작하면서 부터로 추정됩니다. 제일 처음 수렵, 채집 생활을 했던 인류는 먹을 만큼만 사냥하고 늘 이동해 다녔습니다. 그러나 농사를 짓기 시작하면서 사람들은 한 곳에 모여 살았고, 동시에 가축을 키우기 시작했습니다. 그런데 가축의 몸속에 있는 세균과 바이러스는 인간 면역에 길들여지지 않은 것들이 많았기 때문에, 각종 배설물 등 오염원에 노출되면서 인간은 전염병을 앓기 시작했는데요. 한 곳에 모여서 사는 사람들이 많아지면서 병은 더욱 쉽게 전파됐습니다.

김민희 아나운서. 네. 감염병은 인류 초기에서부터 있었을 것으로 추정되고 있지만, 일단 농경생활 이후 인구 집단 규모가 증가하면서 사람이 숙주인 감염병이 늘어난 것으로 볼 수 있군요. 그리고 모여서 사는 규모가 커지고 도시가 생겨나면서 더 강한 감염병도 생겨나게 된 거죠?

유수인 기자 ▷ 네. 중세로 넘어오면서 도시가 커지고 교역이 활발해지자 전염병의 파괴력도 강해졌습니다. 중세 유럽을 뒤흔들었던 흑사병, 정식명칭은 페스트죠. 1346~1352년 사이 무려 7500만 명 이상의 목숨을 앗아갔습니다. 당시 유라시아 인구의 4분의 1이 넘는 수준이었다고 합니다.

김민희 아나운서. 당시 7500만 명이라니, 감염되면 그대로 사망하는 상황이었던 거군요.

유수인 기자 ▷ 네. 의학기술이 진일보한 1918년에도 스페인 독감으로 2500만 명 이상의 사망자가 나왔습니다. 1차 세계대전에 사망한 군인이 약 1000만 명으로 추정되고 있으니, 그보다 2배 이상

되는 사람들이 스페인 독감으로 사망한 겁니다.

김민희 아나운서. 네. 그리고 과거 크게 유행했던 감염병으로 천연두를 빼놓을 수가 없어요. 지금까지 발견된 최초의 천연두 환자에 대한 기록이 있습니까?

유수인 기자 ▷ 네. 기원전 1143년에 사망한 이집트의 파라오 람세스 5세가 처음으로 알려져 있습니다. 그의 미라에서 천연두의 흔적이 발견되어, 당시 천연두 바이러스가 계급을 가리지 않고 대유행했다는 것을 보여주고 있는데요. 로마의 아우렐리우스 황제, 영국의 여왕 메리 2세, 프랑스의 왕 루이 15세, 러시아의 황제 표트르 2세 등 유럽의 많은 통치자들이 천연두에 걸려 목숨을 잃었고, 청나라의 순치 황제 또한 천연두로 목숨을 잃었다는 기록이 남아 있습니다.

김민희 아나운서. 천연두 바이러스는 여러 면에서 나라의 운명을 바꾸고, 역사와 문화를 변화시키는 계기가 되었다고 볼 수 있을 정도로 인류에게 많은 영향을 미쳤는데요. 천연두로 나라가 멸망한 사례도 있었다고요?

유수인 기자 ▷ 네. 1529년 스페인 군대의 침략으로 멸망한 아즈텍은 전쟁보다 천연두로 사망한 이들이 더 많았습니다. 2000만 명에 달했던 아즈텍 인구는 1618년 160만 명으로 급감했죠. 1531년 168명에 불과한 프란시스코 피사로의 군대가 잉카제국의 8만 군대를 무너뜨린 것도 바로 천연두 때문이었습니다. 전쟁보다 유럽인들이 퍼뜨린 전염병으로 훨씬 많은 이들이 죽어나간 것이죠.

김민희 아나운서. 천연두라는 전염병이 한 나라를 멸망으로 이끌기도 할 정도로 강력했던 건데요. 천연두는 우리나라도 피해가지 못했어요. 조선시대에 유행한 것으로 알려져 있는데, 우리는 마마라고 부르기도 했었잖아요.

유수인 기자 ▷ 네. 조선에서 천연두는 두창, 마마, 손님 등으로 불렀습니다. 또, 백세창이라고도 했는데, 그건 평생 한 번은 겪고 지나가야 하는 질병이라는 뜻이었습니다.

김민희 아나운서. 여러 이름으로 불렸지만, 앓고 지나가면 마마 자국이라고 하는 흉터가 남는 것을 특징으로 볼 수 있는 것 같아요.

유수인 기자 ▷ 네. 공기로 전염되는 바이러스성 질환인 천연두는 일단 감염되면 고열과 발진이 일어나고, 두통과 구토 등을 일으키며, 얼굴과 손, 몸통에 발진이 생깁니다. 그리고 증상이 일어난지 8~14일이 지나면 딱지가 앉고 흉터가 남는데, 그 흉터를 흔히 마마 자국이라고 부른 겁니다.

김민희 아나운서. 조선시대에도 많은 사람들이 천연두로 목숨을 잃었죠?

유수인 기자 ▷ 네. 1886년 제중원에서 작성한 조선 정부 병원 1차 연도 보고서에서 4세 이전의 영아 40~50%가 두창으로 사망한다고 할 정도로 무서운 전염병이었습니다.

김민희 아나운서. 하지만 천연두는 다른 감염병과 다른 특징이 있어요. 바로 치료법이 있었다는 건데요. 일종의 백신을 활용한 치료법이 있죠?

유수인 기자 ▷ 네. 천연두는 인도의 소로부터 전파됐을 것이라고 추정되고 있는데요. 18세기 말 영국의 과학자 에드워드 제너는 우유 짜는 여자들이 천연두에 감염되지 않는 현상을 관찰해, 우두 바이러스가 천연두를 이겨낼 수 있는 열쇠라는 걸 알아냈고, 제너의 연구 결과로 탄생한 백신은 인류를 천연두에서 해방시켜 주었습니다.

김민희 아나운서. 사람에게 치명적인 천연두 바이러스를 박멸시킨 우두 접종법이 예방접종의 시초였다고 볼 수 있군요.

유수인 기자 ▷ 네, 그 이후 오늘날까지 예방접종은 감염병을 막는 가장 효과적이고 안전한 공중 보건 수단으로 활용되고 있죠.

김민희 아나운서. 네. 백신 이야기는 잠시 후 다시 나눠보기로 하고요. 감염병 이야기 이어 해볼게요. 조선을 뒤흔든 감염병은 또 있었어요. 바로 콜레라인데요. 우리나라로 유입되기 전부터 많은 사람들을 위협하는 병이었죠?

유수인 기자 ▷ 네. 인도 풍토병이었다가 1817년 콜카타에서 본격 발병한 콜레라는 말 그대로 전 세계를 휩쓸었는데요. 콜카타에 있던 영국군인 5000명을 1주일 만에 몰살시킨 콜레라는 1819년에 유럽, 1820년에는 중국에 상륙했고요. 조선에 상륙한 콜레라는 1821년 9월 17일 황해감사 이용수가 사망자가 8000~9000명에 이르며, 한창 앓고 있는 무리는 그 수를 다 셀 수 없는 상황이라고 보고할 정도로 확산됐습니다. 콜레라는 당시 중부지방을 통과해 제주도까지 퍼져나간 것으로 알려져 있습니다.

김민희 아나운서. 특히 당시 영국에는 상당히 큰 피해를 입힌 것으로 알려져 있어요.

유수인 기자 ▷ 네. 산업혁명 직후 런던은 급속한 산업화와 인구증가가 맞물려 환경오염이 심각했는데, 그 후 19세기 전반부에만, 콜레라로 인구 250만 명의 도시 런던에서 1만5000명 가까운 사망자가 나왔습니다.

김민희 아나운서. 네. 새로운 감염병이 나올 때마다 많은 의사와 과학자들이 그 원인을 찾고 치료제 개발에 나서지만 그럼에도 불구하고 완전히 종식된 감염병은 거의 없어요. 단지 치료제와 백신이 만들어져 치사율을 낮출 뿐이지 많은 감염병들은 계속해서 발병하고 있는데요. 그 중 하나가 바로 홍역이 아닐까 싶어요. 현재까지 우리나라에서 법정 전염병으로 분류가 되어 있죠?

유수인 기자 ▷ 네. 홍역은 홍역 바이러스에 의해서 전파되는 전염병으로, 우리나라에서는 제2군 법정 전염병으로 분류되어 있습니다. 온몸에 발진이 생기는 호흡기 질환이기 때문에, 양 볼에서 발진이 시작한 후 기침과 콧물, 결막염이 나타나며 열이 나고 발진이 온몸으로 퍼집니다. 우리는 국가예방접종으로 집단면역이 돼있는 상태인데, 20~30대 젊은 층의 경우에는 백신접종력이나 면역의 증거가 없는 경우가 있어서 지난해 한 때 유행이 되기도 했습니다.

김민희 아나운서. 대부분은 큰 문제 없이 회복되지만, 합병증 위험이 큰 것으로 알려져 있어요.

유수인 기자 ▷ 네. 약 1/3의 환자에게서 위장염이나 중이염, 폐렴, 실명, 뇌염 등이 생깁니다. 신경계 합병증이 나타나면 뇌염이 진행하여 두통과 경련, 혼수 등의 증상이 생기고 사망하기도 하는데요. 특히 임산부가 취약해, 태아가 성장을 제대로 하지 못하거나 유산, 사산 등의 위험성이 증가합니다.

김민희 아나운서. 네. 돌이켜보니, 인류가 발전하고 도시가 형성되면서 새로운 감염병도 계속해서 생겨나는 일이 반복되었던 것 같아요.

유수인 기자 ▷ 네. 결핵, 볼거리 등 새로운 감염병도 생겼는데, 이런 상황이 기독교 전파를 촉진했을 것라고 추정하는 전문가들도 있어요. 기독교인들은 다른 사람들이 기피했던 감염병 환자, 즉 병원 외 기관들이 기피했던 환자를 돌봤고, 지속적으로 병원체에 노출되며 상대적으로 면역보유율이 높아지면서 질병에 걸리지 않았을 것으로 본거죠. 또 당시 사람들은 신앙심으로 인해 살아 있을 수 있다고 믿었을 수 있다는 설명입니다.

김민희 아나운서. 또, 성병인 매독도 유행한 적이 있었어요.

유수인 기자 ▷ 네. 매독은 15세기 말 서부 유럽 지중해 연안에서 처음 발생했거나 아프리카 대륙 풍토병이 유럽으로 전파됐을 수 있다는 설이 있습니다. 과거 매독에 걸린 예술인과 정치가는 나폴레옹, 슈베르트, 에칼텔리나 2세, 고야, 베토벤 등이 언급되고 있는 어요. 귀를 자르거나 안 들리는 등의 증상이 매독 3~4기 증상과 비슷했기 때문인데요. 매독은 피부 외 장기, 뼈, 혈액에도 감염되는 것으로 알려져 있습니다.

김민희 아나운서. 네. 그리고 최근 해외 여행객이 늘어나면서 국내로 유입되는 전염병도 증가하고 있는 것으로 알려져 있는데, 어떤 해외 풍토병이 국내에서 발견되고 있습니까?

유수인 기자 ▷ 뎅기열이나 말라리아 등 과거 국내에서 발생하지 않았던 전염병이 증가하고 있습니다.

김민희 아나운서. 최근 해외여행 과정에서 가장 흔히 감염되는 질병은 어떤 병인가요?

유수인 기자 ▷ 아무래도 요즘 동남아 여행을 많이 다녀오니까 뎅기열을 예로 들 수 있겠는데요. 뎅기열은 태국이나 베트남 등 동남아시아 지역에서 흔하며, 뎅기열 바이러스를 가진 모기에게 물렸을 때 감염됩니다. 뎅기열은 예방 백신의 효율이 떨어지고 항바이러스 치료제가 아직 없기 때문에 특히 주의해야 합니다.

김민희 아나운서. 해외여행 시, 그 지역 풍토병이나 현재 유행하고 있는 감염병이 있는지 미리 확인해야 하겠어요.

유수인 기자 ▷ 네. 대한감염학회는 지난 2018년 국내 유입가능 해외 감염병 신규 관리지침을 만들어 여행하는 지역에 따라 유행하는 감염병과 매개체, 표준 예방법을 제시했는데요. 예를 들어 동남아에서 장티푸스도 많이 발생하는데, 이곳을 2주 이상 여행하거나 시골에서 머무는 사람은 반드시 장티푸스 백신을 맞고, 2년마다 재접종하는 것이 좋습니다.

김민희 아나운서. 네. 잘 알겠습니다. 그리고 현재 코로나 19가 인류를 위협하고 있어서 인지, 이른바 감염병 100년 주기설이 돌고 있는데요. 왜 그런 말이 나오게 된 겁니까?

유수인 기자 ▷ 1720년에 마르세유 흑사병. 1820년에 인도 콜레라. 1920년에 스페인 독감. 그리고 이번에 2020년 신종 코로나 바이러스가 등장했기 때문입니다. 하지만 그건 과거 발생했던 심각한 감염병들과 이번 신종 코로나 바이러스를 연결해서 그렇게 만들어낸 거고요. 근거 없는 억측으로 볼 수 있습니다.

김민희 아나운서. 네. 또, 최근 코로나19 백신 개발이 가능한지에 대한 궁금증이 커지고 있어요. 아직 코로나19에 대한 백신은 없지만, 그동안 인류는 심각한 질병을 막는 백신을 개발해 예방접종으로 수많은 생명을 살렸는데요. 이제 그 백신에 대해 알아보죠. 어떻게 백신이 작용하는 겁니까?

유수인 기자 ▷ 예방접종은 우리 몸이 병원체와 효과적으로 싸울 수 있도록 단련시키는 일입니다. 원래 우리 몸은 외부에서 들어온 각종 바이러스나 세균 등에 대응하기 위해 방어 물질을 만들어내는 면역 체계를 갖추고 있습니다. 하지만 밖에서 들어온 바이러스나 세균 등이 너무 강력하면 면역 세포들이 신속하게 대응하지 못해 병원체에 질 수 있는데, 예방접종은 면역 세포들에게 미리 병원체를 겪어보게 해, 병원체에 대응하는 힘을 길러주는 일입니다.

김민희 아나운서. 미리 병원체에 대응하는 힘을 길러주면, 실제로 그 병원체가 들어와도 쉽게 극복해낼 수 있는 거군요.

유수인 기자 ▷ 네. 질병을 일으키는 병원체를 죽이거나 약하게 해서 몸속에 넣으면 우리 몸에서 방어 물질. 즉, 항체가 만들어지고 이를 기억하는데, 이렇게 되면 같은 종류의 병원체가 다시 공격

해도 빠르게 대응할 수 있게 됩니다.

김민희 아나운서. 백신 개발 과정도 좀 살펴볼게요. 인류가 만든 최초의 백신. 언제 개발되었습니까?

유수인 기자 ▷ 앞서 언급했던 외과의사 에드워드 제너입니다. 1796년 천연두 백신을 개발했죠. 그는 우두에 감염됐던 사람이 두창에 걸리지 않는다는 설에 관심을 가지고 연구를 했다가, 한 낙농부에게서 채취한 우두농을 8세 소년의 팔에 두 차례 접종했는데요. 그 후 소년이 병에 걸리지 않자 이를 발표했고, 1803년 런던에 우두접종 보급을 위한 왕립제너협회를 설립해 사망자 수를 줄인 것이 백신 보급의 시초라고 볼 수 있습니다.

김민희 아나운서. 앞서 해외 풍토병이 국내로 유입되는 경우도 늘고 있다고 했는데, 그 역시 백신으로 어느 정도 예방할 수 있는 거죠?

유수인 기자 ▷ 네. 콜레라나 장티푸스, 수막알균, 황열 등은 백신이나 예방약으로 미리 예방이 가능합니다. 다만 백신을 맞고 항체가 생성되는 데 최소 2주가 걸리고 여러 번 맞는 경우도 있기 때문에 해외에 나가기 6주 전에 예방법을 시작해야 하고요. 또 해외를 다녀온 뒤 발열이나 설사, 구토, 황달 등 이상 증세가 나타난다면 바로 병원을 찾는 것이 좋습니다.

김민희 아나운서. 과거에는 감염병의 원인과 치료법을 몰라, 신이 노해서 전염병이 생긴다고 믿었던 적이 있었죠. 조선시대 역병이라는 말의 역도 신을 의미하는 말이기도 하고, 또 민간에서는 신을 달래기 위해 제사를 지내거나, 굿을 하거나 부적을 붙였는데요. 한 나라를 멸망시키고 한 대륙의 인구만큼 많은 사망자를 낸 여러 감염병들. 인류의 지금까지, 그러니까 역사와도 상당히 밀접한 관련이 있을 것으로 보이는데, 어떻습니까?

유수인 기자 ▷ 전문가들은, 감염병은 인간의 자연개발, 기술과 산업 발전 등 인류 역사에 지대한 영향을 미치는 상징이 있다고 말합니다. 신종 감염병은 인류 역사 속에서 지속적으로 출현했고, 무역과 여행이 증가하며 세계적인 신종 감염병 전파는 계속 발생할 수밖에 없다고 해요. 더불어 어느 나라, 지역도 감염병의 위협으로부터 자유로울 수 없다며, 완벽한 대비 대응 시스템이 없기 때문에 지속적인 평가와 개선이 이루어져야 한다고 강조하고 있습니다.

김민희 아나운서. 바이러스는 아주 오래 전부터 인류와 함께 살아왔습니다. 바이러스는 인류가 처음 문명을 형성할 때부터 사람들이 모인 곳이면 나타나 감염병을 퍼뜨렸고, 셀 수 없이 많은 이들의 목숨을 앗아 갔죠. 우리는 여전히 감염병의 공포에서 안전하지 못한 상황입니다. 하지만 가장 중요한 건 가짜뉴스에 휘둘리지 말고 손 씻기와 같은 기본적인 위생을 지키는 것이 아닐까 싶네요. 메디IN 마칩니다. 지금까지 유수인 기자였습니다.

유수인 기자 ▷ 네. 감사합니다.[36)]

31. 의사들의 음모

"의사의 지위와 환자의 신뢰를 남용하여, 고의로 환자의 건강을 훼손하고, 오진을 내렸으며, 잘못된 치료로 죽음에 이르게 했다. 의사라는 고귀하고 자비한 소명 뒤에 숨어서 거룩한 과학을 모욕했다…."

1953년 1월13일, 공산당 기관지 프라우다에 실린 기사다. 당 고위간부를 일부러 오진해, 죽였다는 것이다. 이른바 '의사들의 음모' 사건이다. 유대인 의사 수백명이 체포되었다. 국가보안부의 심문은 '특효약'이었다. 술술 자백을 했다. 맞기 싫어서 하는 엉터리 자백이니, 서로 일관성이 없었다. 스탈린은 '제대로 된' 자백을 받아오라며 성을 냈다. "때리고, 때리고, 또 때려라." 직접 한 말이다.

지금은 유대인이 가장 많이 사는 나라가 미국이지만, 한때는 러시아였다. 물론 제정 러시아에서의 삶은 만만치 않았다. 어디서나 차별받는 민족이었다. 하지만 볼셰비키는 달랐다. 러시아혁명에서 승리한 붉은군대는 유대인 차별을 공식적으로 금지했다. 전 세계에서 수많은 유대인이 몰려들었다. 200만명이 훨씬 넘게 살았다. 심지어 극동에 자치주도 얻었다. 수천년을 떠돌던 그들이 처음으로 얻은 땅은 이스라엘이 아니라 소련에 있었다. 정말 감격했을 것이다. 그래서인지 2차 대전 중에는 무려 유대인 50만명이 붉은군대에 입대해 나치와 싸웠다.

하지만 스탈린은 좀 생각이 달랐다. "공장 노동자가 유대인을 신나게 패줄 수 있는 클럽이 있어야 해." 흐루쇼프에게 한 말이다. 그는 '의사들의 음모' 사건을 통해 공산당 내 불만 세력을 제거할 계획이었다. 유대인, 특히 유대인 의사는 대중의 분노가 향할 적당한 대상이었다. 우랄산맥 동쪽에 여러 개의 유대인 수용소도 점찍어 두었다.

다행히 계략은 끝을 보지 못했다. 두 달도 안 되어 뇌출혈로 쓰러졌기 때문이다. 아이러니하게도 도와줄 의사가 부족했다. 의사 총 아홉 명으로 구성된 전담 의료진이 있었지만, 물론 진작에 체포된 상태였다. 스탈린은 곧 죽었고, 한 달 후 의사들은 석방되었다. 국가보안국 수장은 사건조작 혐의로 체포되었다.

그들은 땅을 가질 수 없었고, 돈도 언제든 빼앗길 수 있었다. 안전한 건 지식과 기술뿐이었다. 그래서 유대인은 교육에 많은 투자를 했다. 당시 소련 인구의 2%에 불과했지만, 대학생의 15%가 유대인이었다. 원래 똑똑해서 그런 게 아니다. 다른 것을 희생하고, 모든 자원을 교육에 집중한 결과다. 교육을 통해 얻을 수 있는 직업이 바로 의사, 교수, 학자 등이다.

'뿌리 없는 코즈모폴리턴.' 스탈린은 그들을 이렇게 불렀다. 지식은 머리에 넣고, 기술은 손에 익힐 수 있다. 그래서인지 발이 더 자유롭다. 의사는 이민자가 많은 직업이다. 미국엔 20만명이 넘는 외국인 의사가 활동한다. 영국 의사 중 5만명 이상이 외국에서 건너왔다. 대부분 형편이 어려운 나라에서 왔다. 반대의 경우는 극히 드물다. 그렇다고 이들을 '히포크라테스 정신'이 부족하다고 비난할 수 있을까? 아프리카의 열악한 의료현실을 보며, 이게 다 의사의 이기심 때문이라고 비난하는 꼴이다. 의사가 절실히 필요한 후진국일수록, 도리어 의대생은 필사적으로 '의사가 넘쳐나는' 미국과 유럽으로 향한다.

요즘 젊은 의사는 지방 근무를 꺼린다면서, '희생과 봉사의 정신'이 부족하단다. 하지만 1970년대 선배 의사들은 아예 조국을 떠나 미국으로 향하곤 했다. 거의 4000여명에 달했다. 1980년대에 접어들면서 의사 이민이 크게 줄었는데, 이유는 단순하다. 한국도 좀 살 만해진 것이다.

1970년대부터 1990년대까지 유대인 수십만명이 소련을 떠났다. 상당수는 미국으로 이주했다. 그 덕분인지 몰라도 미국 내 의사의 3.7%, 정신과 의사의 무려 5.8%가 유대인이다. '뿌리 없는 코즈모폴리턴'이다. 지방의 의사 부족이나 기피과 문제의 해결책도 바로 여기에 있다.37)

32. 당신이 휴대폰 화면에 빠진 사이, 고통받는 목뼈는 '급속 노화' 중

고령 인구가 증가함에 따라 퇴행성 경추질환으로 병원을 찾는 사람이 증가하고, 컴퓨터나 스마트폰을 장시간 사용하는 생활습관으로 인해 젊은층에서 목 통증을 호소하는 사람이 많아졌다. 목디스크를 비롯한 경추질환은 환자가 많은 만큼 인터넷 등에서 다양한 정보가 공유되고 있다.

하지만 의학적으로 검증되지 않은 잘못된 내용이 적지 않다. <누구에게나 찾아오는 중년의 불청객 : 목디스크> 등 3권의 경추질환 관련 책을 발간한 이동호 서울아산병원 정형외과 교수에게서 '경추질환으로 진료실을 찾는 환자들이 많이 하는 질문과 그에 대한 답변'을 들어본다.

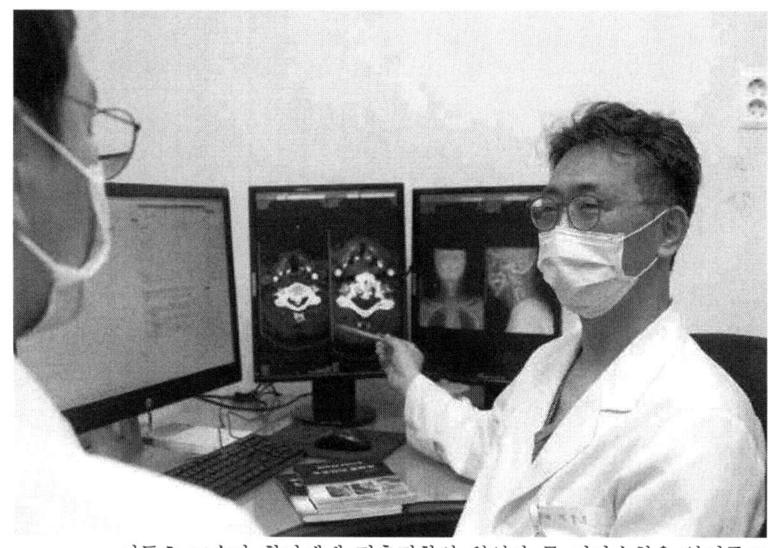

이동호 교수가 환자에게 경추질환의 원인과 목 건강수칙을 알려주고 있다(서울아산병원 제공)

— 목디스크는 왜 생기나요.

"목디스크가 생기는 가장 큰 이유는 노화입니다. 디스크의 퇴행성 변화는 정상적인 인체의 노화 과정에서 발생하는 것이라고 볼 수 있습니다. 만약 나이가 40세 이상이라면, 극소수를 제외하고는 모두 목디스크를 가지고 있다고 봐도 무방합니다. 물론 컴퓨터와 스마트폰을 많이 이용하는 생활습관이나 잘못된 자세를 가지고 있는 것도 장기적으로는 나쁜 영향을 줍니다. 해당 습관이 목뼈의 노화를 촉진해 남들보다 이른 나이에 경추질환을 앓을 위험이 커질 수 있기 때문입니다."

— 목이 아프고 팔이 저린데, 목디스크를 의심해봐야 할까요.

"그렇습니다. 목디스크는 목을 굽히고 좌우로 돌릴 수 있는 각도가 줄어들거나, 뒤통수에서부터 목과 양측 어깨같이 넓은 부위에 통증이 생기거나, 어깨 부위가 저리고 팔을 들 수 없거나(신경근증 증상), 손놀림이 부자연스러워 젓가락질이 잘 되지 않거나, 걸을 때 다리가 휘청거리는(척수증 증상) 등 아주 다양한 증상을 보입니다."

— 신경이나 척수가 눌리는 신경근증, 척수증을 자가 진단하는 방법이 있나요.

"통증을 느끼는 팔 쪽으로 고개를 돌리고 천천히 천장을 올려다보는 동작을 할 때, 혹은 동작 얼마 후에, 아프던 팔 쪽으로 저리거나 통증이 유발되면 신경근에 이상이 있다고 의심해볼 수 있습니다(스펄링 검사법). 또 '축성압박검사' 라고, 머리를 아래로 누를 때 스펄링 검사 때처럼 통증이 있던 팔에 유사한 통증이 유발된다면 신경근증을 의심해봐야 합니다. 경추 척수증을 자가 진단하는 방법 중 하나는 '호프만 징후' 입니다. 가운뎃손가락의 맨 끝마디를 위로 튕겼을 때 엄지손가락과 나머지 손가락들이 과흥분되어 굽혀지면서 꿈틀거리면 척수증일 가능성이 있습니다. 또 빠른 속도로 주먹을 완전히 쥐었다 폈다 반복할 때 10초 이내에 20회 이하로밖에 할 수 없다면 이미 척수증이 어느 정도 진행된 것이란 의심이 가능합니다."

일러스트(김상민 기자)

— 비슷한 증상 때문에 목디스크로 많이 착각하는 경추질환은 무엇입니까.

"목디스크와 아주 비슷한 증상을 보이지만, 전혀 다른 경추질환이 있습니다. 바로 목뼈 뒤쪽의 인대에 정상인에게서는 나타나지 않는 비정상적인 뼈가 자라나는 질환인 '후종인대 골화증' 입니다. 우리나라의 발생 빈도는 2~3% 정도로, 아시아인에게서 비교적 흔하게 나타나는 질환입니다."

— 경추질환 중에서 사지마비까지 가는 질환이 있다는데요.

"환축추간 불안정이라고, 척추의 가장 위에서 첫 번째와 두 번째 뼈인 환추와 축추 사이가 과도하게 흔들리는 질환입니다. 두개골 아래 오목한 곳에 나타나는 통증, 양쪽보다는 한쪽 뒤통수 부분의 통증, 부자연스러운 손놀림이나 다리가 휘청거리는 듯한 보행장애 등이 대표적 증상입니다. 최악의 경우 호흡마비로 인한 돌연사를 일으키기 때문에 '목에 찬 시한폭탄' 으로 불리기도 합니다."

— 경추질환이 있으면 운동을 안 하는 것이 좋나요.

"심하지 않으면 어떤 운동도 적절히 하는 것은 무방하지만, 만약 목이 많이 아프거나 신경을 누르는 증상이 발생한다면 축구·격투기·사이클·달리기 등 충격을 많이 받는 운동은 피해야 합니다. 운동 전후에는 항상 목 주변 스트레칭을 천천히 하고, 무엇보다 목에 갑작스러운 무리가 가지 않도록 조심해야 합니다."

— 일자목, 거북목이면 경추질환에 더 잘 걸리나요.

"일자목이나 거북목일 경우 그 자세를 유지하는 데 더 많은 근육 운동을 하게 되어 피로와 통증을 유발할 수 있습니다. 디스크와 관절에 걸리는 부하가 더 증가하다 보니 디스크, 목뼈의 노화를 촉진하게 됩니다. 그렇기 때문에 일자목, 거북목이 고착되기 전에 잘못된 습관이 있다면 고치고, 목 건강을 위해 바른 자세로 앉는 것이 중요합니다." [38]

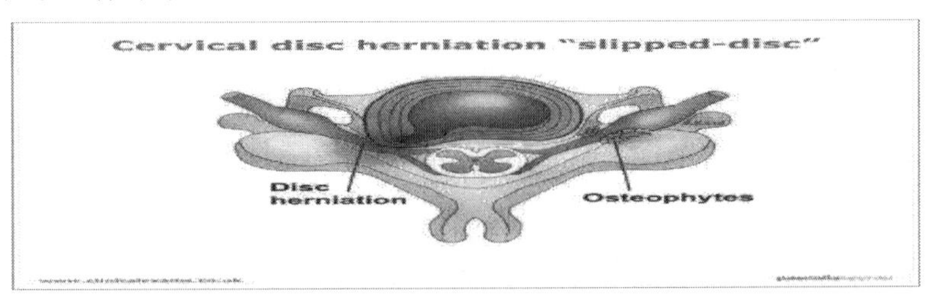

33. '좀비 인간' 만드는 미생물은 없다, '광란의 춤' 유발 세균은 있다

최근 몇 년 사이 이른바 '한국형 좀비(zombie)'를 내세운 영화와 드라마들이 잇달아 선보이고 있다. 서인도 제도 원주민들이 믿던 토속 신앙 '부두교'에서 유래한 것으로 알려져 있는 좀비는 주술사가 마법과 약물로 움직이게 만든 시체를 일컫는다. 부두교 좀비는 사람을 해치지 않는다. 이성과 감정이 없는 꼭두각시가 되어 그저 부림을 당할 뿐이다.

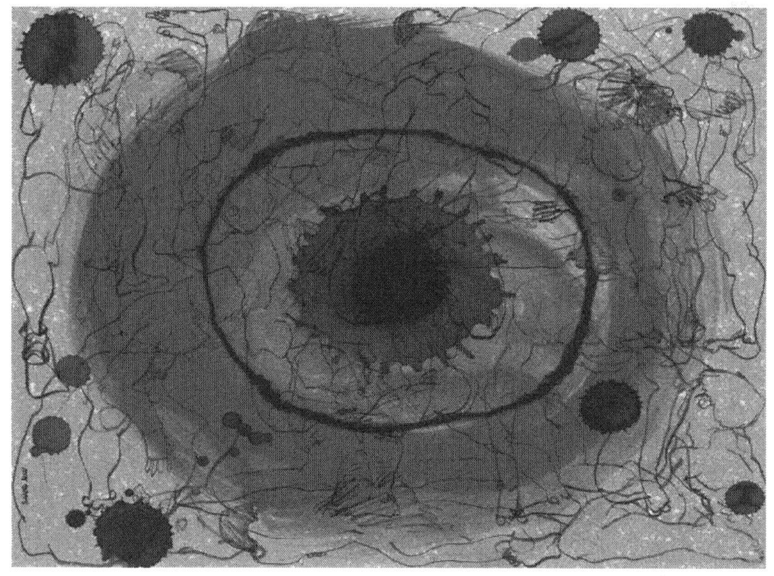

일러스트(김상민 기자)

보통 영화에서는 멀쩡한 사람이 바이러스 따위에 감염되어 좀비가 된다. 그러고는 목과 사지를 심하게 꺾으며 사람을 물어뜯으러 돌아다닌다. 좀비에게 물리면 몇 분, 길어야 몇 십 분 내에 좀비가 된다. 바이러스에 감염된 것이다. 하지만 감염 후 이렇게 빠르게 발병하는 바이러스는 발견된 바가 없을뿐더러, 존재할 가능성도 거의 없다. 영화적 설정에 까탈스럽게 시비를 걸려는 게 아니다. 오히려 그 반대이다. 영화 속 좀비와 비슷한 증세를 유발할 수 있는 미생물을 알아보면서 흥미롭게 공부를 해보려는 것이다.

가. 막춤을 추게 하는 미생물

좀비의 그칠 줄 모르는 몸동작은 '무도병'을 연상시킨다. 이 신경질환에 걸리면 몸이 뜻대로 되지 않고 저절로 심하게 움직여, 마치 막춤을 추는 듯한 모습을 보인다. 유전자 돌연변이가 아닌 후천적 원인으로 발생하는 무도병 가운데 가장 대표적인 사례는 '시드넘 무도병(Sydenham's chorea)'이다.

1686년, 시드넘(Thomas Sydenham 1624~1689)이라는 영국 의사가 특이한 질환 하나를 보고했다. 환자는 거의 모두 10대 아이들이었다. 손을 잠시도 가만히 두지 못했고 절뚝거리며 계속 이상한 몸동작을 했다. 누워서 온몸을 비틀다가 침대에서 떨어지기도 했지만, 일단 잠이 들면 경련은 가라앉았다. 병의 징후는 한 번 나타나면 거의 한 달 동안 지속되었다. 재발하는 경우도 많았지만 다행히 사망에 이르는 경우는 거의 없었다.

시드넘이 질환의 임상적 특성은 정확하게 기록했다. 하지만 그 원인은 정서적 충격과 트라우마 때문이라고 잘못 짚었다. 19세기 중반에 시드넘 무도병이 급성 류머티즘과 관련이 있음을 알게 되었다. 그리고 20세기에 들어서야 비로소 특정 연쇄상구균의 감염이 시드넘 무도병의 원인임이 밝혀졌다. 그런데 그 발병 과정이 특이하고도 복잡하다.

문제의 세균이 체내로 침투하면 먼저 편도선염이나 성홍열을 일으킨다. 이에 맞서 면역계는 항체를 동원해 공격을 가한다. 이렇게 2~3주가 지날 즈음, 비록 드물지만, 이 항체들이 애꿎게도 심장이나 관절, 뇌 등을 공격해서 문제를 일으키는 어이없는 상황이 발생한다. 이로 인해 수의운동에 관여하는 뇌 부위에 염증이 생기면 시드넘 무도병 증세가 나타난다. 발병의 직접 원인이 일종의 '자가면역 장애' 인 셈이다.

사실 서양 중세 역사서에는 무도병으로 추정되는 기록이 여러 번 나온다. '무도광(댄싱 마니아)' 이라고 불렸던 이 질환(?)은 남녀노소 구분 없이 집단적인 발병 양상을 보였다. 이탈리아 타란토(Taranto) 지방에서는 이런 발작을 거미에게 물렸기 때문이라고 여겼다. 이런 이유로 이 지역 전통 춤 이름 '타란텔라(tarantella)' 가 미국으로 건너가 독거미명 '타란툴라(tarantula)' 가 되었다.

광란이라고 할 만큼 여러 사람들이 지쳐 쓰러질 때까지 춤을 추었다. 마치 무언가가 그들의 몸을 완전히 장악하고 조종하는 것 같았다. 그리고 이 춤의 광풍은 전 유럽으로 불어 나갔다. 시드넘 무도병과는 분명 다른 모습이다. 게다가 일부 무도광은 손과 발이 타는 듯한 통증을 호소하기도 했다.

여전히 논란이 있지만, 무도광의 유력한 원인으로 '맥각' 중독이 지목되고 있다. 맥각을 보리 맥(麥), 뿔 각(角) 글자 그대로 풀면 '보리 이삭에 돋아난 뿔' 이라는 뜻이다. 보리와 호밀을 비롯한 볏과식물에 감염하는 곰팡이의 일종인 '맥각균' 이 알곡이 들어설 자리에서 만든 '균핵' 이다. 균핵이란, 환경이 열악해지면 곰팡이가 생존을 위해 만드는 단단한 덩어리 모양의 휴면체이다.

맥각에 들어 있는 여러 독 성분은 통증과 함께 지각 장애와 환각

증세를 일으킨다. 실제로 맥각은 강력한 환각제(마약)의 일종인 LSD를 만드는 원료이다. 다행히 요즘에는 도정 과정에서 맥각이 제거된다. 전근대 시대의 무도광들은 의도치 않게 마약에 취해 좀비처럼 움직였을 공산이 크다.

나. 신경을 타고 이동하는 바이러스

여느 감염병에 비해 광견병은 잠복기가 길다. 감염 후 평균 한두 달이 지나서 증상이 나타나기 시작한다. 물린 부위가 머리에 가까울수록, 상처가 심할수록 잠복기가 짧아진다. 초기 증상은 보통 감염병에서 볼 수 있는 발열, 두통, 구토, 피로감 등이다. 이 시기에 물린 데가 저리거나 저절로 움찔거리면 광견병일 가능성이 높다.

광견병 바이러스는 혈액이나 림프계를 따라 이동하지 않는다. 면역계의 감시망을 피해 가려는 술수로 보인다. 감염 초기에 바이러스는 일단 근육에서 증식한다. 짧게는 며칠, 길게는 몇 달 동안 그대로 머무른다. 그다음 운동신경에 침입해 말초신경을 따라 천천히(하루 15~100㎜ 정도) 뇌를 향해 나아간다. 목적지에 도달하면 뇌염을 일으킨다.

감염이 뇌염으로 발전하면, 환자에게 불안기와 안정기가 번갈아 찾아온다. 이때는 얼굴에 바람만 스쳐도 입과 목 주변에 경련이 일곤 한다. 환자 대부분은 물을 보거나 생각만 해도 경련을 일으킨다. 그래서 이 병을 '공수병(hydrophobia, 각각 물과 공포를 뜻하는 라틴어 'hydro' 와 'phobia' 를 합친 말)' 이라고도 부른다. 마지막 단계에는 뇌와 척수신경 손상이 커져 마비가 심해지고, 결국 호흡근육 마비로 유명을 달리하게 된다.

광견병은 예방이 최선이다. 반려동물에게는 백신 접종이 필수이고, 사람도 광견병에 노출될 위험이 크다면 반드시 예방접종을 해야 한다. 만약 동물에게 물리면, 즉시 상처를 비누로 철저히 씻어야 한다. 그리고 그 동물이 광견병에 걸렸다면, 백신과 함께 광견병에 면역을 가진 사람에게서 채취한 사람 광견병 면역글로불린(항체)을 주사한다. 광견병은 잠복기가 길어서, 감염 후 예방접종으로도 면역이 생길 수 있다. 다만 일단 광견병 증상이 나타나면 때가 늦으니 절대로 골든타임을 놓쳐서는 안 된다.

광견병 바이러스는 개의 뇌를 건드려 공격성을 자극한다. 바이러스에 장악된 개가 닥치는 대로 물 때마다 바이러스는 더 많은 숙주로 퍼져나간다. 이뿐만이 아니다. 이 간교한 병원체는 침샘까지 장악해 계속 침을 흘리게 하면서 물을 피하게 한다. 그 때문에 바이러스 입자가 그득한 침이 씻겨 나가지 않는다. 사람도 이와 유사한 증상을 보이며 심지어 다른 사람을 물기도 한다. 영화 속 좀비처럼 말이다. 그러고 보니 병원체가 무작정 숙주를 아프게만 하는 게 아니었다. 전염이 잘 되도록 숙주를 조종하고 있었다!

다. 숙주 조종 끝판왕

톡소포자충(Toxoplasma gondii)은 모든 온혈동물에 감염하는 세포내 기생충이다. 기생충이라고 하니 회충처럼 꿈틀거리는 벌레 모양을 떠올리기 쉬운데, 톡소포자충은 보통 직경이 채 1㎛도 안 되는 미생물, 원생동물이다. 톡소포자충은 '정단복합체포자충'이라는 집안 출신이고 말라리아 병원체와는 친척지간이다. 구성원 모두가 기생체인 이 고약한 가문의 학명 아피콤플렉사(Apicomplexa)는 각각 '꼭대기'와 '껴안음 또는 휘감음'을 뜻하는 라틴어 '아펙스(apex)'와 '콤플렉서스(complexus)'가 합쳐진 것이다. 세포 말단에 특수하게 분화된 세포소기관 복합체 때문에 붙여진 이름이다.

톡소포자충의 최종 목적지는 고양잇과(고양이, 호랑이, 사자, 표범, 살쾡이 따위가 속한 육식동물 무리) 동물이고, 나머지 동물은 모두 체류지에 불과하다. 이들은 고양잇과 동물에서만 성충이 되어 짝짓기를 하고 알을 낳는다. 나머지 동물은 유충을 보관하는 탁아시설에 해당한다. 전자와 후자를 생물학 용어로 각각 '최종숙주'와 '중간숙주'라고 한다.

톡소포자충은 놀라운 숙주 조종 기술을 보여준다. 예컨대, 쥐가 톡소포자충에 감염되면 학습력과 기억력이 떨어져 탁 트인 야외에서 보내는 시간이 많아진다. 게다가 고양이 오줌 냄새를 개의치 않는다. 오히려 그 향기에 끌린다. 이렇게 개념을 상실한 쥐가 '날 잡아 잡수'라는 식으로 고양이에게 다가갈수록, 톡소포자충의 목적지 도착 시간은 앞당겨진다.

더욱 흥미로운 점은, 톡소포자충에 걸린 설치류가 집고양이보다 호랑이나 표범 같은 야생 고양잇과 동물의 오줌 냄새를 더 좋아한다는 사실이다. 조금만 생각해 보면 이내 고개가 끄덕여진다. 톡소포자충에게 집고양이는 가장 최근에 생겨난 최종숙주이기 때문이다.

유전체 분석 결과에 따르면, 현생 고양잇과 동물은 어림잡아 1000만년 전쯤 살았던 공동 조상에서 유래한 것으로 보인다. 반려묘는 인류가 신석기 시대로 접어든 이후에 출현했다. 대략 1만년 전 인류가 정착해 농경을 시작하자 들쥐가 꼬여 들었고, 숲에 살던 들고양이는 먹잇감을 쫓아 나왔다.

인간의 입장에서 식량을 축내는 들쥐를 잡아먹는 들고양이를 마다할 이유가 없었다. 우리와 들고양이의 동거는 이렇게 자연스레 시작되었다. 이런 관계 형성에 따른 득실을 따져보면, 가장 큰 수

혜자는 톡소포자충이다. 아무것도 안 하고 가만히 있었는데 새로운 최종숙주와 중간숙주가 동시에 생겨났으니 말이다.

감염병 사태가 장기화하면서 감염 자체보다 감염에 대한 막연한 불안과 공포로 더 많은 사람들이 정신적 고통을 호소하고 있다는 뉴스가 들려온다. 심지어 이성을 잃고 공공장소에서 난동을 피우는 경우도 적잖다고 한다. 영화에서처럼 인간을 좀비로 만드는 미생물 따위는 존재하지 않는다. 하지만 감염병이 주는 스트레스에 우리의 정신이 잠식당한다면 상황은 달라질 수 있다.

1947년 발표된 카뮈(Albert Camus, 1913~1960)의 소설 〈페스트〉에 이런 구절이 있다. “그 당시 페스트는 실질적으로 모든 것을 뒤덮어 버렸다고 말할 수 있을 정도였다. 개인의 운명은 더 이상 있을 수 없었고, 페스트라는 집단적인 사건과 모든 사람의 감정만 존재했다. 가장 두드러진 것은 이별과 유배의 감정으로 거기에는 두려움과 반항심이 내포되어 있었다.” 감염병 팬데믹(세계적 대유행)이 전통적 유대감을 파괴하고 우리를 자기밖에 모르는 외톨이로 만들어 버릴 수 있다는 의미로 이해된다. 이를 치유하려면 ‘정신적 백신’이 필요하다. 아마도 그건 소통과 배려, 나아가 사랑이 아닐까.[39][40]

34. 1분1초가 중요한 뇌졸중…골든타임 놓치지 마세요

매년 10월29일은 세계뇌졸중기구(WSO)가 심각한 장애와 사망을 초래하는 뇌졸중(일명 뇌중풍)을 예방하고, 적극적인 치료를 장려하기 위해 제정한 ‘세계 뇌졸중의날’이다. 전 세계 사망원인 중 두 번째로 꼽히는 뇌졸중은 사망하지 않더라도 반신불수 등 커다란 후유증을 남기는 응급·중증질환이다.

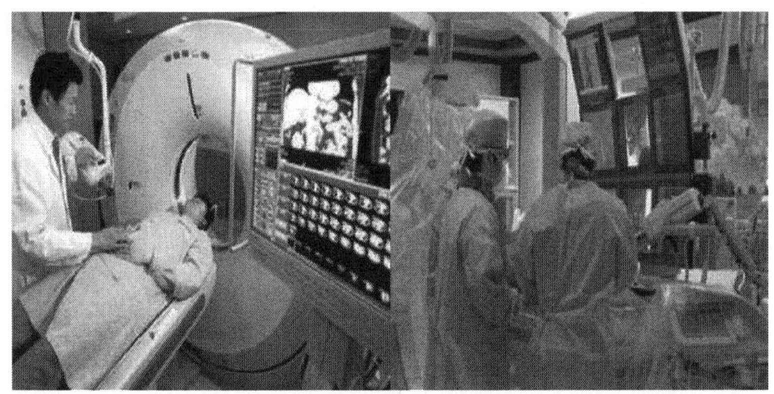

날씨가 추워지고 일교차가 크게 벌어지면서 뇌졸중 발생 위험이 높아지고 있다. 뇌졸중 증상이 느껴지거나 의식이 흐려지면 119를 부르거나 빨리 병원으로 가야 한다. 의료진이 뇌졸중 환자에 대한 뇌 MRI 검사(왼쪽 사진)와 응급 뇌혈관내 수술(오른쪽)을 하고 있다(인천성모병원 제공)

2009년부터 2018년까지 10년간 월별 뇌혈관 질환 사망자 수를 분석한 통계청 자료를 보면, 뇌졸중은 날이 쌀쌀해지고 일교차가 크게 벌어지는 환절기인 10월부터 증가하기 시작해 기온이 급격히 떨어지는 1월에 정점을 이루고, 3월까지 연평균보다 높은 양상을 보였다. 건강보험심사평가원에 따르면, 지난해 뇌졸중 진료 인원은 61만3824명으로 2014년(52만7229명)보다 16.4% 늘었다.

신체가 갑자기 찬 공기에 노출되면, 교감신경계가 활성화되어 말초동맥들이 수축하고 혈압이 올라간다. 뇌혈관이 막히거나(뇌경색) 터지는(뇌출혈) 뇌졸중이 발생할 위험성이 높아진다. 일교차가 크면 더 위험하다.

뇌졸중을 일으키는 원인은 복합적이다. 흡연, 알코올, 서구식 식생활, 운동 부족 같은 잘못된 생활습관이 고혈압, 당뇨병, 고지혈증

(이상지질혈증) 같은 만성질환을 초래하고, 신체가 노화하면서 점차 약해진 뇌혈관도 큰 영향을 준다.

뇌졸중이 발생하면 평소 없던 신체 증상이 나타난다. 혈관이 막히거나 터진 뇌 부위에 따라 여러 가지 증상이 나타날 수 있다. 발음이 어눌하고 말을 잘하지 못하거나 다른 사람의 말을 이해하지 못하는 언어장애를 겪을 수 있다. 또 신체의 한쪽이 마비돼 한쪽 팔다리를 움직이려고 해도 힘이 들어가지 않거나 감각이 떨어진다. 심한 두통 때문에 속이 울렁거려 구토를 하기도 한다. 시각장애가 발생해 한쪽 눈이 안 보이거나 물체가 겹쳐 보인다. 갑자기 어지럼증이 심해 술 취한 사람처럼 비틀거리며 걷고 손놀림이 자연스럽지 않을 수 있다.

뇌세포는 단 몇 분만 혈액 공급이 되지 않아도 손상을 입고 한 번 죽은 뇌세포는 다시 살릴 수 없다. 뇌세포가 주변 혈관으로부터 산소와 영양분을 받으며 버틸 수 있는 시간, 즉 골든타임은 2시간 이내, 최대로 잡아도 3~4.5시간에 불과하다. 이 시간 내에 병원에 도착하거나 치료를 하는 것이 중요하다.

가톨릭대 인천성모병원 신경외과 장경술 교수는 "일단 뇌졸중이 발생하면 빨리 응급치료를 받아야 후유증과 사망 위험을 낮출 수 있다"면서 "아무리 의술이 발달하고 좋은 의료진과 첨단장비가 준비됐다 하더라도 뇌졸중 증상 발현 후 3~4시간이 지나면 뇌는 회복이 어렵다"고 지적했다.

뇌졸중을 예방하기 위해 우선 혈관을 망가뜨리는 담배는 무조건 끊어야 한다. 음식은 싱겁게 먹고, 수분을 충분히 보충하는 것이 좋다. 특히 고혈압을 조절하는 데 효과가 있는 칼륨이 많은 과일과 채소를 충분히 섭취한다. 적절한 유산소 운동을 하루에 30분 이상 매일 꾸준히 한다.

장 교수는 "심장은 멈추면 신속하게 심폐소생술을 시행하는 것이 매우 중요하지만 뇌졸중은 특별한 응급처치가 없다" 면서 "증상 발현 시 혈액순환을 돕는다며 손과 다리를 주물러 주기도 하는데 도리어 자극이 될 수 있어 금물" 이라고 강조했다. 자연스러운 자세로 눕거나 눕히고, 119에 정확한 주소를 알려 신고하거나 병원에 빨리 가는 것이 상책이다. 의식에 변화가 없는지 살펴보고 경련을 일으킨다면 고개를 옆으로 돌려 토사물이 기도로 넘어가지 않도록 한다.[41]

35. 도살 같던 외과수술을 혁명하다

19세기 병원은 '죽음의 집' 이었다. 외과의는 말라붙은 피로 떡칠이 된 앞치마를 두르고, 손이나 수술 도구를 씻는 일 없이, 고기 썩는 냄새를 풍기며 수술실로 들어오곤 했다. 고름을 패혈증의 불길한 징후가 아니라 자연스러운 치료 과정으로 믿던 시대에, 사망은 대부분 수술 후 감염 때문에 일어났다. 집보다 병원의 사망률이 3~5배 더 높았다. 게다가 수술은 끔찍하게 고통스러웠다.

당대 유명 외과의였던 로버트 리스턴은 야수 같은 힘과 속도로 명성을 쌓았다. 그런 것들이 환자의 생존에 중요한 시절이었다. 하지만 리스턴이 너무나 빠르게 손을 놀리다 조수의 손가락 3개를 자르고 칼날을 교체하다 관객의 코트를 베어버리면서, 환자와 조수는 조직 괴사로 숨지고 관객도 너무 놀라 그 자리에서 죽는 사고가 일어나기도 했다. 외과 역사상 치사율이 300%에 달한 유일한 사례다.

리스턴은 1846년 12월21일 유니버시티 칼리지 병원 수술실에서

의학사에서 가장 중요한 수술 중 하나를 시연한다. 허벅지 절단 수술을 하며 마취제로 에테르를 사용한 것이다. 수술은 28초 만에 끝났고, 환자는 몇 분 뒤 깨어나 수술을 언제 시작하는지 물었다고 한다.

리스턴이 마취 수술에 성공하면서 수술 성공의 주요 장애물 중 첫 번째인 고통이 제거되었다. 이날 수술실에선 또 다른 외과 혁명의 싹도 틔웠다. 목격한 광경에 자극 받아 수술 후 감염의 원인을 규명하고 해결책을 찾는 일에 여생을 바치게 된 의대생 조지프 리스터였다.

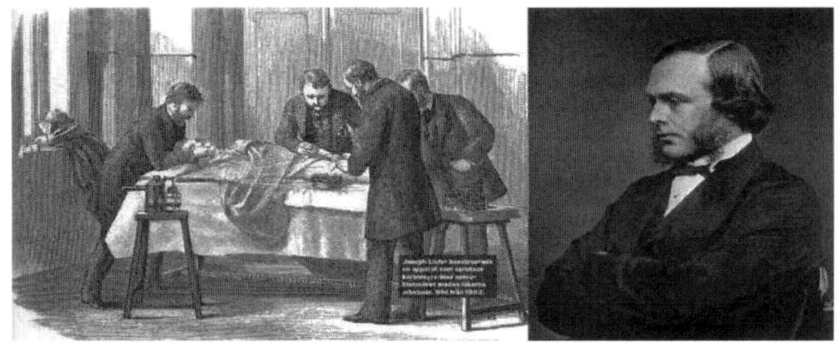

영국 외과의사 조지프 리스터(오른쪽 사진)와 그가 석탄산으로 만든 살균제를 환자의 상처 부위에 뿌리며 수술하는 모습(왼쪽 사진). 위키피디아

〈수술의 탄생〉은 도살장이나 다름없던 수술실을 위생적인 의료 공간으로 바꾸고 소독법을 정착시킨 영국 외과의사 조지프 리스터(1827~1912)에 대한 책이다. 리스터는 외과 수술에 혁신을 일으켰음에도 대중에게는 잘 알려지지 않은 인물이다. 책에선 그의 삶과 활동을 따라 19세기 의학의 역사를 흥미롭게 살펴본다. 참고로 좀비물에도 기겁하는 독자라면 심호흡을 해야 할 것 같다. 피가 줄줄 흐르고 장기가 비어져 나오고 톱으로 뼈를 썰어내는 장면들이 생생하게 묘사되기 때문이다. 하지만 풍부한 이야깃거리 덕분에 의학서로 생각할 수 없을 만큼 책장이 빨리 넘어간다.

리스터는 영국의 독실한 퀘이커교도 집안에서 태어났다. 어렸을 때부터 아버지의 현미경을 가지고 놀던 그는 진보적 교과과정을 갖춘 신생 유니버시티 칼리지 런던에 진학해 의사의 길을 걷게 된다. 그때까지만 해도 외과의는 도제식으로 기술을 배워 생계를 잇는 수공업자에 가까웠고, 지식보다는 기예가 중요했다고 한다. 하지만 시대 흐름은 점차 변하고 있었다.

당시 급격한 산업화와 도시화로 다치고 병든 사람들이 병원으로 몰려들었지만, 입원했다 하면 사람들이 죽어나가곤 했다. 리스터의 고민은 병원을 초토화시키던 4대 질병인 단독(丹毒), 감염 괴저, 패혈증, 고름혈증이었다. 문제는 감염이 어떻게 진행되는지를 아무도 모른다는 점이었다. 1864년 리스터는 동료 교수를 통해 해결의 실마리가 될 한 생화학자의 연구를 접한다. 프랑스의 루이 파스퇴르였다. '균'이라는 용어조차 생소하던 시기에 리스터는 부패에 대한 파스퇴르의 연구를 토대로 석탄산을 이용해 자신만의 살균제를 개발하게 된다.

1865년 8월 제임스 그린리스라는 11세 소년이 짐마차에 치여 정강이뼈가 부러졌다. 복합 골절인 데다 찢긴 부위가 흙과 먼지로 오염된 상태였다. 리스터는 소년의 장래를 생각해 다리를 절단하는 대신 살균제를 써보기로 결정한다. 그는 석탄산으로 상처 부위를 깨끗이 씻어내고 퍼티로 감싼 뒤, 몇 시간마다 석탄산으로 소독을 하며 지켜봤다. 상처 부위는 곪지 않았다. 소년은 6주 만에 걸어서 퇴원했다. 리스터의 성공은 통증 없는 수술이라는 새 시대를 알린 리스턴으로부터 20년이 지난 뒤였다.

조지프 리스터가 고안한 석탄산 분무기

그 수술 이후 외과의들은 몸속 깊숙한 곳도 대담하게 베고 들어갈 수 있게 됐지만, 그만큼 감염 위험도 커졌다. 리스터의 성공 덕분에 환자의 상처에 패혈증이 생길 걱정을 하지 않으면서 더욱 복잡한 수술도 하게 된 것이다.

하지만 많은 학자와 의사들이 그의 주장에 반발했다. '맞서 싸우는 질병 자체를 의사들이 옮긴다' 는 주장이 모욕적으로 여겨진 데다, 새로운 발견으로 자신들의 명성이 무너지는 것을 두려워한 탓이었다. 하지만 리스터는 성공 사례를 계속 쌓아갔고, 빅토리아 여왕의 상임의가 되는 등 세계적 명성을 얻는다.

리스터는 외과를 현대 의학의 한 분야로 변모시켰으며, 칼을 쥔

손놀림보다 지식과 체계가 중요한 시대의 도래를 알렸다. 그의 유산 중에는 누구나 알 만한 것들이 있다. 구강청결제 '리스테린'이 그의 이름에서 따온 것이다. 로버트 우드 존슨 역시 리스터의 강연을 듣고 형제들과 살균한 붕대와 실 등을 공급하는 회사를 세웠는데, 그 회사가 '존슨앤드존슨'이다. 무엇보다 리스터가 남긴 가장 유구한 유산은 그의 개념 자체였다. 소독법 채택은 의료계가 균 이론을 받아들였음을 보여주고, 의학과 과학이 융합한 기념비적 순간이기도 했다. "그의 선구적인 연구 덕분에 수술의 결과는 더 이상 우연에 맡겨지지 않게 되었다. 그리하여 무지보다 지식이, 태만보다 근면이 외과의 미래를 규정짓게 되었다." 그리고 "예전에는 불가능했던 것을 이제는 할 수 있게 되었다. 예전에는 상상도 할 수 없는 일을 이제는 상상할 수 있게 되었다".[42][43]

36. 인간의 수명 연장 프로젝트 '정밀의학'

최고의 행복 중 하나가 바로 건강한 삶을 영위하는 것이다. 살아있는 모든 생명체는 먹이 및 수면 활동을 통해 건강한 삶을 추구하도록 이미 프로그래밍 되어있다. 그리고 생명체가 질병이나 상해를 입거나, 위생적이지 않은 환경에 노출되어 건강을 잃게 될 경우 자연적으로 도태되어 삶을 마감하게 된다. 감염병에 노출되어 질병에 걸리고 많은 경우에 사망에 이르게 되지만 일부는 이를 극복해 살아남아 결국에 가서는 자신의 종족을 번식 시킨다.이런 단순한 자연의 법칙을 거슬러 건강권 보장을 주장했던 생명체가 바로 인간이다. 인간은 건강권 확보를 위해 수많은 시행착오를 통해 진단방법을 찾아냈고, 다양한 치료제를 개발했으며, 수술과 재활 분야에서 새로운 기술을 발굴해 냈다. 지구의 역사상 이렇게 건강에 대한 탐욕적인 욕구를 분출한 생명체가 또 있으랴.

이러한 탐욕적인 건강욕구는 20세기에 이르러 비로소 정점을 찍게 된다. 이러한 과정을 통해 건강을 지키는 행위는 더 이상 주술의 영역이 아닌, 과학의 영역으로 발전하게 된다. 이제 헬스케어는 하나의 분야로 인정받는 과학의 주된 영역이 됐다. 이를 통해 인간은 다른 어떤 생명체 보다 오래 살게 된다. 우리의 과거를 돌아 볼 때, 불과 십수년 전 까지만 해도 60세는 '노년기'로 정식 인정해주던 나이였다. 자연발생학적으로 인간은 환갑이란 나이에 도달하기 어려울 뿐만 아니라, 설사 살아남는다 해도 형태학적 특성이 상당한 수준 변형되어 인생의 끝자락을 바라보는 시기다.

하지만, 지금은 어떤가? '인생은 60부터'라는 말이 나올 만큼 인생의 최고의 황금기를 보내는 나이 아닌가? 자녀 양육의 부담에서 벗어날 뿐만 아니라 금전적인 안정과 함께 고단했던 지난 젊은 날을 뒤로하고 자아성취를 비로소 이뤄낼 수 있는 시기다. 여기에 의학기술의 발달과 먹고사는 문제의 해결로 인해 과거 60이란 나이와 지금의 60이란 나이는 완전히 다른 시절이다.

인간은 수세기동안 다양한 의학기술의 혁신을 만들어냈다. '청진기'의 개발로 인해 숨소리와 심장소리만으로 가슴 속에 앓고 있는 다양한 질병의 종류를 알아낼 수 있다. 항생제의 발견으로 미생물 감염으로 인한 질병이 더 이상 불치병으로 낙인찍히지 않아도 된다. 마취 및 수술 기술의 발달로 인해 해부학적인 교정을 통해 질병을 치료할 수 있는 수준으로 의료행위의 혁신을 가져온다. 이러한 의료 기술의 발달이 바로 인간의 평균 수명을 백년 가까이 끌어

올린 것이다. 그리고, 지금 우리는 '자연의 법칙'을 뛰어 넘는 새로운 '인간의 법칙' 속에 지금보다 더 오래 살아남기 위한 새로운 도전을 하고 있는 중이다. 바로 '정밀의학'이다.

정밀의학은 기존의 의학기술의 한계인 '천편일률'성을 부정한다. 내 몸과 타인의 몸이 분명 다른데, 기존의 의학기술은 내 몸의 치료법이나 타인의 치료법을 모두 동일시했다. 그러다 보니 치료법이 잘 작동하지 않는 경우도 많았고 뜻하지 않은 부작용으로 인해 환자들은 여러 고통을 감수해야 했다. 최근 사회는 감염병의 대유행을 경험하면서 고혈압 및 당뇨병 같은 만성질환을 동시에 치료 및 관리해야 하는 미션을 내려 받았다. 정밀의학의 목적은 바로 여기에 있다. 환자의 상태는 기존의 앓고 있는 질환에서부터 현재 복용하고 있는 약, 유전상태, 나이, 감염병 유행 상황, 기후, 지역, 소득 및 직업 등에 따라 변하기 마련이다. 이러한 다양한 정보를 통해 환자의 치료계획을 수립해 그 환자에게 꼭 맞는 '맞춤의료'를 하겠다는 것이 바로 정밀의학이 추구하는 목표다. 기존의 천편일률적인 의료로 인해 인간의 수명을 백년으로 올려놨다면, 맞춤의료 서비스에 기본을 둔 정밀의학이 인간의 수명을 과연 얼마나 증가시킬지 기대되는 대목이다.[44]

37. 적혈구가 '바이러스의 무덤'이 되는 상상

1927년 남극과 남아프리카공화국 사이에 자리 잡고 있으며 육지 대부분이 빙하로 덮인 부베섬을 향해 항해하던 선원들은 혈색이 흰 물고기를 발견한다. 남극해에 사는 이 얼음물고기는 붉은빛 적혈구가 거의 없는 유일한 척추동물이다. 차가운 물에 산소가 넉넉히 녹아 있는 까닭에 얼음물고기는 혈관의 표면적을 넓히는 방식만으로도 너끈히 살아남을 수 있었을 것이다. 게다가 심장에 부담을 줄 수 있는 끈적한 적혈구를 없애는 것이 추운 환경에서 살아가는 데 도움이 되었다.

이런 특수한 예를 제외하면 모든 척추동물은 산소를 운반하는 적혈구를 갖는다. 사람은 약 20조~30조개의 적혈구를 보유하고 있다. 이는 전체 세포의 60%가 넘는 어마어마한 규모의 집단이다. 인간을 포함한 포유동물의 적혈구는 색다른 전략을 써서 헤모글로빈이라는 단백질만 남기고 세포 안 소기관들을 모조리 없애버렸다.

세포라고 하기에 무색할 정도다. 적혈구에는 유전자를 보관하는 핵도 없고 핵이 없으니 단백질을 만드는 공장도, 거기에 에너지를 공급하는 세포 발전소도 필요하지 않았다. 쓸모없는 것을 버리는 일은 세포의 일관된 경제정책인 것이다.

그렇다면 적혈구의 역할은 오롯이 산소를 운반하는 지루한 일뿐인가? 그렇지 않다. 적혈구가 하는 일은 무척 많다. 이런 질문에 천착하는 진화학자들은 보통 최초의 혈구세포가 했던 일을 살핀다. 유기체의 크기가 작으면 대개 피부를 확산해 흡수하는 산소만으로도 충분하다. 하지만 몸집이 커지면 산소와 소화관을 통해 들어온 영양소를 운반하는 순환계를 따로 설계해야 한다. 이런 장치를 운영하면 불가피하게 외부 미생물이 범접할 것이기에 최초의 혈액세포는 면역 기능도 담당했던 것 같다.

기본적으로 면역이란 '타자'에 대한 반응이다. 면역 반응은 유기체가 세균이나 기생충 혹은 음식물을 통해 들어온 독소 같은 물질을 탈 없게 처리하는 과정인 것이다.

따라서 면역계에서는 타자를 인식하는 일이 절대적으로 중요하다. 스스로를 건드리면 안 되기 때문이다. 세포 표면에 촘촘히 박힌 단백질은 이런 과정을 전담한다.

적혈구도 마찬가지다. 우리가 혈액형이라고 말하는 ABO는 적혈구 표면을 장식하는 단백질의 조합을 의미할 뿐이다. 그렇지만 인간의 적혈구는 훨씬 복잡해서 세포막에 50종이 넘는 단백질 집단이 있다. 사람마다 적혈구 레퍼토리가 모두 다르다고 보아도 틀린 말이 아니다.

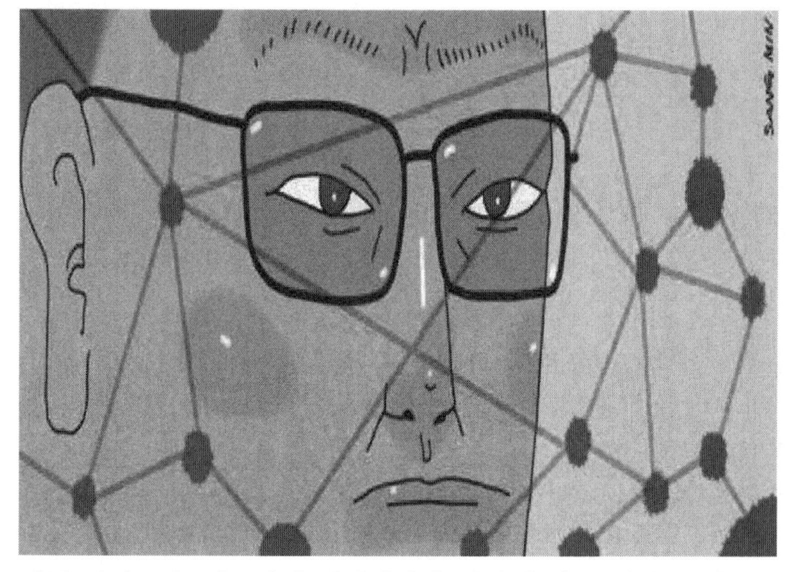

예를 들어보자. 아프리카 사하라사막 이남에 사는 사람들 대부분은 적혈구 표면에 더피(duffy)라는 단백질이 없다. 평소 이 단백질은 우리 면역계가 과도하게 활성화되지 않도록 조절한다. 그렇다면 이런 이득을 포기하면서 아프리카인들이 얻는 반대급부는 무엇일까? 짐작하다시피 이들은 말라리아 감염에 강한 내성을 보인다.

생존하는 데 반드시 숙주 세포가 필요하다는 점에서 바이러스는 말라리아 열원충과 비슷한 생활사를 영위한다. 코로나19도 마찬가지다. 이들은 표면의 ACE2 단백질을 관문처럼 통과해 인간의 세포 안으로 들어온다. 심장과 폐, 콩팥 등을 구성하는 여러 세포가 저 단백질을 발현하는 데다 사람마다 조합이 제각각이라서 코로나19와 관련된 상황은 한층 복잡해진다. 세포 안으로 들어온 바이러스는 자신의 유전체를 복제하고 외피 단백질을 만들어 천문학적으로 숫자를 늘린 다음 세포를 터뜨리고 나와 주변의 다른 세포를 공략한다. 이런 바이러스의 생활양식을 차단하는 방법은 없을까?

앞서 언급했듯 적혈구 안엔 헤모글로빈 말고는 아무것도 없다. 따라서 바이러스가 침투한다고 해도 적혈구 안에선 유전자를 복제하거나 단백질을 만들 수 없다. 이론적으로 적혈구가 바이러스의 무덤이 될 수 있다는 의미다. 문제는 적혈구에 어떻게 바이러스를 유인하는 덫을 설치하느냐 하는 점이다. 골수에서 분리한 조혈모세포에 ACE2 단백질을 발현시킨 후 이들을 적혈구로 분화시킬 수 있다면 코로나19를 막다른 골목으로 몰아세울 수 있지 않을까? 물리적 거리 두기가 더욱 요구되는 요즘 나는 홀로 질문하고 공상한다.[45]

38. 정기 건강검진, 항목 많을수록 좋을까…불필요한 것 줄이고 특성 따른 조정을

매년 이맘때쯤 건강검진센터가 붐빈다. 미뤘다가 연말이 다가오면서 검진을 받는 사람들이 많기 때문이다. 올해는 코로나19 여파까지 겹쳐 연말을 앞두고 붐비는 현상이 심화될 전망이다.

1~2년에 한 번씩 받는 건강검진을 대수롭지 않게 여기는 사람들

이 있는가 하면, 약간의 이상만 느껴도 "건강검진을 받아봐야겠다" 고 하는 이들도 있다. 많은 항목으로 구성된 건강검진만 받으면 질병 조기 발견과 예방 효과가 있으니 안심해도 될까?

건강검진이 비판받고 있는 이유 중의 하나가 검사 항목이 지나치게 많다는 점이다. 우선 키, 체중, 허리둘레, 시력, 청력, 혈압, 요단백, 혈청 크레아티닌, 사구체여과율, 혈색소, 공복혈당, 간수치, 가슴방사선, 구강검진 등 여러 항목이 있다. 또 콜레스테롤, B형 간염 항원 항체, 골밀도, 인지기능, 우울증, 노인 신체기능 검사 등이 있고, 위, 대장, 간, 유방, 자궁경부암, 폐암 검사 등 암 검진도 들어 있다.

이는 그나마 단순한 편인 국가 건강검진 항목이다. 일반 건강검진 센터들의 검진 항목은 이보다 훨씬 많다. 고가 검진에는 심장 CT, 뇌 MRI, 전신 PET도 들어 있다. 이처럼 수많은 항목으로 이뤄진 건강검진은 비용 대비 효과도 아주 뛰어날까? 이와 관련해 '미국 예방서비스 태스크포스' 의 질병 예방과 선별검사 개선을 위한 권고안은 의미 있는 시사점을 주고 있다. 위원회는 선별검사와 예방 활동 이득이 크면 A등급, 이보다 작으면 B등급으로 분류한다.

A등급은 몇 개에 불과하다. 21~65세 여성을 대상으로 한 자궁경부암 검사, 50~75세 성인 대상의 대장암 검사, 임신 여성의 B형 간염 검사, 15~65세 성인의 에이즈 검사, 18세 이상 성인의 혈압 검사, 청소년과 성인 대상 매독 검사 등이다. 임신부의 엽산 복용과 성인·임신 여성의 금연도 A등급이다.

B등급에는 40~70세이면서 과체중 또는 비만인 사람을 대상으로 한 제2형 당뇨병 검사, 50~74세 여성을 대상으로 한 유방암 검사, 출생 후 5세까지 충치 검사, 클라미디아와 임질 검사, 고위험군에 대한 B형 간염 검사, 18~79세 성인을 대상으로 한 C형 간염 검사

등을 포함시켰다.

이는 선별검사나 실천(금연, 아스피린 복용 등)이 질병의 조기 발견이나 예방에 얼마나 효과적인가에 중점을 두었을 뿐 질병의 경중에 따른 것은 아니다. 그래서 혈압을 재서 고혈압을 조기 발견해 치료하는 것이 혈당을 측정해 당뇨병을 조기 발견해 치료하는 것보다 효과적으로 보아 A등급에 넣은 것이다. A와 B등급을 다 합쳐도 숫자가 그리 많지 않다.

조기 발견 후 택할 수 있는 치료법도 고려된다. 과거 단백뇨를 놔두면 만성콩팥병으로 악화된다는 것은 알았지만, 단백뇨 검사가 의미가 없다는 견해가 있었던 적도 있었다. 단백뇨가 나온 사람에게 해줄 치료법이 마땅치 않았기 때문이다. 많은 치료법이 나와 있는 요즘은 만성콩팥병 조기 발견을 위해 단백뇨 검사가 널리 이뤄지고 있다.

평소 아무 이상이 없는 사람이 조기 발견을 위해 받는 검사를 '선별검사', 몸에 이상이 느껴지거나 가족력 등 고위험군인 사람이 진료와 함께 특정 질환에 대해 집중 검사하는 것을 '진단검사'라고 한다. 진단검사가 필요한 사람이 선별검사를 받는 경우도 적지 않은 것이 우리 현실이다.

그동안의 건강검진 결과를 분석해 검사 항목을 재조정하고 성별, 연령, 위험도 등에 따라 더 세분화하되 불필요한 검사는 줄이는 방법을 모색해야 한다. 그래야 검사의 번거로움이나 부작용 발생 위험을 줄이고 비용도 아낄 수 있다.

건강검진 못지않게 검사 결과에 따른 상담과 이상 발견 시 전문의 진료가 중요하다. 건강검진을 잘 받아도 금연과 절주, 소금·지방·설탕을 줄이는 생활습관, 운동과 적정 체중유지 등을 실천하지 않으면 온전한 건강을 누릴 수 없다.[46]

39 방광에도 쥐가 날 수 있다?

55세 남자 A씨는 코막힘으로 감기약을 낮에 복용했고 퇴근 후 동료들과의 회식에서 음주를 하고 쌀쌀한 날씨에 집으로 퇴근했다. 잠을 자던 중 갑자기 소변이 나오지 않아 응급실로 내원했다. 다름 아닌 급성요폐가 발생한 것이다. 근육에 나는 쥐(경련)가 방광에 나는 것과 비슷한 원리다.

방광에도 쥐가 날 수 있을까? 그렇다. 쥐가 난다는 표현은 흔히 팔다리 등과 같은 근골격계에 마비, 경련, 통증 등이 나타날 때 쓴다. 이러한 증상이 방광에도 일어날 수 있는데, 힘을 아무리 주어도 소변이 나오지 않는 요폐로 나타난다.

왜 방광에 쥐가 나는 요폐가 발생하는 것일까? 요폐는 특정 요인으로 방광 내 압력이 증가해 방광 근육이 과도하게 눌리면서 허혈성 변화가 생기고 제때 방광이 수축하지 못해 소변 배출이 되지 않는 것이다. 책상에 엎드려 팔에 기대 쪽잠을 자는 경우 팔이 저려서 한동안 움직이지 못하는 증상을 많이 경험해 봤을 텐데, 이와 비슷한 상황이 방광에도 잘 나타난다.

이 같은 상태를 빨리 치료하지 않으면 신기능 저하, 요독증, 방광파열 등과 같은 합병증으로 진행될 수 있다. 따라서 즉각적인 응급처치가 필요하다. 그렇다면 방광에 쥐가 나는 특정 요인은 무엇일까? 가장 많은 원인은 술이다. 과음을 하는 경우 감각 저하로 인해 방광에 지나치게 많은 양의 소변이 축적되고, 방광 내 과도한 압력 증가로 혈관이 눌려서 피의 흐름이 감소되어 요폐가 생긴다.

감기약도 원인이 될 수 있다. 모든 감기약이 아니라, 코막힘 치료 약물 중 콧속 혈관 수축제 성분의 약이 방광 출구를 막는 부작용으로 요폐를 유발한다.

날씨도 한몫한다. 요즘과 같이 추운 날씨에 야외활동을 하는 경우 몸 전체의 혈관이 수축되면서 경직이 나타나는데, 배뇨감각이 저하되기 때문이다. 기저질환으로는 남자는 전립선비대증, 여성은 당뇨를 들 수 있다. 남성에게만 있는 전립선이 비대해지면 방광출구요도가 막히기 때문에 오줌 배출이 잘 안 된다. 당뇨는 방광 내 혈관신경의 변성을 유발해 방광 기능을 잃게 만든다.

우리 몸의 방광은 배뇨 기능을 담당하는 중요한 장기다. 신장과 요관을 통해 소변을 받아들이고 요도를 통해 소변을 내보낸다. 이것이 적절한 시기와 장소에서 이뤄질 수 있도록 조절하는 역할을 한다. 여기에 동맥, 정맥과 교감, 부교감, 체성신경이 모두 관여하며 요로상피라고 하는 특수한 세포가 방광 내에 있어서 소변 저장 기능을 담당한다. 그야말로 고도의 소변 저장창고이다.

이러한 방광의 건강을 위해 필자는 세 가지를 권한다.

첫째, 반신욕이다. 온도는 약 40~45도로, 목욕탕 열탕 온도이다. 이 온도의 물에 10~15분 정도 배꼽 이하를 담그는 것이 반신욕이다. 반신욕은 골반 및 회음부에 열감을 전달해 혈액순환을 원활하게 하는 효과가 있다. 단, 2세를 갖기 위한 계획이 있는 남성은 너무 자주, 심하게 하지 않는 것이 좋다.

둘째, 200cc 이상~400cc 미만을 배뇨하는 습관이다. 요의가 조금만 있어도 참지 못하고 배뇨하는 습관도 좋지 않고, 400cc 이상 상태를 과도하게 참는 것도 좋지 않다.

셋째, 금연이다. 방광암의 첫째 원인은 흡연이다. 또한 흡연자들 중 카페인 음료를 동시에 과다하게 복용해 배뇨기능에 문제가 발생하는 경우도 많다. 과다한 카페인은 이뇨작용, 혈관수축 등을 유발해 방광을 힘들게 한다.

방광은 손상되면 다시 회복하기 힘든 장기다. 또한 영구장애가 발생하면 평생 도뇨관을 달아야 한다. 지금 자신의 방광에 쥐가 날 수 있는 요인은 없는지 살펴보고 그것을 없애는 것이 건강한 배뇨를 위한 첫걸음이다.[47]

40 금연 · 금주…아무리 말해도 지나치지 않는 '폐암 · 간암 예방법'

보건복지부와 중앙암등록본부(국립암센터)의 '국가 암 등록 통계' 최신 자료를 보면, 1999년 이후 암에 걸린 사람 중 2019년 1월1일까지 생존이 확인된 암 유병자는 201만명이었다. 이 중 116만명(57.8%)이 5년 초과 생존자였다. 최근 5년(2014~2018년)에 진단받은 암 환자의 의학적 완치 기준인 5년 생존율(일반인과 비교한 상대생존율)은 70.3%였다. 전문가들은 조기 검진이 늘고 암 치료 기술이 발전한 것이 생존율 향상에 큰 영향을 미친 것으로 분석한다.

하지만 매년 20만명 이상이 암에 걸린다. 연간 6만명 이상은 암으로 사망한다는 계산이 나온다. 더욱이 발생률 10대 암 중에서 5년 생존율이 아직 30% 이하에 머무는 암종이 적지 않다. 폐암은 32%, 간암은 37% 수준으로 최근 10년 사이에 그나마 20%대를 극복했다. 조기 검진과 예방 노력을 더 기울이면 생존율을 비약적으로 높일 수 있다.

폐암은 국내뿐 아니라 세계적으로 사망률이 가장 높은 암이다. 한국은 인구 10만명당 36.2명이다. 가톨릭대 인천성모병원 서종희 교수(흉부외과)는 "폐암은 증상이 발견됐을 때는 이미 다른 장기에도 암세포가 퍼져 수술적 치료를 할 수 있는 병기를 넘어간 경우가 많다" 면서 "증상이 생기기 전에 조기에 검진을 통해 빨리 발견하고 치료하는 것이 관건" 이라고 지적했다.

폐암의 가장 중요한 발병 요인은 흡연이다. 간접흡연도 포함된다. 폐암의 약 85%는 흡연이 원인으로 보고된다. 여성 폐암 환자의 80% 이상은 흡연 경험이 없는 경우다. 간접흡연과 음식 조리 시 발생하는 주방 내 유해연기, 방사성 유해물질 노출, 노령화에 따른 암 발병 자체의 증가 등이 요인으로 추정된다.

폐암은 특별한 증상이 없어 초기에 발견하기 쉽지 않다. 폐암 환자 중 평균 5~15%만 무증상일 때 폐암 진단을 받는다. 증상이 나타날 때면 이미 폐암이 진행된 경우가 많다. 증상이 나타날 경우 자각증상은 매우 다양하다. 가장 흔한 증상은 기침, 객혈, 가슴 통증, 호흡곤란 등이다. 비특이적 증상으로 체중 감소, 식욕 부진, 허약감, 권태, 피로 등이 나타나기도 한다.

가장 좋은 예방법은 금연이다. 흡연자는 지금부터라도 담배를 끊어야 한다. 오염된 공기, 미세먼지, 석면, 비소 등도 영향을 미칠 수 있는 만큼 폐암 유발물질이 유입되지 않도록 외출이나 작업 시 마스크를 착용하는 것은 기본이다. 서 교수는 "폐암을 조기에 발견하기 위해서는 40세 이후 매년 1회씩 정기검진을 받는 것이 필요하다" 고 강조했다. 특히 고령자나 흡연력이 오래된 경우 폐암 조기 진단 방법으로 추천되는 저선량 컴퓨터단층촬영(CT)을 해보는 것이 바람직하다.

간은 질환이 생겨도 특별한 증상이 없는데 암에 걸렸을 때도 거의 마찬가지다. 간암은 재발률이 높고 국내 암 사망률 2위를 차지한다. 예방과 더불어 정기검진을 통해 조기에 발견하는 것이 중요하다.

가톨릭대 은평성모병원 배시현 교수(소화기내과)는 "간암 중 크기가 2~3㎝인 것을 소간암이라고 부르는데 이때 치료하면 좋은 결과를 기대할 수 있다. 하지만 크기가 3㎝를 넘는다면 다른 세포로 전이됐거나 암세포가 이미 혈관으로 퍼졌을 수 있으므로 주의가 필요하다" 고 밝혔다.

배 교수에 따르면, 국가암검진 등을 통해 1년에 1~2차례 초음파나 영상학적 검사를 받으면 간암을 조기에 발견할 수 있다. 특히 40세 이상이거나 만성 B형·C형 간염 환자, 간경화 환자는 고위험군이기 때문에 반드시 받아야 한다. B형 간염 바이러스는 임신했을 때 태아에게 수직 감염되는 경우가 많다. 따라서 출생 직후 아기는 예방접종을 필수적으로 받는다. 또 출산을 앞둔 산모가 보균자라면 출산 8~12주 정도를 앞두고 약을 먹는 방법이 있다. 만성간염이나 간경화 등 이미 간 질환자라면 최대한 빨리 치료받는 것이 좋다. 간암 환자라고 해도 암 치료 전후로 추가적인 바이러스 치료를 받을 필요가 있다. C형 간염도 요주의 항목이다. C형 간염은 B형보다 만성간염, 간경화증(간경변), 간암으로 악화되기 쉽다.

알코올은 간 건강을 악화시키는 주범이다. 간 건강에 좋다고 무분별하게 홍보되고 있는 건강식품의 섭취는 조심해야 한다. 단백질을 비롯한 다양한 영양분을 골고루 섭취한다. 담배도 만성 간질환을 악화시키기 때문에 금연이 권장된다. 빠른 시간 안에 '내가 간염 환자인지' 검사를 받아보자. B형·C형 간염 바이러스 보유자인지 초음파 검사와 혈액 검사로 비교적 간단히 알아낸다. 음주 횟수가 잦고 과음하는 사람, 비만·당뇨병·이상지질혈증인 사람도 검사를 받는 것이 좋다. 식사를 잘하고 금주, 금연을 실천하며 꾸준히 운동하는 등 생활습관 개선은 기본이다.[48]

45. '면역항암제' 만병통치약으로 오해…환자에 맞는 전문가의 치료 따라야

면역력은 모든 사람들에게 최고의 관심사다. 건강보조식품에서부터 침대까지 면역력에 좋다고 하면 건강한 사람도 관심을 갖는데 암환자는 오죽할까? 하지만 암에서는 암세포 주변의 비정상적인 면역상태가 문제이기 때문에 면역력을 높인다는 건강보조식품 등으로 암이 치료될 수는 없다.

코로나19 같은 바이러스 감염과 암에서의 면역반응은 매우 다르다. 바이러스나 세균은 우리 몸에 없던 새로운 외부 공격인자로 이에 대한 우리 몸의 면역반응은 빠르고 단순해서, 나쁜 침입자를 제거하기 위해 모든 노력을 다 하고 그 결과 염증반응이 생긴다. 새로운 항체도 만들고 염증세포로 직접 외부 바이러스와 균을 없애서 병을 치료하게 된다.

하지만 암은 원래 내 몸속의 정상 세포가 어떤 이유로 암세포로 변한 뒤 계속 증식해서 덩어리를 형성한 것이다. 이때 암세포는 계속 커지고 전이하기 위해 '양의 탈을 뒤집어쓴 늑대처럼' 행동한다. 암이 자라면서 정상이 아니라는 신호에 따라 염증세포들이 암세포가 자라고 있는 곳에 오게 되나, 양의 탈을 쓰고 있으니 '내 세포구나' 라고 오해하고 공격을 하지 않는 상태가 되는 것이다.

그 양의 탈을 벗기는 전략으로 면역항암제를 개발하게 되고, 그 기반이 된 연구를 수행한 미국의 제임스 앨리슨 교수와 일본의 혼조 다스쿠 교수는 2018년 노벨 생리의학상을 수상하게 되었다. 즉 암세포와 염증세포가 만났을 때 각 세포에서 PD-1과 PD-L1이라는 열쇠-자물쇠처럼 서로 요철이 맞는 경우, 내 세포로 인지하여 공격을 하지 않는 '면역관문' 이 있다. 이러한 면역관문을 풀어 염증세포가 암세포를 공격하여 항암효과를 내는 PD-1 또는 PD-1 억제제가 최근 관심을 받는 '면역관문억제제' 또는 '면역항암제' 이다.

따라서 이러한 면역항암제를 굳이 '면역표적치료제' 라고 언급하는 이유는, 암세포들이 있는 곳에서만 작용하여 항암효과를 보기 때문이다. 다시 말하면 이 약을 암환자가 아닌 일반인이 사용한다고 면역력이 증가되지 않는다. 그렇다고 이 약제들이 모든 암 환자들에게 만병통치약처럼 다 듣는 것도 아니다. 또한 이 약제들은 암세포 주변 면역을 활성화시켜 항암효과를 보이는 과정 중에 정상부위의 면역 이상이 생겨 새로운 부작용도 있을 수 있다. 즉 면역항암제도 전문항암제로, 전문가들이 환자의 병과 상태에 따라서 정확히 사용할 때만 효과가 있다는 얘기이다.

한국에 많지는 않지만 전이가 잘되는 독한 악성흑색종이나 폐암, 신장암 등에는 효과가 좋다. 하지만 국내에 흔한 위암, 대장암 등에서는 잘 듣지 않고, 특히 진행성·말기 위암 환자들의 경우는 이런 면역항암제에 대한 효과가 10% 정도밖에 되지 않고 그 효과도 매우 짧다. 더 어려운 점은 어떤 환자에게 효과가 있을지를 예측할 수 없다는 것이다.

면역력을 높이고 부작용이 거의 없이 항암효과가 있다는 오해로, 많은 환자들이 면역항암제를 사용하길 원할 때 이를 이해시키기 어렵거나 비싼 항암제로 시간과 경제적 낭비를 하는 경우도 많이 보게 된다. 종양내과 의사로서 건강인뿐 아니라 암환자들이 잘못된 정보에 현혹되어 귀한 시간과 에너지를 낭비하는 모습을 보면 안타깝고 화가 나기도 한다. 암환자와 보호자들에게 자주 하는 말로 이 글을 마무리하고자 한다.

"의사는 환자의 적이 아닙니다. 왜 의사가 제안하고 권하는 치료법에 대해 '혹시나' 하는 마음을 가지고 서로 힘들게 할까요? 우리가 같이 해결해야 할 대상은 암이고 암 때문에 생기는 여러가지 합병증과 문제점들입니다. 건강보조식품이건, 돌침대이건 항암효과가 입증됐다면 의사가 약이 아니라고 권하지 않을 이유가 있을까요? 의사가 가장 기쁠 때는 항암치료 중인 환자가 증상이 좋아지고 검사 결과 암이 줄어들었다고 환자와 보호자에게 설명할 때입니다." [49]

42 몸속 생체 전기는 '생명의 전기'

생체의 전기적 현상은 18세기 말, 해부학 교수였던 루이지 갈바니에 의해 최초로 발견됐다. 실험실에서 줄에 거꾸로 매달아 놓은 개구리들의 다리가 바람에 흔들려 철골에 닿을 때마다 팔딱거린다는 사실을 관찰하면서였다. 그러나 그 이후 2세기 동안 생체 전기 현상은 의학에 적극적으로 도입되지 못하다 제2차 세계대전 이후 전기에 대한 지식과 응용성이 폭발적으로 증가하면서 비로소 연구가 활발해졌다.

인체는 약 100조개의 세포로 구성돼 있다. 그 가운데 전기적 활동의 대표 주자로는 연락을 담당하는 '신경세포'와 움직임을 담당하는 '근육세포'가 있다. 세포는 안정 상태에서 음전하로 충전된 배터리인데, 나트륨과 칼륨을 이동시키면서 방전과 재충전을 반복하면서 일을 한다. 생명현상을 유지해야 한다는 하나의 목적으로 움직이는 세포들의 집단적 활동은 강한 전기적 신호를 발생시켜 피부 표면에서도 이들이 규칙적으로 발생시키는 전기 신호를 감지할 수 있다. 이런 특성을 활용해 인체에서 가장 강한 전기신호를 발생시키는 곳인 심장을 비롯해 뇌와 근육 조직에서 발생하는 심전도, 뇌전도, 근전도 등은 수십년에 걸쳐 의학적 활용성이 증대됐다. 심전도 기술은 심장 기능을 확인하기 위한 건강 검진의 항목으로 보편화돼 있고, 뇌의 기능적 건강을 확인할 수 있는 뇌전도 기술도 건강검진에서 볼 수 있는 날이 머지않았다.

생체의 전기적 현상은 치료에도 활용될 수 있다. 부상당한 부분에는 치료를 위해 자생적으로 전류가 발생한다는 사실이 발견됐다. 이러한 발견을 기반으로 1972년에 로버트 베커 박사가 다른 방법으로는 희망이 없는 대퇴골 골절 환자의 골절 부위에 '인공적인' 전기자극을 줘 뼈를 자라게 하는 치료에 최초로 성공했다. 그 이후 전기생리학적 접근법에 대해 의학계의 관심이 차츰 커져 상처치유

(세포 재생), 통증 완화, 혈액순환 개선 등에 전기 치료 기법을 적극 활용하고 있다. 최근에는 우울증 등 수술이 힘든 뇌신경 질환의 완화나 치료를 위해서 뇌 표피에 전극을 부착해 전기 자극을 가하거나, 더 나아가 뇌 기저부 이상부분에 전극을 삽입해 이상회로 부위를 자극하는 뇌심부자극술도 임상에 활용되고 있다.

상처치유 전류 반응은 유심히 관찰한다면 우리 일상에서도 어렵지 않게 경험할 수 있다. 필자는 몇 년 전에 어머니 몸에 손을 얹었다가 강한 전기적 진동 반응에 깜짝 놀란 적이 있었다. 그 이후 필자나 필자의 아내가 피곤하거나 컨디션이 나빠지면 몸을 타고 흐르는 전기적 반응이 나타난다는 것을 종종 경험하면서 치유적 전기 반응을 우리 감각으로도 쉽게 느낄 수 있음을 알게 되었다.

한의학에서는 생체 전기가 기(氣)의 중요한 요소로 인식된다. 다만 현대물리학의 발전 이전에는 전하, 전자의 이동 등과 같이 생체 전기를 기술하는 정량적인 도구가 없었고, 몸에서의 감각에 기반한 설명만이 가능하였기에 생체의 전기적 현상에 대한 의미전달이 명확하지 않거나 신비스럽게 포장된 측면이 있었을 것이다. 한국한의학연구원에서는 기의 의학적 활용기술을 개발하기 위해 생체의 전기적 현상에 대한 연구도 수행하고 있다. 최근 성과로는 외부에서 인가한 전류에 대한 생체의 반응인 생체임피던스 특성이 당뇨병 환자에서 특이적으로 낮은 '위상각(세포의 건강 수준을 알 수 있는 전기신호)'을 보이고, 당뇨병 유병기간이 길어짐에 따라 위상각이 추가로 감소할 수 있음을 규명한 바 있다. 생체의 전기적 현상은 신호 전달, 근육 수축, 물질 분비, 자극 수용 및 세포의 활성, 성장, 재생, 치유 등 신진대사의 기초 과정에서 중요한 역할을 하므로 생명 현상을 이해하고 의학 기술을 발전시키기 위해 더 많이 연구해야 할 주제이다.[50]

43 우리 모두의 건강을 위한 상병수당

상병수당은 일하는 사람이 아프면 쉴 수 있도록 병가 기간에 대해 회사에서 제공하는 고용유지에 기반해 공적으로 소득을 지원하는 제도이다. 코로나19 확산과 함께 관심이 높아지고 있는 상병수당 제도는 공공적 효과가 많다. 먼저, 감염병 예방 효과가 있다. 2009년 신종플루 유행 시 미국에서는 유급병가가 없는 노동자들의 무리한 출근으로 다른 노동자들과 가족까지 확산되어 약 700만명이 감염되었다. 이것이 현재 13개주 30여개 도시에 공적 유급병가가 도입되는 계기가 되었다. 두 번째로, 아픈 상태에서 출근하는 '프레젠티즘(presenteeism)'으로 인한 생산성 손실을 덜 수 있다. 미국에서 그 규모는 2019년 현재 약 263조원으로 추산된다. 컨디션이 나쁜 노동자가 일하면서 생기는 산업재해 발생률을 낮출 수 있으며, 질병 초기 치료를 증가시켜 영구적 장애나 노동시장에서의 퇴출로 인한 생산가능인구 감소도 줄일 수 있다. 최근에는 이 제도를 재활서비스와 연계해 노동자의 일터 복귀를 지원하는 적극적 노동시장 정책의 일부로 여러 나라에서 활용하고 있다.

그렇다면 한국은 어떨까. 2019년 6월부터 시행 중인 서울형 유급병가 지원 제도는 일종의 미니 상병수당으로서 중위소득 100% 이하 건강보험 지역가입자 중 아픈 노동자가 쉴 수 있도록 입원 기간(최대 11일, 건강검진 1일 포함) 동안 서울시 생활임금 수준의 일당을 제공한다. 시행 이후 2020년 12월까지 1만3000여명이 활용한 것을 보면 향후 도입될 상병수당의 효과를 예상해 볼 수 있다.

시행 초기 실시된 조사에서 만족도는 91%였는데, 신체적 불편에도 근무한 경험이 있거나(95.5%), 일터에서 건강상 위협을 경험한 경우(100%), 전반적 건강상태가 나쁜 경우(95%)에 만족도가 더 높았다. 서울형 유급병가 제도가 없었다면 입원이나 건강검진을 받지 않았을 것이라고 답한 경우는 52%였고, 프레젠티즘 경험자는 68.2%에 달했다. 특히 건강검진을 받은 25명 중 프레젠티즘 경험자의 50%에서 질병이, 12.5%에서 이상소견이 발견되었다. 제도를 통해 질병을 조기 발견하는 효과가 있음을 보여준다.

최근 들어 상병수당에 대한 관심이 증대되는 이유는 '아프면 치료받을 수 있는 것'을 넘어 '회복될 때까지 충분히 쉴 수 있는 것'도 중요한 건강권이라는 인식이 우리 사회에서 커지고 있기 때문이다. 상병수당 제도의 효과는 아플 때 일하지 않고 쉴 수 있는 사회가 당사자뿐 아니라 다른 이들에게도 이롭다는 것을 보여준다. 우리 모두의 건강을 위해서라도 아픈 몸을 이끌고 일터로 나가야 하는 노동자들이 없도록 함께 손을 맞잡아야 할 때이다.[51)]

44 무심코 넘긴 증상…뇌종양 '적신호'

뇌종양은 뇌를 둘러싸고 있는 두개골 안에 생기는 모든 형태의 종양(암)을 일컫는 말로, 뇌 조직과 이와 연결된 신경 및 뇌를 싸고 있는 수막 등에서 발생한다. 대표적인 증상인 두통은 뇌종양 환자의 70%에서 나타난다. 두통뿐 아니라 편측마비, 언어장애, 발기부전, 시력저하, 어지럼증, 청력감소, 경련 등 증상이 다양하고 성격의 변화나 인지기능의 저하 등이 초래되기도 한다. 하지만 이러한 증상들만으로는 뇌종양을 특정하기 어려워 조기 진단이 쉽지 않다.

가톨릭대 인천성모병원 뇌병원 윤완수 교수(신경외과)는 19일 "두통이 생기는 이유는 뇌종양으로 뇌 부피가 늘어나 뇌 안의 압력이 올라가기 때문" 이라며 "특히 아침에 일어날 때 또는 새벽에 심해지는 경향이 있다" 고 밝혔다.

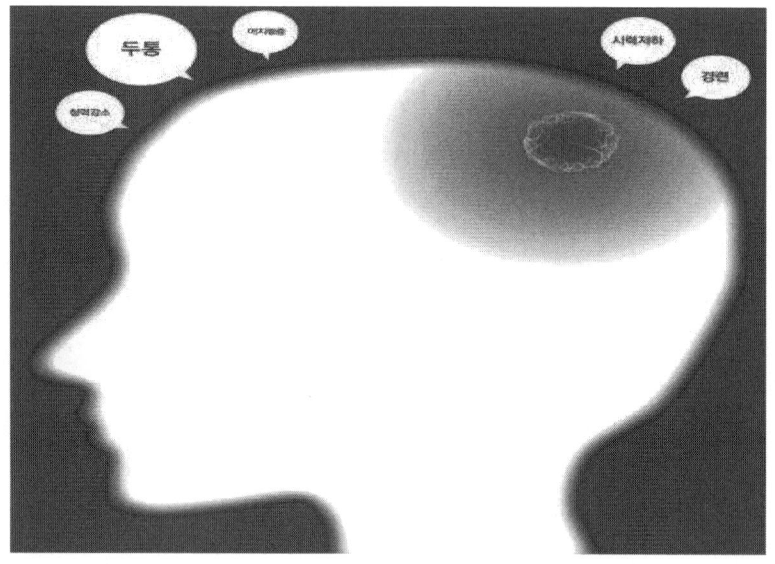

윤 교수에 따르면, 뇌신경에 종양이 있으면 후각·시각·청각 장애와 어지럼증, 안면마비, 연하장애, 음성변화 등이 생길 수 있다. 뇌하수체에 발생하면 부피가 커지면서 시신경을 압박해 시야결손 증상을 동반한다. 소뇌와 뇌간에 발생하면 균형감각을 잃고 술 취한 사람처럼 걷는 운동장애가 나타나기도 한다.

뇌의 좌측 측두엽에 발생하면 단어가 잘 생각나지 않거나 기억력이 떨어지고 망상이나 경련을 보일 수 있다. 두정엽에 발생하면 편측으로 운동 및 감각 마비가 발생하고 단어의 발음에 부조화를 보이고 공간 지각력이 떨어져 좌우를 혼동하거나 계산능력이 떨어지고 글을 쓰지 못하는 증상이 나타나기도 한다. 전두엽 부위에 생기면 성격이 변하거나 기억력 장애, 언어장애와 인지기능이 낮아지기도 한다.

윤 교수는 "노인의 경우 기억력 저하나 행동 이상이 나타나면 반드시 뇌 검사를 받아야 한다" 면서 "인지기능 변화는 환자 본인 스스로 판단할 수 없고, 주위에 명확하게 표현되기 전까지는 가족들도 알아차리기 어렵다는 한계가 있는 만큼 세심한 주의가 필요하다" 고 말했다. 젊은 사람들도 평소 두통이나 시력저하, 기억력 장애 같은 증상을 노화 과정이나 스트레스로 인한 일시적인 증세라고 소홀히 여기지 않는 것이 중요하다.

뇌종양의 진단을 위해서는 일차적으로 영상검사를 실시한다. 컴퓨터단층촬영(CT)은 비교적 적은 비용으로 짧은 시간 내에 검사할 수 있지만 해상도가 낮아 작은 종양을 찾기 어렵고 정상 뇌조직과 경계를 명확히 구분하는 데 어려움이 있다. 자기공명영상(MRI)은 방사선 노출을 피할 수 있고 종양과 뇌의 선명하고 다양한 영상을 통해 종양의 특징을 관찰할 수 있다. 최근에는 뇌하수체종양에 대해 대부분 내시경을 이용한 수술이 이뤄지고 있다. 윤 교수는 "내시경 수술은 환자 콧속으로 내시경을 넣어 뇌 기저부나 뇌실, 뇌하수체 주위에 있는 병변에 한해 진행되는데, 공간이 좁아 수술기구를 사용해야 하는 현미경 수술보다 공간 확보가 수월하고 수술 사각지대를 줄일 수 있다" 고 설명했다.

뇌종양 발생 원인은 아직 명확하게 밝혀지지 않았다. 뇌 손상, 방사선, 유전, 연령 등 다양한 원인에 의해 발병하는 것으로 알려져 있다. 휴대전화 전자파에 의한 뇌종양 발생 가능성 역시 꾸준히 제기되고 있다.

국립암센터 국제암대학원대학교 명승권 교수(가정의학과 전문의)는 "휴대전화의 위험성이 명확히 밝혀지기 전이라도 예방의 원칙에 입각해 휴대전화를 장시간 사용하는 것을 자제하길 권한다" 면서 "특히 엘리베이터나 차량 이동처럼 전자기파가 많이 발생하는 상황에서 휴대전화 사용을 줄이는 것이 필요하고, 통화 시 휴대전화를 얼굴에서 2~3㎝ 떨어뜨리고, 가능한 한 줄이 있는 이어폰을 쓰는 것이 바람직하다"고 강조했다.[52)]

45 한국판 백신 정치의 사소함

백신(vaccine)은 예방접종(vaccination)에서 인간 및 기타 동물에 질병에 대한 면역을 부여하는 의약품을 말한다.

작년 12월 국민의힘은 정은경 질병관리청장에게 국내에서 확진자 수만 세지 말고 당장 해외로 나가 백신을 구해오라고 다그친 적이 있다. 김종인 비상대책위원장도 방역실패의 대표적 사례로 백신 수급 문제를 꼽았다.

하지만 데이터가 확실하게 보여주는 것은 방역 성공과 백신 성공은 전혀 별개의 문제라는 점이다. 미국과 영국 등 방역에 처참하게 실패한 강대국들이 백신민족주의를 앞세워 싹쓸이를 하고 있고, 한국처럼 방역에 비교적 성공한 나라들은 싹쓸이할 국력도 부족하고 그래야 할 필요성도 덜 느낀다. 한국의 백신 수급이 비교적 늦은 것이 과연 K방역의 성공에 도취되었기 때문인지, 사상 유례없는 속도와 방식으로 개발된 코로나19 백신에 대한 신중함 때문인지는 알 수 없다. 야당과 언론의 비판 이후 7700만명분을 확보했다고 하지만 그중 아직까지 승인받지 못한 백신이나 수급 일정 등을 감안하면 현실은 숫자가 보여주는 장밋빛 이미지보다 훨씬 복잡해질 것이다.

그런가 하면 국민의힘은 "다른 나라들은 화이자나 모더나 같은 질 좋은 백신" 을 맞는다며 "창피하지 않으냐" 고 다그치기도 했다. 이 말을 들은 많은 과학자들은 경악했다. 백신에 질이 좋은 것과 나쁜 것이 있고, 우리가 계약한 것은 질 나쁜 백신이라는 가짜 뉴스는 백신에 대한 근거 없는 거부감만 부풀려서 집단면역에 도달하는 속도를 늦추는 백해무익한 발언이기 때문이다.

아스트라제네카의 경우는 고령층에 대한 효과가 낮은 것으로 알려졌지만 고령층에 대한 효과를 판단할 통계 자료가 아직 충분치 않다는 말과 백신의 질이 낮거나 혹은 위험하다는 말은 아무 관계가 없다. 어느 국제기구나 과학저널에서도 이 백신이 안전하지 않다고 말하지 않는다. 게다가 한국이 초기에 아스트라제네카 백신 위주로 계약한 것은 당연한 일이기도 하다.

지금까지 나온 주요 백신의 계약 현황을 세계적으로 보면, 압도적인 베스트셀러는 아스트라제네카이다. 화이자의 1.5배, 모더나의 6배 이상을 계약했다. 당연히 대부분의 국가들은 아스트라제네카와 가장 많은 계약을 맺었다. 알려져 있다시피 옥스퍼드대학의 과학자들은 커피 한잔 가격보다 싼값에 가난한 나라들을 포함해 인류를 지킬 수 있는 백신을 개발하고자 했고, 팬데믹이 종식될 때까지 이윤을 남기지 않기로 약속한 아스트라제네카를 생산 파트너로 선택했다. 비록 실수와 불운이 겹치면서 부정적인 이미지를 가지게 됐지만, 가격과 생산량을 생각할 때 최종적으로 코로나19를 종식하는 승리투수는 아스트라제네카가 될 가능성이 높다.

감염병과 백신의 정치는 전 세계에서 다양한 모습으로 전개되어 왔다. 미국에서 마스크 착용 거부가 트럼프 지지의 상징이 되지 않았더라면, 오늘날 미국의 상황은 지금보다 훨씬 나았을 것이다. 코로나19 대응에 완벽하게 실패한 트럼프가 떠나고 바이든 대통령이 취임하면서 많은 변화가 있지만 달라지지 않는 것도 있다.

백신민족주의가 그것이다. 캐나다는 인구 대비 백신 확보율이 세계 47위이자 미국의 4분의 1밖에 되지 않는 처지인데, 바이든 대통령은 캐나다 국경과 붙어있는 미시간에서 생산하는 화이자 백신을 전 국민이 다 맞을 때까지는 캐나다에 일절 수출하지 않겠다고 공언했고, 그 와중에 플로리다 주지사는 공화당원들이 많이 사는 지역에만 우선적으로 백신 접종소를 설치해 물의를 빚었다. 캐나다가 백신 확보에 어려움을 겪게 된 근본적인 원인은 1980년대 멀로니 총리의 보수당 정부가 국영 제약회사인 코너트 랩을 민영화해서 프랑스 회사에 매각한 데서 출발한다. 공장은 아직도 퀘벡주에 있지만 무슨 백신을 생산해서 누구에게 팔지 캐나다 정부는 관여하지 못한다.

그런가 하면 아스트라제네카의 최대 생산기지이자 전 세계 백신의 60%를 생산하는 인도는 백신 국제정치의 강자로 떠올랐는데, 그 배경에는 50년 이상 의약산업을 전략적으로 지원해온 정부의 역할이 있다. 1억명에 가까운 인구가 방역에 취약한 빈곤 슬럼에 살고, 지금도 미국 다음으로 많은 확진자를 배출하고 있는 인도가 동시에 백신 국제정치의 강자가 되었다는 것은 시사하는 바가 크다.

야당의 모 의원은 대통령이 아스트라제네카 1호 접종을 받으라고 요구하고, 여당의 모 의원은 대통령이 실험대상이냐며 발끈했다고 한다. 세계적으로 펼쳐지고 있는 백신 외교나 과학기반 정책의 중요성을 생각하면 한국판 백신 정치의 사소함에 맥이 빠진다. 차라리 방역에 성공해놓고 백신에서는 평균성적밖에 내지 못하는 과학정책의 부재나 외교역량의 부족을 따지고, 그에 대한 솔직한 인정과 인도만큼의 국가전략이라도 세우겠다고 답하는 모습이 필요한 때이다.[53)]

46 '갱년기' 잘 보내기

갱년기가 왔는지 궁금하다고 검사를 받으러 오신 분이 있었다. 만 50세 여성인데 생리가 1년 전부터 없다고 했다. 나는 갱년기 호르몬 검사가 굳이 필요하지 않다고 설명했다. 예상보다(평균보다) 젊은 나이에 생리가 중단되었다면 검사가 필요할 수도 있다. 혹은 자궁적출술로 언제 생리가 중단되었는지 모르면 검사가 필요할 수도 있다. 하지만 이분의 경우는 별로 검사할 필요가 없었다. 이 나이대에는 호르몬 검사에 건강보험도 적용되지 않는다.

그런데도 이분은 꼭 검사를 받고 싶다고 했다. 호르몬 혈액 검사를 받아서 만약 갱년기가 확실하다면 호르몬 치료를 받고 싶다고 했다.

"안면홍조, 발한, 불면, 무기력, 감정의 기복, 관절통 이런 증상들이 있으신가요?"

"아니요, 특별한 증상은 없어요. 그냥 갱년기가 확실하면 치료를 받고 싶어요."

증상이 없는데 치료를 받고 싶다고? 나는 갱년기이기 때문에 치료를 받을 필요는 없다고 설득했다. 물론 위에 언급한 증상이 있다면 이런 불편한 증상을 줄이기 위해 호르몬 치료를 할 필요도 있지만, 증상이 없는데 무슨 치료가 필요한가? 갱년기 자체는 치료가 필요한 무슨 질환이 아니다.

여러 가지 힘들고 불편한 증상으로 오시는 분들도 있다. 그분들께는 자궁과 유방 검사를 한 후에 문제가 없다면 호르몬 치료를 권하기도 한다. 그런데 의외로 거부하시는 분들이 있다. 저런 증상들이 너무 힘들다고 하시면서, 그 증상에 딱 맞는 특효약인 호르몬 치료는 거부한다. 왜 그런고 하니, "옛날 조선 시대에는 호르몬 치료 같은 거 없었지만 우리 할머니, 어머니들은 잘 사셨잖아요. 그러니까 저도 안 받을래요."

인생의 자연스러운 과정인데, 그걸 왜 치료하냐는 거다. 우리 조상들, 인류의 많은 선배 여성들이 겪었던 문제인데 왜 굳이 현대의학에서만 치료하냐는 거다. 물론 일리가 있다.

"꼭 치료를 받아야 하는 건 아니에요. 사실 갱년기에 느끼는 여러 가지 증상들은 5년에서 10년 정도 지나면서 점차 줄어들기도 하고요. 그런데 앞으로 살아갈 날이 40~50년이에요. 조선 시대에는 평균 수명도 짧고 환갑만 되어도 오래 살았다 하던 시기니까요. 갱년기 이후로 살 날이 길지 않았으니까 큰 문제가 없었을 수도 있는데, 지금은 다르거든요."

옛날엔 영양이 부실해 초경은 늦고 출산 횟수가 많았으니 50대 중반까지 생리를 하던 여성들이 많았다. 하지만 지금은 초경은 점차 일러지고 출산 횟수는 줄어들어, 대부분의 여성들이 만 50세 전후로 갱년기를 맞이하고 있는 것으로 보인다. 나는 갱년기 자체를 치료해야 할 무엇으로 보지는 않는다. 우리 의사들이 도움이 될 수 있는 부분은 갱년기 자체가 아니라 갱년기에 느끼는 여러 증상, 통증, 불편감들이다. 원인 모를 여러 가지 증상이 호르몬 치료와 함께 좋아지고, 이 시기를 잘 경과해야 '갱년기(更年期)'라는 말마따나 인생 후반기를 준비할 수 있다.

하지만 갱년기라는 단어는 조심스럽게 발음해야 한다. 갱년기라는 진단은 대단히 중의적으로 쓰이기 때문이다. 갱년기라고 이름붙임으로써 지금껏 설명되지 않던 불편함, 중간자적 몸 상태, 변화해가는 과정에 있는 자신을 비로소 설명해내고 받아들일 수 있는 스스로의 힘이 생기기도 하지만, 실제 다른 원인으로 인한 문제들을 모조리 갱년기로 인한 것으로 치환해버리는 오류를 범할 수도 있다. '갱년기라서 그렇다'는 말은, 어떤 어조로 발음하느냐에 따라 깊은 위로가 되기도 하고, 무관심이나 낙인이 되기도 한다.

그러니까 갱년기는 무조건 호르몬으로 치료해야 한다고 생각하는 것도 문제지만, 갱년기에 여성들이 실제로 겪는 고통을 외면하고 자연스러운 인생의 과정이니 치료가 필요하지 않다고 주장하는 것도 여성혐오다. 아니 진짜, 앞으로 40~50년 더 살아야 한다니까요! 54)

47. 일어설 때마다 '어질어질'…나, 기립성 저혈압 아닐까

50대 초반의 직장인 A씨는 얼마 전부터 갑자기 일어설 때 순간적으로 핑 도는 증상이 생겨 병원을 찾았다. 누운 상태와 기립(일어섬) 시 각각 측정한 혈압 변화를 확인하는 기립성혈압검사 후 기립성 저혈압 1차 진단을 받았고, 기립경사테이블검사를 시행한 결과 기립성 저혈압으로 확진됐다.

이 질환은 혈압은 정상이지만 일어날 때 자율신경계가 제대로 기능하지 못해 혈압이 갑자기 저하되는 상태를 말한다. 증상이 있다고 모두 치료가 필요한 것은 아니지만 증상이 빈번하거나, 실신이 생길 정도라면 적극적인 치료를 받아야 한다.

기립성 저혈압은 최근 몇년 새 계속 증가하는 추세다. 건강보험심사평가원 자료를 보면, 기립성 저혈압으로 병원을 찾은 환자는 2015년 1만3803명에서 2019년 2만1501명으로 크게 늘어났다. 강동경희대병원 신경과 변정익 교수는 "이 질환은 나이가 증가함에 따라 빈번하게 나타나는데, 50세 미만에서는 5% 정도이지만, 70세 이상에서는 30%까지 나타나는 것으로 보고되고 있다"면서 "먼저 어지럼증의 원인을 평가하고 적절히 치료하는 것이 중요하다"고 지적했다.

사람은 보통 일어설 때 500~1000cc의 혈류가 복부나 하지정맥으로 이동하면서 일시적으로 심장으로 돌아오는 정맥량이 줄고, 심박출량과 혈압이 감소하게 된다. 이때 정상적인 경우라면 자율신경계나 심혈관계, 내분비계에서 보상 기전이 나타나 심박수와 말초혈관 저항성을 늘려 혈류량을 증가시킨다. 그러나 자율신경계에 이상이 생겨 혈류량을 조절하지 못하면 기립 시에 어지럼증이 나타나게 되는 것으로 알려져 있다. 이런 원인으로 인해 평평하게 누워 있을 때와 일어섰을 때, 또는 60도 이상의 경사대검사에서 3분 이내에 수축기 혈압이 20mmHg 이상, 또는 이완기 혈압이 10mmHg 이상 떨어지는 경우를 기립성 저혈압으로 정의한다. 파킨슨병·원발자율신경부전 등 신경계 질환, 갑상선 호르몬 이상, 부신 기능 이상, 당뇨 등 내분비계 질환, 심장질환, 탈수, 빈혈, 다이어트, 임신, 약물 등 원인이 다양하다.

가장 대표적인 증상은 앉거나 누운 상태에서 빠르게 일어설 때

눈앞이 흐려지고 '핑~' 도는 듯한 어지럼증이다. 다시 누우면 곧 가라앉는 것이 특징이다. 어지럼증 외에도 혈압 저하로 오는 두통, 뒷목의 통증과 뻣뻣함, 소화불량이 동반되기도 한다. 시야가 흐릿해지거나 구역감, 전신에 힘이 빠지는 증상이 같이 나타날 수도 있다. 심한 경우 일시적으로 의식을 잃기도 한다. 몸이 쇠약하거나 증상이 심하면 실신하여 의식을 잃을 수도 있고, 낙상으로 심각한 부상을 당하기도 한다. 증상을 오랜 시간 방치할 경우 심혈관질환 위험 및 사망률을 높일 위험성이 크다.

기립성 저혈압의 치료는 환자 특성과 증상의 심각도 및 빈도에 따라 다르다. 일반적으로 우선 심폐기능을 키울 수 있는 적당한 운동이나 압박 스타킹 착용 등의 비약물성 치료를 하고, 이런 후에도 증상이 지속되거나 증상이 심할 경우 약물성 치료를 병행하게 된다.

기립성 저혈압을 예방하는 가장 좋은 방법은 생활습관을 바꾸는 것이다. 순천향대 부천병원 신경과 허덕현 교수는 "충분히 물 마시기, 천천히 일어나기, 적당한 양의 음식을 천천히 먹기, 과음하지 않기, 충분한 휴식 취하기, 다리 근력을 키우는 운동하기, 원인이 되는 약물 중단하기 등을 통해 기립성 저혈압을 예방하거나 증상을 개선할 수 있다" 고 강조했다.

하루 1.5~2 l 의 물을 마시고, 너무 싱겁지 않게 먹는 것도 필요하다. 침대에서 일어날 때 바로 일어나지 않고 침대에 몇 분 동안 앉았다가 서서히 일어나는 것이 좋다. 운동은 무리하지 않는 선에서 진행한다. 높은 강도의 실내자전거 타기는 하지근육 수축을 증가시켜 정맥환류량을 늘려준다. 다리를 꼬고 일어나기, 다리 근육 수축하기, 다리 굽히기 등의 운동도 추천된다. 일부 환자에서 압박 스타킹으로 기립성 저혈압과 동반 증상을 호전시킬 수 있다. 허 교

수는 "잠을 잘 때 복대를 하거나 머리를 약간 높여서 자는 것도 도움을 준다"고 말했다.[55]

48. 바키나에와 마과회통

"모두 6남3녀를 낳았는데, 산 애들이 2남1녀이고 죽은 애들이 4남2녀니, 죽은 애들이 산 애들의 두 배이다. 아아, 내가 하늘에 죄를 지어 잔혹함이 이와 같으니, 어찌할 것인가… 나는 죽는 것이 사는 것보다 나은데 살아 있고, 너는 사는 것이 죽는 것보다 나은데 죽었으니, 이것은 내가 어찌할 수 없는 것이다."

다산 정약용은 자식을 아홉 두었지만, 여섯이 요절했다. 1798년 9월에는 아들 삼동이가 죽었다. 먼저 낳은 구장이와 효순이를 천연두로 보낸 다산이었다. 그러나 곧 10월에 다시 낳은 아들도 열흘만에 죽었다. 끝이 아니었다. 막내 농장이도 네 살 무렵, 역시 천연두로 죽었다.

그런데 다산이 자녀를 줄줄이 앞세워 보내던 그 무렵, 영국에서는 에드워드 제너가 여덟 살 소년의 몸에 우두 접종을 하고 있었다. 대성공이었다. 2년 후, 제너는 '바리올라에 바키나에(Variolae vaccinae)' 제하의 논문을 발표했다. 백신(vaccine)이라는 이름이 세상에 처음 등장하던 순간이다. 다산이 삼동이를 땅에 묻고 있던 그해다. 제너의 우두법은 급속도로 전파되었다. 영국은 물론이고 유럽 대륙, 북미와 남미, 심지어 동남아시아와 중국 등에서 속속 접종이 시작되었다.

흥미롭게도 제너가 최초의 백신 논문을 발표하던 해, 다산은 <마과회통(麻科會通)>을 편찬했다. 홍역과 천연두의 치료법을 담은 책이다. 원래 다산은 초자연적 질병관과 자연주의적 질병관을 모두 비판했다. “무당을 불러 기도를 하거나 뱀을 먹으면 전염병이 낫는다는 거짓된 소문이 있으니” 라고도 했고, “진맥으로 오장육부의 상태를 알아낸다는 주장은 마치 한강 물을 떠서 어느 지류의 물이라고 하는 것 같은” 이라고도 했다. 이후 〈마과회통〉의 부록으로 ‘신증종두기법상실’ 이 덧붙여지는데, 바로 우두 접종에 관해 담고 있다. 접종 방법과 부위, 금기, 기구 등을 설명하고 있다.

그러면 다산은 우두법을, 그리고 과학에 기반한 의학을 조선에 널리 알릴 수 있었을까? 그렇지 않았다. 그의 책은 별로 읽히지 못했다. 전 세계가 우두를 접종하고 있었지만, 조선에서는 여전히 천연두가 기승을 부렸다.

1879년, 지석영 선생은 부산의 제생의원으로 내려갔다. 일본이 세운 근대식 병원이었다. 그곳에서 우두술을 익힌 후, 두 살배기 처남에게 첫 우두 접종을 했다. 성공이었다. 제너의 접종 이후 무려 80년이 지나 이뤄낸 일이다. 그는 당시의 일에 대해 이렇게 말했다.

“평생을 통해 과거에 급제했을 때와 귀양살이에서 풀려 나왔을 때가 크나큰 기쁨이었는데, 그때에 비한다면 아무것도 아니었다.”

아마 의사라면 누구나 이와 같은 마음일 것이다. 지석영은 문과에 급제한 정4품의 벼슬아치였지만, 국가의 실정을 비판하다 귀양살이를 했다. 이후 평생 의사로 살았다. 아예 일본에서 본격적인 우두술과 종묘제조법을 배워왔다. 그리고 한성에 첫 종두장을 차리고 접종을 시작했다. 하지만 현실은 녹록지 않았다. 몇 년 후, 임오군란이 터진 것이다. 서양에서 건너온 것은 모두 배척의 대상이 되었다. 천연두를 쫓는 굿을 하던 무당도 가세했다. 종두장은 불태워졌고, 지석영은 시골로 도망쳐야 했다.

코로나19 백신 접종을 둘러싼 논란이 뜨겁다. 백신의 효과와 부작용에 관한 설익은 유언비어가 넘쳐난다. 때를 놓치지 않고 백신 반대론자가 목소리를 높인다. '음양의 조화'가 깨져서 코로나19에 걸린다고도 하고, 심지어 '신의 징벌'이라든가 '세계를 지배하려는 서구의 음모'라는 말까지 있다. 200년 전 조선과 별로 다를 것이 없다.

코로나19 백신 국내 접종이 막 시작되었다. 외국에서는 이미 수백만명이 접종받은 백신이다. 조금 늦은 감이 있지만 앞으로가 더 중요하다. 정약용과 지석영의 비극이 반복되지 않기를 바란다.[56]

49. '마음건강 정책' 첫 단추가 중요하다

나는 전국의 가습기살균제 피해를 입은 국민들을 위해 국립환경과학원이 위탁한 정신건강 모니터링 기관의 센터장을 맡고 있다. 여러 해 전부터 피해자들의 심리지원 사업을 해온 심리상담 분야 전문가들이 이 일을 수행하고 있다. 나는 신학대학원 소속 상담학 교수이고, 공동연구원으로 교육학과 소속 학교상담 교수, 성인 및 소아청소년 정신건강의학과 교수들의 도움을 받아 함께 센터를 운영한다. 여러 해 전부터 주로 신체의 질병만 호소하던 피해자들의 마음건강을 살피고자 시도하는 다학제 간 협업의 모델을 만들어가고 있다.

어느 기자로부터 왜 유독 심리상담 분야에만 3000개에 이르는 민간자격증이 난립하는지 질문을 받은 적이 있다. 답변은 간단하다. 심리상담 서비스에 대한 수요가 급증했고, 일선 학교나 민간 기업, 그리고 정부청사에서도 심리상담 센터를 운영한다. 하지만 현재 심리상담사 자격을 명확하게 규정하고 관리하는 모법(母法)이 없기 때문이다. 직업능력개발원에 등록된 민간자격들 중 국가공인을 받은 심리상담 자격은 현재 단 한 개도 없다.

지난 1월14일 정부는 국정현안 점검조정회의에서 '온 국민 마음건강 종합대책'을 논의하고, 관계부처와 협력하여 정신건강서비스를 제공하겠다고 발표했다. 특히 심리상담 분야 민간 서비스 제공 현황 실태를 분석하고, 자격관리와 심리서비스 활성화 등에 대한 제도적 지원 방안을 마련하겠다고 밝혔다. 여러 해 동안 심리상담 자격 법제화를 위해 노력해 온 이 분야 전문가들이 환호성을 터뜨리며 반겼던 발표다. 그간 정신건강 의료기관 내원에 비해 이용이 용이한 심리상담의 수요는 지속적으로 증가했지만, 정작 국민들이 자신이 사는 지역 어떤 심리상담기관을 찾아야 할지 막막하기만 했다. 상담소 개설에는 자격규제 법령도 없어 신뢰성이 담보되지 않은 곳에서 큰 피해를 입는 일들이 언론에 소개되기도 했다.

나는 정부가 종합대책 제목 안에 '마음건강'이란 단어를 사용한 점에 큰 위안을 받았다. 더 이상 국민들 마음의 위기를 그저 치료의 영역으로만 보는 의료 모형을 탈피하겠다는 의지가 느껴졌기 때문이다. 정신건강의학 분야 정신치료(psychotherapy)만 통용되던 1940년 대 후반 신조어 'counseling'(상담)이란 단어를 처음으로 제안한 미국의 칼 로저스는 대학을 졸업한 후 성직자가 되기 위해 뉴욕의 신학대학원에서 수학했다. 그는 학업을 마치지 않고 이웃 교육대학원으로 옮겨 정신치료 전공 석·박사 학위를 취득했다. 그는 자신에게 도움을 요청하는 아동들이 정신치료를 받아야 하는 환자들이 아님을 발견했다. 그의 눈에는 발달위기나 가족역동으로 인해 어려움을 겪는 아동들을 굳이 환자라고 볼 이유가 없었다. 결국 심리상담 분야는 인문학적 인간 이해와 과학적 심리평가 및 치료개

입이 결합된 종합 서비스로 발전해왔다.

2015년 고용노동부 산하 상담 인적자원개발위원회(ISC)가 생기고, 심리상담 서비스의 국가직무능력표준(NCS)이 마련되었다. 국내 심리상담 직무의 핵심역량 기준을 규정한 NCS 개발진은 12명의 심리상담학, 청소년상담복지학, 가족치료, 놀이치료 등 다양한 연구자와 현장 전문가들로 구성되었다. 국내 심리상담 서비스의 다학제성이 반영된 결과다. 이제 출발점에 선 국민 마음건강 심리상담 서비스 활성화 논의에도 다양한 전문가 그룹의 협의체가 꾸려지길 바란다.

국가가 국민 마음건강을 제대로 돌보기 위해선 가정폭력, 학교폭력, 자살예방, 중독 등 다양한 주제와 심리지원 대상을 두루 포괄해야 한다. 내실 있는 자격관리와 법적 근거를 마련하기 위해서는 현재 활동 중인 심리상담 전문 인력과 업무 범위의 다양성을 충분히 반영해야 한다. 마음건강 정부대책에 대한 전폭적인 응원과 함께 부디 첫 번째 단추가 잘 끼워지길 두 손 모아 기원한다.[57)]

50. 東醫寶鑑 養生法의 몸 수행이 요구된다

인간은 누구나 건강하고 행복하며, 장수하기를 기원하고 있다. 이는 인간 본연의 욕망이라고 볼 수 있다. 그러나 현대사회는 과학기술과 의료 기술의 발달에 의해 인간의 수명은 늘어나고 있는 반면, 사회 환경의 변화에 의해 건강하고 행복하게 살자고 하는 인류의 소망은 위협을 받고 있다. 특히 가족 공동체의 해체와 자연 생태계의 위기로 인해 현대인의 정신력 스트레스는 날로 높아져 편안한 휴식을 불가능하게 하고 있다. 그러한 결과 누구를 막론하고 운동을 생활화 하지 않고는 건강한 생활의 영위가 어렵게 되었다.

인간은 이세상(此岸)에 왔다가 저세상(彼岸) 으로 가게 마련이다. 生·老·病·死, 이는 누구나 겪어야 하는 인생 여정이다. 그러면 건강하게 산다는 것은 무엇인가? 참으로 건강하게 사는 방법이란 어떠한 것인가 하는 것은 인류가 끊임없이 제기하고 있는 문제이다. 인간은 전체적 존재이다. 그렇게 때문에 인간은 신체활동, 즉 움직임을 통하여 신체적, 사회적 및 도덕적 가치를 동시에 체험하게 된다. 그러한 면에서 체육에서의 신체활동은 사람의 존재 가치를 고양시켜 줄 뿐만 아니라 보다 나은 삶의 추구를 목적으로 하는 통합적 행위이다.

우리 인간들은 태어날 때 좋은 양기운을 70%, 나쁜 음기운을 30%를 받아 오는데 나쁜 음기운들이 50%를 넘기 시작하면 각종 바이러스에 대한 저항력이 떨어지고 음기운이 70%를 넘으면 쉽게 감염되고 치명적인 피해를 입을 수 있다.

음기운을 키우는 요소는 “남 탓 하기, 욕하기, 불평하기, 화내기, 짜증내기, 소리지르기, 남 흉보기 등” 다른 사람들을 해롭게 하거나 자기의 잘못을 인정하지 않는 모든 언행들이다. 이런 사람들은 사업을 해도 실패하고 대인관계도 나쁘며 건강도 좋지 않다. 코로나19 바이러스에 대한 불필요한 두려움과 공포는 이러한 나쁜 기운을 상승시켜 면역세포들의 기운을 약화시키므로 피해야 한다.

인간은 신체활동의 주체로서 생명 존재를 전제로 신체활동을 펼친다. 생명을 벗어난 몸은 존재 의미가 없다. 인간을 대상으로 하고 있는 체육 또한 생명 유기체를 벗어나서는 존재 의미가 없다. 신체활동의 잠재적 가치를 최대한 발현시킴으로써 인간을 바람직한 방향으로 유인하려는 노력이 체육인 것이다. 『東醫寶鑑』의 양생도 인간의 신체적 생명을 중시하고 있다. 『東醫寶鑑』 양생법 중에는 호흡, 도인, 방중, 식이, 명상 등이 있으나, 건강한 몸 인식을 통해 건강한 신체활동을 추구한다는 점이 체육의 목적과 일맥상통한다.

인간의 생명을 다루고 있는 허준의 『東醫寶鑑』 養生法이 몸의 움직임을 통하여 건강을 다루고 있다는 측면에서 체육활동의 건강법과 맥을 같이 하고 있다. 아울러 운동의 예방 의학적 측면은 물론 부분적으로 치료 의학적 측면에서까지 건강에 도움을 줄 수 있다는 전제는 체육 · 스포츠인 이외의 집단에서 더욱 강조되어 발전되었다.

다섯 개의 大篇 중 내경편과 외형편, 그리고 잡평편에 양생을 통한 몸의 움직임이 실용적으로 구술되어 있다. 이 중 질병과 관련된 잡병편과 치료와 관련된 탕액편, 침구편을 제외한 내경과 외형을 온전히 몸에 대한 인식을 다루고 있다. 내경편은 몸 내부의 생이 운용을 다르고 있으며, 특히 身形에서는 각종 양생의 원리와 방법, 처방 등을 제시하고 있다. 여기에서 몸은 精·氣·神이라는 三寶로 구성되어 이 삼보가 몸 안에서 서로 영향을 미치면서 각각 해당 역할을 담당하는 생리적 단위가 된다고 서술하고 있다. 이 점이 질병을 주요 주제로 다루고 있는 다른 醫書와 구별되는 요소이다.

따라서 코로나바이러스감염증-19(COVID-19)는 면역세포들에게 기운을 북돋아 주는 긍정적인 생각과 자신감을 갖고 서로 상대방을 챙겨주는 마인드가 절대적으로 필요하다.[58]

51. 마른 몸 이상화하는 '프로아나'가 생기는 까닭

넷플릭스 다큐멘터리 <소셜 딜레마>는 미국 10대 여성의 자해로 인한 입원율과 자살률이 폭증한 시기가 스마트폰 보급 시기와 일치한다는 통계를 제시한다.

태어났을 때부터 체격이 크고 먹성이 좋았다. 질풍노도의 시기에도 "밥 안 먹어!" 라고 성질부려놓고 마지못해 끌려온 척 밥상에 앉았다. 최후의 자존심으로 맨밥만 퍽퍽 퍼먹는 퍼포먼스는 빼놓지 않았지만…. 내가 관우였다면, 술이 아니라 국이 식을까봐 청룡언월도를 휘두르며 헐레벌떡 돌아왔을 것이다. 그러나 "사람은 먹기 위해 사는가, 살기 위해 먹는가?" 라는 질문에는 자신만만하게

"살기 위해 먹죠!" 라고 외쳤다. 중학생 때였다. 그래 놓고 살기 위해서라면 안 먹어도 되는 붕어빵을 굳이 입천장 데어가며 깨물었다. 아 뜨뜨! 인정해야 했다. 나는 먹기 위해 사는 게 맞았다. 덜컥, 본능적인 수치심이 들었다. 먹기 위해 사는 삶은 열등하고, 살기 위해 먹는 삶 즉 음식 앞에서 무심하거나 초연한 태도는 고상하게 느껴졌다. 여성의 몸을 조각조각 내서 평가하고 외모를 절대적이고 유일한 가치 평가 기준으로 두는 사회는 매일매일 공중에서 씨앗을 살포한다. 자신의 식욕을 수치스러워하고, 마른 몸을 이상화하는 메시지 말이다.

씨앗은 여러 내면과 환경 속에서 다르게 싹을 틔우고 줄기를 뻗어 여성을 조른다. 최근 사회관계망서비스(SNS)에서 유행하는 '프로아나' 는 이 씨앗이 소셜미디어와 만나 형성한 기괴한 군락지다. 프로아나는 찬성한다는 뜻을 가진 '프로(pro)' 와 거식증을 뜻하는 '애너럭시아(anorexia)' 의 합성어다. 거식증 환자처럼 음식을 극단적으로 거부하거나 절식하면서 다이어트하는 행위 또는 사람을 일컫는다. '먹토' (먹고 토하기), '씹뱉' (씹고 뱉기)을 하며 설사약이나 이뇨제도 먹는다. 이들은 '프로아나 계' (프로아나 계정)를 만들어 '꿀팁' 을 공유하고, 서로 질책하거나 격려한다. 목표는 '개말라' (매우 마른 사람), '뼈말라' (뼈가 보일 정도로 앙상한 사람)다.

'Love yourself' 를 외치고, 적당한 운동과 건강한 식단으로 가꾼 탄탄한 몸이 아름답다고 찬양하는 세상 한쪽에, 극단적인 마름을 추구하며 병들어가는 프로아나가 있다. 최근 5년간 국내 거식증 환자 중 10대 여성이 14.4%, 20대 여성이 11.4%다. 같은 기간 남성 환자 대비 여성 환자가 4배 이상 많다. 청소년기에는 외모에 관심이 늘어나고, 타인의 시선을 민감하게 의식하며, 외모 억압은 여성에게 더 강하게 작동한다. 여기까지는 보편적인 현상이다. 언제나 그랬다. 라떼도? 라떼도! '요즘 것' 들이 유난히 멍청해서, 건강을 망치면서까지 예뻐지고 싶어 하는 게 아니다. 프로아나 현상에는 몇 가지 특수성이 있다. 외모 억압과 다이어트라는 역사성에, 지금껏 인류가 경험하지 못한 도구와 문화가 새로 첨가되었다.

〈트릭 미러〉(생각의힘, 2021)를 쓴 지아 톨렌티노는 인터넷이 "규모의 왜곡" 을 일으킨다고 주장한다. 유저를 중심으로 세계를 구축해서, 오직 '나' 의 관심사만 보여주고, 결국 현재 상태를 공고하게 하는 뉴스 미디어만 소비한다는 것이다. 이렇게 형성된 '우리' 는 언제나 무조건 옳다고 느끼고, 더 나아가 광기에 빠지게 한다는 지적은 프로아나의 집단행동을 이해할 실마리를 제공한다. 프로아나는 극단적인 다이어트가 건강을 망친다는 것을 모르는 게 아니다. 건강보다 마름이 더 중요하고, 이러한 신념을 공유할 뿐이다. 관심사와 외모 강박이 비슷한 사용자끼리만 모여 결속하다 보니 현실 감각이 왜곡된다. '개말라' 가 되면 행복과 선망, 인정이 따라오지만 살찌면 불행하고, 살찐 사람은 자기를 혐오한다고 생각한다. 나는 프로아나 여성들이 무서워하는 60kg을 넘은 여자인데, 내 인생은 망하지 않았다. 두툼한 뱃살과 굵은 다리로 사랑하는 사람들과 웃고 떠든다. 현실의 비만 혐오가 심각한 것과 별개로, 인터넷 환경 속에서 프로아나의 공포는 극단적으로 부풀려진다. 무엇이 이렇게 어린 여성을 내몰았을까?

개념부터 차근차근 짚어보자(참고한 논문은 맨 마지막에 표기). 자신의 신체를 부정적으로 평가하거나 실제보다 크게 혹은 작게 왜곡하여 지각하는 현상이 '신체 왜곡(body image distortion)', 혹은 '신체 불만족(body dissatisfaction)' 이다. 프로아나는 자신이 뚱뚱하다고 느끼기 때문에 수치상의 체중이나 타인의 조언이 무용하다. 여성일수록, 나이가 어릴수록, 경제 상태가 낮을수록 신체 이미지를 왜곡할 위험이 크다는 연구 결과가 있다. '신체상(body image)'은 "자기 신체에 갖는 의식적, 무의식적 태도의 총합"으로, "개인이 자신의 신체 구조, 기능, 외모에 대하여 가지고 있는 태도와 느낌에 대한 개인 내적인 경험"이다. 미디어는 오랫동안 소수의 '이상적 신체'를 과잉 조명하면서 신체상을 일그러뜨리는 주범이었고 스마트폰과 SNS는 이 억압의 그물코를 더 촘촘하고 새롭게 짠다.

넷플릭스 다큐멘터리 〈소셜 딜레마〉는 스마트폰이 어떻게 인류를 황폐화하는지 고발한다. 그리고 미국 10대 여성의 자해로 인한 병원 입원율과 자살률이 폭증한 시기가 스마트폰이 보급되기 시작한 시기와 정확히 일치한다는 통계를 제시한다. 다큐멘터리 속 소녀는 '좋아요' 수가 늘어날 때까지 자신의 얼굴을 보정하고, 나쁜 평가 한 줄에 우울해진다. 지금의 10~20대 여성은 어릴 때부터 다양한 필터와 보정 기능을 사용하여 '다른 얼굴'을 연출하고, 매 일상을 사진과 영상으로 기록하고, 인기가 실시간 '좋아요' 수로 수치화되는 데 익숙하다. 연예인도 아닌데 외모 평가와 악성 댓글에 시달린다. Z세대에게 필터와 보정은 기본이고, 그 모습 또한 자신이라고 인식한다. 더 다양한 모습까지 자신이라고 받아들이는 '신체상의 확장'으로도 볼 수 있지만, 문제는 비교가 따른다는 것이다. 살아 숨 쉬고 대부분 부어 있으며 매일의 컨디션이 다른 현실의 나는 기억 속 '인생 컷'과 다를 수밖에 없다. 이 불일치가 새로운 시대의 신체 왜곡을 강화한다.

또 다른 요인은 '인정 욕구'와 '자기 통제감'이다. 거식증은 음식 먹는 것을 '통제'해 자기 자신에 대한 만족과 보상, 영향력을 확인하는 욕구와도 밀접하다. 프로아나 계정을 살펴보면 '예쁜 딸'이 되어 사랑받고 싶다는 동기 부여가 많다. 이전의 바람직한 자식 모델이 '공부 잘하고 말 잘 듣는' 모범생이었다면, 양육자가 아이를 SNS에 올리거나 영유아·청소년의 외모를 일상적으로 평가하는 환경에서는 '마르고 예쁜 것'이 새로운 효도가 된 것이다. 이외에도 개인의 심리적 외상으로 인한 방어기제, 혹은 대응 방식(록산 게이는 <헝거(Hunger)>에서 강간당한 후 폭식으로 몸을 불린다), 유전적·신경생물학적 요인 또한 작용한다.

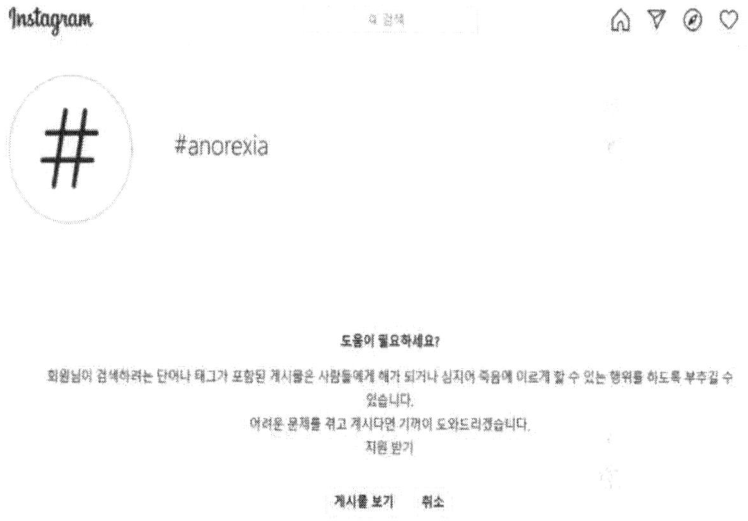

인스타그램에서 #anorexia를 검색하면, 사용자가 지원받을 수 있는 조치가 뜨거나 일부 게시물이 숨겨진다. 그러나 #거식증은 아무런 제약 없이 검색할 수 있다.

보호장치와 규제가 필요하다. 인스타그램에서 #bulimia, #anorexia를 검색하면, '도움이 필요하세요?'라는 팝업과 함께 사용자가 지원받을 수 있는 조치가 뜨거나, 일부 게시물이 숨겨진다. 그러나 #거식증, #프로아나는 아무런 제약 없이 검색할 수 있다. 프로아나 활동이 가장 활발한 트위터도 마찬가지다. 17년간 앓아온 섭식장애를 기록한 <살이 찌면 세상이 끝나는 줄 알았다>(창비, 2021)의 저자 김안젤라는 자살 사건의 기사 하단에 우울증으로 힘든 사람들이 도움을 받을 수 있는 기관의 연락처가 표기되듯, 다이어트 관련 기사에도 섭식장애는 치료가 필요한 것이라는 사실을 명시해야 한다고 말한다. 섭식장애는 '의지'의 문제가 아니라, 사회적 구조 때문에 생긴 병이기 때문이다. 하긴, 다이어트나 몸매 이야기는 미디어와 일상에 공기처럼 퍼져 있어 들이마시지 않고 대화하기는 불가능하다. 그런데 이것이 얼마나 위험하고 나쁜지에 대한 인식은 부족하다. 오랫동안 누적된 몸 억압과, SNS의 폐해가 교차하는 때 누군가 청소년기를 보내고, 그중 취약한 사람이 프로아나가 된다. 프로아나는 일부 철없는 10대들의 이상 행동이 아니다. 사회적 질병이고 상징적인 현상이다.

개인적으로는, 몸에 관해 말하지 않는 것부터 실천할 수 있다. 칭찬까지 포함해 '보디 토크' 하지 않기. 또 내 이야기다. 한때 13kg을 뺀 적 있다. 가는 곳마다 축하와 칭찬을 들었다. 그런데 한 모임에서만은 아무도 그 큰 변화를 알아주지 않았다. 서운했다. 그러나 다시 체중이 불어났을 때, 유일하게 그 친구들을 만나러 가는 길만은 두렵지 않았다. 내 몸이 어떻든, 내가 불안과 공포를 느끼지 않아도 되는 사회는 너무 이상적으로 보인다. 그러나 작은 공동체가 방공호가 되기도 한다. 프로아나의 세상이 '살이 찌면 끝나'는 것이라면, '살이 쪄도 그럭저럭 괜찮은 세상'도 존재한다고 알려주고 싶다. 작아도 엄연히 존재하고, 그 거대한 불안과 공포는 당신의 잘못이 아니며, 다이어트로부터 완전히 자유로워질 수는 없겠지만 신발 안의 돌멩이처럼 좀 거슬려도 그럭저럭 잘 살아갈 수 있다고, 말해주고 싶다.[59][60][61]

52. “술은 1군 발암물질…소량 음주도 구강·후두암 등 일으켜”

서홍관 국립암센터 원장은 올해 ‘암 예방의날’을 앞두고 경향신문과 인터뷰하면서 “모든 국민이 암 예방을 위해 금연과 금주·절주 두 가지를 기본적으로 실천해야 한다”고 강조했다.

매년 3월21일은 ‘암예방의날’이다. 이날은 암에 대한 국민의 이해를 높이고 암 예방·치료 및 관리 의욕을 고취시키기 위해 보건복지부와 국립암센터 주도로 국가에서 지정한 법정기념일이다.

세계보건기구(WHO)는 “암 발생의 3분의 1은 예방활동 실천으로 예방이 가능하고, 3분의 1은 조기 진단 및 치료로 완치가 가능하며, 나머지 3분의 1의 암환자도 적절한 치료를 하면 완화가 가능하다”고 강조한다.

서홍관 국립암센터 원장(가정의학과 전문의)은 올해 ‘암예방의날’ 기념식(19일)에 앞서 18일 경향신문과 인터뷰하면서 “그간 집중해온 암 치료는 물론이고 암 예방에 보다 주력할 계획”이라며 “암 발생 30%의 원인이 되는 담배를 끊는 것은 매우 중요하며, 금연과 더불어 금주(절주)를 다 같이 실천해야 한다”고 말했다.

국립암센터는 우리나라 사망 원인 1위 질병인 암으로부터 국민을 보호하기 위해 국가적 책임을 맡은 국가중앙기관이다. 암 전문 공공의료기관으로서 연구소, 병원, 국가암관리사업본부, 대학원이 한 기관 안에 있는 세계 유일의 조직이다.

서울대 의대를 졸업한 서 원장은 2003년부터 국립암센터에 몸담고 있다. 초대 국가암관리사업본부장을 지냈고 지난 1월1일자로 국립암센터 원장에 취임했다.

서 원장은 그동안 금연전문가로서 담배의 위해성을 알리는 데 주력했다. 2010년 한국금연운동협의회 2대 회장으로 취임했으며 그 이전까지 합하면 25년간 금연운동에 헌신했다. 담배 가격 추가 인상, 담배소매점 내 담배 광고 금지 여론을 이끌었고 궐련형 및 액상형 전자담배의 문제점 등 신종담배 차단 운동에도 주력했다. 국립암센터 원장이 된 이후부터는 술의 발암성을 적극 알리는 것을 주요 목표로 삼고 있다.

"술은 국민들이 가장 널리 섭취하는 1군 발암물질이며, 무려 3000만명 내외가 음주를 하고 있는데도 불구하고 국민들은 술이 발암물질이라는 것조차 모르는 경우가 많습니다. 소량의 음주도 구강암, 인두암, 후두암, 식도암, 대장암, 유방암, 간암 등을 일으키는 만큼 이의 위험성을 널리 알려나가겠습니다. 또한 암을 예방하는 데 도움이 되는 채식 위주의 식사, 탄 음식과 짠 음식 줄이기, 가공육 줄이기 등 식생활 캠페인도 적극 벌일 계획입니다."

국립암센터는 국가암관리사업본부에 암예방검진부를 두고 암예방사업을 진행하고 있다. 또한 암 예방 수칙과 관련 정보 등을 공유하기 위한 목적으로 국가암정보센터를 운영한다. 각종 사회관계망서비스(SNS)와 인터넷에서 난무하고 있는 거짓정보에 대응하기 위해 국가암정보센터를 가동하고 있다.

서 원장은 "200만명의 암 생존자들(완치자 및 치료 중인 환자)이 신체적, 정신적으로 건강을 찾을 수 있도록 도와주는 것은 물론이고 직장과 사회 복귀에 성공할 수 있도록 돕기 위한 프로그램을 적극 지원하겠다" 고 말했다.

현재 한국은 암 예방과 더불어 꼭 필요한 필수 암 검진의 실천비율이 50~60%에 불과하다. 서 원장은 이 실천율을 90%로 끌어올리도록 하겠다고 밝혔다.

☞ 국민 암 예방수칙 10계명

1. 담배를 피우지 말고, 남이 피우는 담배 연기도 피하기
2. 채소와 과일을 충분하게 먹고, 다채로운 식단으로 균형 잡힌 식사 하기
3. 음식을 짜지 않게 먹고, 탄 음식을 먹지 않기
4. 암 예방을 위하여 하루 한두 잔의 소량 음주도 피하기
5. 주 5회 이상, 하루 30분 이상 땀이 날 정도로 걷거나 운동하기
6. 자신의 체격에 맞는 건강 체중 유지하기
7. 예방접종 지침에 따라 B형 간염과 자궁경부암 예방접종 받기
8. 성 매개 감염병에 걸리지 않도록 안전한 성생활 하기
9. 발암성 물질에 노출되지 않도록 작업장에서 안전보건 수칙 지키기
10. 암 조기 검진 지침에 따라 검진을 빠짐없이 받기

〈보건복지부・국립암센터 공동 제정〉[62]

53. 구강질환 예방에 더 많은 관심 가져야

구강 질환은 입 안의 빈 곳으로 비강(鼻腔)과 인두(咽頭)에 연결되어 있는 부분에 생기는 병으로, 가장 흔한 구강의 질환으로는 선천성 기형 중의 하나인 구개피열(cleft palate)과 토순(harelip)을 들 수 있다. 이는 태아기에 비중격원기와 상악돌기의 유합장애로 발생하는데 유전적 요인이 원인으로 생각되며 그외에 임신중의 바이러스성 질환, 영양장애, 방사선・기계적 장애 등의 외적인자와 기형유발물질의 사용이 원인이 된다고 생각된다.

'치과' 라고 하면 치아로 국한되는 이미지 때문에 구강과 관련된 전신질환들에 대한 관심이 덜하다. 그러므로 국민 건강을 위해서는 치과 명칭을 바꿀 필요가 있다고 본다.

'상류의료' 란 대사활동에 필요한 대부분의 물질이 구강을 통해 신체 내로 들어가는데 구강 상태가 나쁘면 다른 여러 신체 장기기관에도 좋지 않은 영향을 끼친다는 개념이다. 일본의 내과의 이마이 가즈아키 박사가 주창한 개념으로, 인간의 몸에서 입과 코가 상류이므로 전신 건강을 위해서는 먼저 입과 코를 깨끗이 해야 한다는 것이다. 하구 지역에서 맛있는 굴조개를 키우기 위해서는 강의 상류를 깨끗이 해야 하는 것과 비슷한 원리다.

구강의 문제로 인해 전신질환이 발생하는 채널은 크게 3가지로 볼 수 있다. 첫째, 구강 위생상태 불량이다. 각종 피부질환, 당뇨병, 신장질환, 알츠하이머병, 암, 뇌경색, 심근경색, 베체트병, 폐렴 등은 구강이 청결하지 않은 것과 밀접하게 연관이 있다. 특히 폐렴은 80세 이상 고령자의 주 사망원인이기 때문에 고령자의 구강 위생은 매우 중요하다. 구강질환과 전신질환의 관계를 연구한 논문은 적지 않은데, 최근에는 미국 치과저널에 구강 건강과 코로나19 합병증의 연관성을 입증한 논문이 실리기도 했다.

둘째, 입호흡으로 인해 생기는 질환들이 있다. 호흡은 100% 코로 해야 하는데 구강 구조 이상이나 질환 등에 의해 입으로 호흡하는 경우에는 심각한 질환의 발병 가능성이 높다. 아토피성 피부염, 기관지 천식, 치질, 변비, 충치, 치주염, 고혈압 등 수많은 질병들과 연결될 수 있고 결국 면역력 저하로까지 연결된다.

셋째, 턱뼈 구조 이상도 심각한 질환을 유발하는 요인이다. 위턱뼈가 협소하게 성장하면 기도가 좁아져 산소부족증이 생긴다. 또 면역력이 저하돼 알츠하이머병 가능성이 높아지게 된다. 그리고 턱

관절 이상이 있는 경우 거북목, 두통, 목 주위 통증 등이 생길 수 있다. 치과는 치아뿐 아니라 구강 질환을 고치는 곳이라는 패러다임 전환이 절실하다.[63)]

54. 발기부전 치료제는 나눠 먹지 마세요

얼마 전 50대 남성이 갑작스러운 의식불명을 이유로 응급실로 내원했다. 5년째 심장약을 복용 중이었던 이 환자는 응급처치 후 안정을 되찾았다. 그는 의식불명이 된 원인이 친구가 나누어준 발기부전 치료약 때문에 발생한 급성저혈압이라는 설명을 듣고 가슴을 쓸어내렸다. 이 환자는 친구에게 자신의 발기부전 증상에 대해 이야기했고, 친구가 품에 지니고 있던 약을 권유하자 별 의심 없이 복용하고 나서 큰 고초를 겪은 것이다. 그 친구는 아마 심장약과 발기부전 치료제 병용 시 부작용에 대한 의사의 설명을 잊었을 가능성이 높다.

1998년 경구 복용 발기부전 치료약이 미국에서 개발되었다. 국내에는 1999년 출시되었다. 이러한 치료약은 그동안의 발기부전 치료 방법을 완전히 바꾸어 놓았다. 복잡한 검사 없이 한 알의 약으로 남성들의 고민이 해결되는 역사적인 사건이다.

2012년에는 외국계 제약회사의 경구 복용 발기부전 치료약 특허가 만료되면서 국내 제약회사 생산 제네릭(복제약) 제품이 출시되었다. 약가는 저렴해졌고 성인 남성들이 경험할 수 있는 더 좋은 환경이 된 것이다. 이후 단순한 알약 형태 이외에 필름형, 과립형, 츄잉형 제품들이 나왔다. 최근 배뇨장애 개선 효과까지 입증되면서 발기 및 배뇨장애 개선효과가 있다는 복합제형의 약도 이용하는 게 가능해졌다.

그러나 많은 사람들은 경구 복용 발기부전 치료약이 의사의 진료 후 처방을 받아야 하는 전문의약품인 것에 대해 중요하게 생각하지 않고 있다. 그저 친구끼리 나눠 먹는 영양제쯤으로 생각한다. 그러나 이런 오·남용으로 생각지도 못한 위험에 직면할 수 있다는 것을 알아야 한다.

위의 예와 같이 경구 복용 발기부전 치료약은 심장약(질산염 또는 산화질소제제)과 병합 복용하면 저혈압성 쇼크사의 가능성이 있어서 '절대 병합 금기' 약물에 해당한다. "심장약과 함께 먹었는데 괜찮더라" 하는 분도 있으나 생명을 담보로 한 위험한 행동으로 '단 한 번에 모든 것을 잃을 수 있다' 는 것을 말해주고 싶다.

약물적인 부작용뿐만 아니라 사회적 부작용도 만만치 않다. 특히 가짜 복제약 등이 판을 치게 되면서, 불법 거래가 횡행한다. 공중화장실, 공원, 심지어 병원 내에까지 가짜 복제약을 광고하는 스티커가 난무하고 있다. 클릭 몇 번만으로 주문을 할 수 있는 광고까지 인터넷에 나온다. 중국에서 제조기계를 수입해 국내에서 대량으로 가짜 약을 불법 제조한 사람들이 적발되기도 했다.

가짜 약을 복용하고 효과가 좋았다는 사람도 있다. 그러나 허가되지 않은 가짜 약들은 성분을 알 수 없고 용량도 천차만별이라 인체 내에서 어떻게 작용할지 알 수가 없다. 대개 가짜 약들은 비위생적이고 각종 세균과 곰팡이 등에 오염된 환경에서 제조되었을 가능성이 높다.

필자가 경험한 환자 중에는 가짜 약을 임의 과다 복용해서 발기지속증(발기가 이완이 되지 않아 발기 조직이 괴사되는 병)이라는 응급질환으로 내원한 환자도 있었다. 꼭 기억하자. 의사는 경구 복용 발기부전 치료약을 처방할 때 적절한 문진을 통해 복용 방법과 부작용에 대해 환자에게 설명한다. 환자는 이런 주의사항을 항상 숙지해야 한다. 콩 한 알을 나눠 먹는 친구 사이라도 경구 복용 발기부전 치료제는 절대 나누지 말기를 바란다.[64]

55. 한쪽 귀에서 갑자기 "삐~"…속삭이듯 들리는 일상적 대화… '앗' 내가, 돌발성 난청?

돌발성 난청은 건강한 귀에 갑자기 청력 저하가 발생한 상태를 말한다. 양쪽 귀에 모두 발생하는 경우는 매우 드물고 대개 한쪽 귀에서 발생한다. 국내 발병률은 매년 인구 10만명당 10명 이상으로 추산된다.

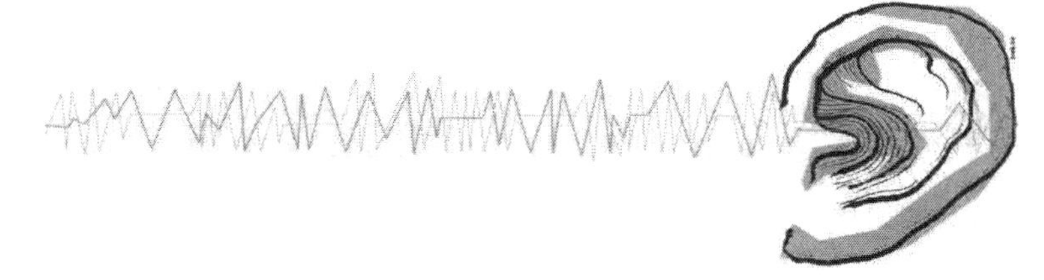

돌발성 난청은 분명한 원인 없이 수시간, 또는 수일 이내에 갑자기 발생한다. 주요 증상으로는 난청과 함께 이명이 동반되는 것이다. 일상적인 대화가 속삭이는 것처럼 들리거나 귀가 꽉 막힌 듯한 느낌이 들고, 양쪽 귀의 소리가 다르게 들린다면 돌발성 난청을 의심해 볼 수 있다. 난청 증세와 함께 어지러움, 구토가 동반되기도 한다.

돌발성 난청의 원인은 정확하게 밝혀지지 않았다. 바이러스 감염이나 혈관 장애, 자가면역 질환, 청신경 종양이 주요 원인으로 추정된다. 대한이과학회(회장 구자원 분당서울대병원 이비인후과 교수)는 지난 3~4일 열린 학술대회에서 "한쪽 귀의 청력이 갑자기 떨어졌을 때 돌발성 난청 이외의 원인들이 있을 수 있기 때문에 이비인후과를 방문하는 것이 반드시 필요하다" 면서 "갑자기 한쪽 귀의 청력이 저하되고 이명이 발생했다면 정확한 고막 상태 및 청력 검사를 해야 한다" 고 밝혔다. 학회에 따르면, 고막 안에 염증이 차는 삼출성 중이염, 인지하지 못한 만성 중이염 등에서도 갑작스러운 난청이 일어날 수 있다.

또한 고막 내의 압력 조절에 일시적 장애가 왔을 때도 귀에 먹먹한 느낌이 생기면서 난청과 혼돈을 일으킨다.

가톨릭대 인천성모병원 이비인후과 이현진 교수는 "검사를 통해 갑작스러운 난청의 원인을 감별하고 그에 따른 정확한 치료를 가급적 빨리 진행해야 한다" 면서 "드물지만 뇌에서 나온 청각신경이 지나가는 통로인 내이도에 발생하는 뇌종양에 의해서도 같은 증상이 나타날 수 있으므로 초기 감별이 중요하다" 고 강조했다.

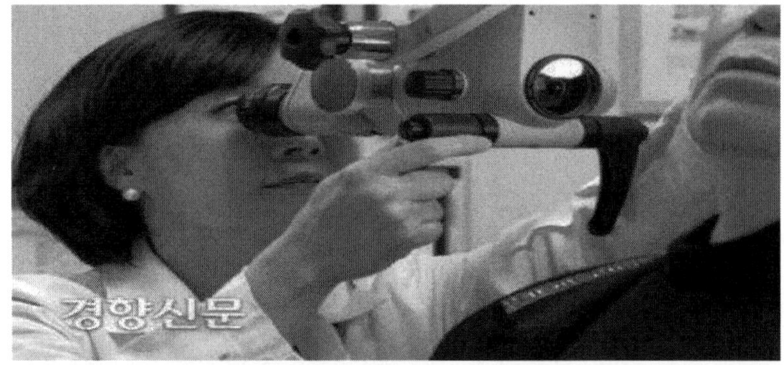

한쪽 청력이 갑자기 저하되는 현상은 돌발성 난청 때문인 경우가 많다. 이비인후과 전문의가 난청 환자를 진찰하고 있다(경향신문 자료사진)

검사에서는 기본적인 청력 검사를 통해 현재 난청의 정도를 파악하고, 필요에 따라 MRI 등 영상 검사를 추가적으로 받게 된다. 내과적 원인이 의심될 때에는 각종 혈액 검사나 염증성 질환 검사 등을 병행한다.

치료에서는 스테로이드가 원인 불명의 돌발성 난청에 효과적으로 쓰인다. 일반적으로 스테로이드제를 경구 약물로 투여하고, 1차 치료 후 호전이 적거나 없을 때 스테로이드 주사제를 고막 안쪽에 투여한다. 호전이 없는 경우에는 추정되는 원인이나 증상에 따라 혈액순환 개선제, 혈관 확장제, 이뇨제 등을 투여하기도 한다. 고압산소치료도 돌발성 난청에서 회복하는 데 도움이 될 수 있다는 연구결과가 보고되었다. 고압산소치료는 모든 병원에서 가능한 것이 아니기 때문에 가능한 병원을 확인하는 것이 중요하다.

가톨릭대 서울성모병원 이비인후과 박시내 교수(이과학회 공보이사)는 “당뇨, 고혈압, 간질환, 신장질환 등 내과적 병력이 있는 환자들에게 경구용 전신 스테로이드 약물치료를 하는 것은 주의해야 한다”면서 “치료 전 환자의 전신 상태를 면밀히 확인하고 혈액검사를 통해 스테로이드 치료의 부작용이 없는지 확인해야 한다”고 지적했다. 박 교수는 “돌발성 난청은 조기 발견 및 치료가 매우 중요한 응급 귀 질환”이라며 “치료 시기를 놓치고 오랜 기간 방치하면 치료를 해도 영구히 청각을 잃을 수 있다”고 설명했다.

이과학회 구자원 회장은 “청각기관은 매우 예민하므로 큰 소음과 같은 귀에 좋지 않은 자극을 받았거나 정신적 스트레스를 많이 받은 날에는 충분한 휴식을 통해 안정을 찾고, 이상이 있는 경우 전문의의 진찰을 받아야 한다”고 조언했다. 요즘 많이 사용하는 이어폰이나 헤드폰은 귀에 무리를 주지 않는 수준의 음량을 유지하고, 장시간 사용하지 말 것을 당부했다.[65]

56. 잠만 잘 자도 면역력 쑥쑥~ 코로나도 두렵지 않아요

코로나19 유행이 지속되면서 잠을 제대로 못 자는 불면증 환자가 늘고 있다. 관련 전문의들은 코로나19 감염에 대한 걱정과 스트레스가 장기간 지속된 것과 백신 접종의 부작용에 대한 우려감이 높아진 것을 주요 원인으로 꼽는다.

국내외 연구들에 따르면, 수면시간이 짧을수록, 제대로 깊은 잠을 못 잘수록 면역세포의 기능이 약화되어 호흡기 바이러스 감염증의 위험도가 높아진다.

역으로 얘기하면, 면역력을 높일 수 있는 쉬운 방법 중 하나는 잠을 잘 자는 것이다. 잠을 제대로 자야 면역력이 좋아지고 백신 접종의 효과 또한 높아진다고 학계는 강조한다.

정기영 대한수면학회 회장(서울의대 신경과)은 16일 "잠을 잘 자는 것은 생각 이상으로 건강에 미치는 영향이 크며, 마스크 착용이나 손 씻기와 같이 수면 규칙을 잘 지키는 것이 중요하다" 고 밝혔다. 정 회장은 "수면의 질과 만족도를 높이기 위해서는 충분한 수면시간 확보하기, 잠들기 전에는 휴대전화 등 사용을 자제하기, 잠들기 전에 걱정하지 않기, 정해진 시간에 규칙적으로 자고 일어나기, 과중한 낮잠 자지 않기, 햇볕 쬐기, 카페인 섭취 줄이기, 흡연·음주 피하기 등의 다양한 노력이 필요하다"고 말했다.

수면학회는 코로나19 유행의 장기화에 따라 '면역력을 향상시킬 수 있는 5가지 수면규칙'을 최근 발표했다. 신원철 수면학회 홍보이사(강동경희대병원 신경과)는 "코로나19로 인해 일, 활동과 수면 사이의 경계가 모호해졌다"면서 "깨어 있을 때 하는 행동을 침실 밖으로 치우고, 취침 시간과 경계를 정확하게 해주는 것이 좋다"고 지적했다.

첫째, 최소한 7시간 이상 수면을 취한다. 잠을 자는 것은 단순히 쉬는 것이 아니라 신체의 항상성을 최적화하는 과정이다. 부족한 수면은 면역기능을 떨어뜨릴 수 있고, 특히 하루에 5시간 이하로 잠을 자면 면역기능에 매우 나쁜 영향을 미친다. 둘째, 매일 아침 거의 같은 시간에 일어난다. 부족한 수면과 더불어 면역기능을 약화하는 것은 불규칙한 생활이다. 주중에는 일찍 일어나지만 주말에 몰아서 오래 자는 경우, 몸에서 '사회적 시차'가 발생해 마치 당일치기로 해외여행을 다녀온 것처럼 몸에 무리가 갈 수 있다. 셋째, 밤늦게까지 휴대전화나 태블릿 PC 같은 액정 화면을 보면 수면의 질을 떨어뜨릴 수 있으므로 주의가 필요하다. 특히 음악이나 방송(TV·유튜브 등 포함)을 틀어놓고 잠을 자면, 깊은 잠에 못 들고 수면의 질이 낮아진다. 넷째, 잠자리에 누워서는 걱정을 하지 않는다. 통제할 수 없는 일에 대한 지나친 걱정은 수면을 방해할 수 있다. 다섯째, 쾌적한 침실 환경을 유지하는 것은 잠을 잘 자기 위한 기본수칙이다.

수면학회는 백신 접종 전후의 수면에 대한 지침도 내놓았다. 백신을 맞고 난 후, 그날 밤은 다른 일정을 잡지 않고 평소보다 더 많이 잘 수 있도록 한다. 정 회장은 “하루에 5시간 이하로 잠을 자면 면역기능 저하뿐 아니라 백신의 효과를 떨어뜨릴 수 있다” 고 강조했다.

백신을 맞은 후에 낮잠을 잔다면 밤에 잠이 오지 않을 수 있기 때문에 유의해야 한다. 백신을 맞기 1주일 정도 전부터 일정한 시간에 자고 일정한 시간에 일어난다. 당연한 얘기지만 밤에는 자고 아침에는 일어나는 것이 가장 이상적이다.[66]

57. 불임·조기유산 일으키는 자궁근종…숫자로 보니

자궁근종은 자궁의 근육세포가 비정상적으로 증식해 생기는 양성 종양이다. 자궁을 이루는 평활근의 근육세포가 부분적으로 자라 혹이 되는 것을 말한다. 방치할 경우 크기가 커질 수 있고 불임이나 조기 유산을 일으키는 원인으로 작용하므로 일찍 발견해 치료를 받는 것이 질환 관리와 완치에 매우 중요하다.

학계에 따르면, 자궁근종은 국내 35세 이상 여성 40~50%에서 발견되는 흔한 질환이다. 주요 증상은 월경과다·골반통증 등으로,

20~50%에서 나타난다. 근종의 크기가 아주 큰 경우에는 아랫배에서 만져지기도 한다. 근종이 커지기까지 특별한 증상은 없지만, 생리 기간이 아닐 때 부정출혈이 생기거나, 생리과다와 생리통이 심해지고 큰 이유 없이 체중 변화가 생겼다면 민감하게 받아들일 필요가 있으며 검사를 통해 정확한 진단을 받아야 한다.

자궁근종의 종류는 크게 세 가지다. 첫째, 점막하 근종이다. 자궁 내막 하층에 발생한 근종으로 합병증이 가장 많고, 작은 크기로도 출혈의 원인이 되기 쉽다. 또한 육종변성의 위험이 크고 감염, 화농, 괴사 또한 잘 일어난다. 둘째, 근층 내 근종이다. 자궁근층 내 깊숙이 위치하며 월경량 증가의 원인으로 작용한다. 셋째, 장막하 근종이다. 자궁을 덮고 있는 복막 바로 아래에서 발생하며, 근종이 늘어져서 줄기를 형성하기도 한다.

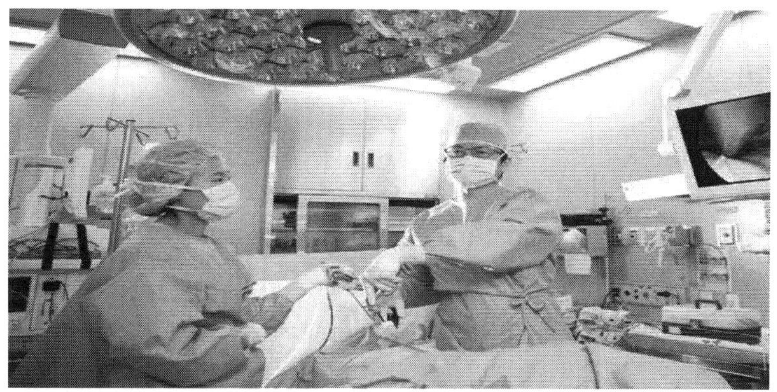

자궁근종은 정기적인 관찰이 기본이지만 크기가 크거나 심한 증상을 보일 경우 수술을 고려해야 한다. 김용욱 교수가 단일공 복강경수술을 진행하고 있다(인천성모병원 제공)

가톨릭대 인천성모병원 산부인과 김용욱 교수는 23일 "자궁근종은 빠르게 자라지 않는다면 정기적인 검사를 통해 지켜보는 것이 원칙" 이라면서 "근종이 계속 커지거나 증상이 심해지면 자궁근종

절제술, 자궁절제술, 자궁근종용해술, 약물치료 등을 받아야 한다”고 밝혔다.

자궁근종을 예방하는 가장 확실하고 쉬운 방법은 산부인과 초음파 검사를 정기적으로 받는 것이다. 보통 30세 이후에 많이 발생하기 때문에 30세 이후에는 1년에 한 번 정기검사를 받는 것이 권장된다. 자궁근종은 비만한 여성에서 위험도가 높으며, 적절한 운동과 채식이 자궁근종 발생을 감소시킨다는 연구결과가 나와 있다. 최근 20대 젊은 여성에서도 발병률이 증가하는 추세이다. 자궁근종의 위험을 증가시키는 요인은 연령(30세 이상), 가족 중에 자궁근종이 있었던 가족력, 임신 경험이 없는 경우, 비만 등이 꼽힌다.

자궁근종은 임신 시기에 따라 영향을 미친다. 임신 전에는 불임 위험이 증가한다. 임신 제1기에는 유산율을 높인다. 임신 제2기에는 근종의 급격한 비대로 동통, 압통, 발열 등이 생길 수 있다. 임신 제3기에는 조산, 태반조기박리증, 전치태반 등을 초래하기도 한다. 분만 시에는 자궁무력증, 출혈, 산도의 기계적 폐쇄로 인한 난산의 원인으로 상당히 작용하게 된다.

다음과 같은 증상이 지속적으로 생기는 경우 자궁근종을 의심하고 전문의 진료를 받는 것이 바람직하다. 생리량이 많아지고 덩어리가 나올 때, 생리 주기가 자꾸 앞당겨지고 불규칙한 출혈이 있을 때, 아랫배에서 무엇인가가 만져지고 생리통이 심해질 때, 아래에 묵직함이 느껴지고 밑이 빠질 것 같은 증상이 나타날 때, 이유 없이 어지럽고 피곤할 때, 불임과 유산 경험이 있을 때 등이다.

자궁근종 제거를 위해 최근에는 개복수술 대신 복강경수술이나 로봇복강경수술이 많이 시행되고 있다. 특히 단일공(단일 통로) 복강경수술은 통증이 적고 흉터가 안 보이는 장점이 있어 환자의 신체적・심리적 부담을 크게 덜어준다.[67]

58. 충치 관리도 '골든타임' 지켜야

건강보험심사평가원의 다빈도 질병통계에 따르면, 지난해 620여 만명이 치아우식(충치)으로 병원을 찾았다. 국민 다빈도 질병 상위 10개 중 4위를 차지했다.

초기 치아우식은 증상이 잘 나타나지 않는다. 충치가 진행돼 치아 안쪽 부위까지 구멍이 생길 때쯤에야 눈치를 채게 된다. 단것을 먹을 때 시큰시큰한 느낌, 찬물·과일을 먹을 때 시림, 양치 중 민감한 부위가 느껴짐 등의 증상이 나타나면 치과에서 빨리 검사를 받아야 한다.

증세가 심해지기 전에 치과 전문의를 만나야 함을 잘 알지만 '치과는 무서운 공간' 이라는 선입견 탓에 차일피일 미루는 경우가 적지 않다.

제때 충치 치료를 받지 않으면 십중팔구 증상은 심해진다. 초기엔 찬물을 마실 때 예민하다가 시간이 지나면 뜨거운 물에도 치아가 욱신거리거나 귀나 머리 통증이 발생한다. 치통으로 잠을 설치는 일도 다반사다. '앓던 이 빠진 것 같다' 표현까지 있는 지긋지긋한 치통은 왜 일어날까?

치아우식증은 플라크라는 세균막으로부터 시작된다. 음식물 섭취 후 입안에 남은 찌꺼기를 분해하는 과정에서 산성 물질이 배출된다. 산성 물질은 단단한 치아 표면을 서서히 파괴한다. 지속적인 산성 물질 노출로 치아는 시나브로 방어력을 잃고 구멍이 뚫린다. 치아 맨 안쪽에 자리한 '치수' 라고 하는 혈관과 신경이 있는 부위까지 충치 세균이 도달하면 치아 통증이 심해지고 진통제를 먹어야 증상이 완화되는 수준에 이른다. 치아 신경(치수)에까지 염증이 생기면 고통은 배가된다.

이렇듯 심하게 충치가 진행되면 신경치료(근관치료)를 받게 된다. 치아의 내부는 치수라고 불리는 신경과 혈관이 풍성한 연조직으로 구성돼 있다. 이 연조직까지 세균이 침투해 신경과 혈관에 염증을 일으킬 수 있다. 치수 부위 염증 악화는 신경과 혈관의 부패를 가져오며 구강 내 악취와 고름 발생의 원인이 된다.

신경치료는 치아 안쪽의 부패된 신경과 혈관을 말끔하게 제거하는 치료법이다. 신경과 혈관을 걷어내고 비어버린 공간엔 치료약을 채워 세균 활동과 염증 재발을 예방한다. 최근에는 재료의 발달로 충치가 깊더라도 치수 상태에 따라서 모두 제거하지 않고 일부만 제거하는 생활 치수 치료를 많이 시행한다. 치아 구성 요소인 신경과 혈관이 제거되더라도 치아를 본래 목적대로 사용할 수 있다. 신경치료를 받은 치아는 음식 섭취를 위한 씹는 기능을 수행하는 과정에서 쪼개지거나 부러질 가능성이 커지므로 주의해야 한다.

신경치료를 마친 치아는 '방탄모자'를 씌워 보호한다. 크라운 치료라 불린다. 보철물을 치아에 끼워 약해진 치아를 보강한다. 다만 부위, 연령, 교합상태에 따라서 모두 크라운이라는 보철물을 하게 되는 것은 아니고, 남아있는 치아가 많이 없거나 혹은 씹는 역할을 하게 되는 치아에는 크라운이 꼭 필요하다. 평생 한 번도 신경치료를 받지 않을 수 있다. 그러나 치아가 건강한 사람이라도 대다수는 나이가 듦에 따라 치통을 겪고, 상당수가 신경치료까지 받는다. 신경치료가 무섭다면 예방법을 지켜야 한다. 그 첫째는 치아 우식증 초기 증상이 나타났을 때 즉시 치과 전문의를 찾는 것이다. 초기에 충분히 치료할 수 있음에도 복잡하고 어려운 치료를 받게 되는 불상사는 막아야 한다.[68]

59. 뒷골 당기는 두통, 자세부터 바로잡으세요

잘못된 자세와 목디스크 등으로 인해 경추성두통을 겪는 환자들이 늘고 있다. 이 질환은 경추(목뼈)가 틀어져 목을 지나는 경추신경을 자극하고, 이 신호가 뇌의 삼차신경절과 상부 경추의 감각신경이 만나는 부위에 도달해 발생한다.

한림대춘천성심병원 신경외과 최혁재 교수는 "전체 인구의 4~5%가 앓고 있을 정도로 흔한 경추성두통은 바르지 못한 자세에서 시작된다" 면서 "평소 목을 숙이며 PC나 스마트폰을 사용하는 등 거북목(일자목)증후군을 유발하는 자세를 장시간 취할 경우 목디스크로 발전할 수 있어 주의가 필요하다" 고 지적했다. 고개를 앞으로 숙이는 자세는 뒷머리 부분의 근육에 관여하는 경추신경을 자극하는데, 이때 뒷골이 당기는 듯한 느낌과 통증이 발생하는 것은 대개 경추성두통이다.

경추성두통 증상은 뒷골 당김을 비롯해 눈·귀·턱 등의 통증, 시력 저하 등 다양하게 동반된다. 경추신경이 완전히 눌린 경우에는 팔과 손까지 저릴 수 있다. 경추성두통은 쿡쿡 쑤시는 양상의 두통에서부터 손발이 저리는 증상이 일상에서 수시로 반복되기 때문에 삶의 질에 상당한 영향을 끼친다.

두통이 심한데 뇌 MRI를 찍어도 문제가 없거나, 위와 같은 경추성두통의 증상이 나타나면 목 MRI를 찍어보는 것이 진단에 도움이 된다. 경추성두통으로 진단을 받았다면, 초기에는 진통제나 근육이완제 등 약물치료, 경추 주변 근육을 이완시키는 물리치료 등으로 통증 관리를 우선 시작한다. 만약 진통제가 잘 듣지 않고, 두통과 더불어 어지럼증이나 손·발저림 등의 증상이 반복된다면 신경차단술 등 치료법을 고려한다. 하지만 신경차단술은 1~2개월 정도 일시적인 두통 호전 효과만 있을 뿐 장기적인 통증조절 효과는 얻지 못하는 것이 한계점이다.

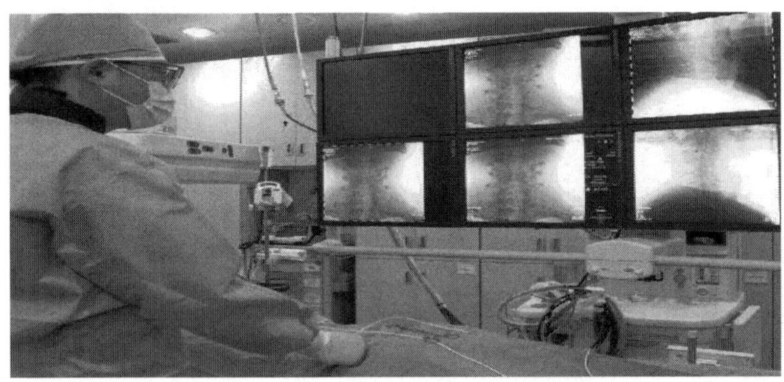

최혁재 교수가 X선 투시 영상을 보며 경추성두통 환자에게 고주파 신경치료를 하고 있다(한림대춘천성심병원 제공)

약물이나 주사 등 일반적인 치료법이 잘 통하지 않는 경추성두통 환자에서 고주파 신경치료가 효과적인 것으로 나타났다. 최 교수 연구팀은 2012년부터 2017년까지 경추성두통 환자 395명 중 약물·주사·시술 등 기존 치료 방법으로 증상이 개선되지 않았던 환자 57명에게 고주파 신경치료를 했다. 그 결과 전체 환자에서 고주파 신경치료 직후 75% 이상 경추성두통 통증 경감 효과를 보였다. 0~10 사이 점수로 통증을 측정하는 'VAS' 기준으로는 치료 전 전체 평균 6.21점에서 치료 직후 1.54점까지 4.67점이나 떨어졌다. VAS 10점은 통증이 참을 수 없을 만큼 심각한 상태를 말한다. 반면 0점은 통증이 전혀 없는 상태이다. VAS 1.54점은 일상에서 거의 통증을 느끼지 못하는 상태를 의미한다. 두통 재발이 없었던 42명(73%)의 고주파 신경치료 1년 뒤 평균 VAS 점수는 0.85점으로 조사됐다. 이 중 25명은 약물 복용을 끊고도 1년간 두통을 겪지 않았다. 이 연구 결과는 국제학술지(Clinical Journal of Pain) 최근호에 게재됐다.

최 교수는 "고주파 신경치료는 통증 감각을 지배하는 신경뿐만 아니라 신경을 자극하는 주변 근육에 고주파를 전달해 근육을 이완시켜 두통을 경감시킨다" 고 설명했다. 고주파 신경치료는 운동신경 등 주변 신경을 건드리지 않고 통각신경에만 선택적으로 작용하기 때문에 부작용이 적다. 전신마취가 필요 없으며 한 번의 시술로 6개월에서 1년 정도 효과가 유지된다. 경추성두통은 치료를 받고 두통이 호전됐다 하더라도 일상에서 근력이 떨어지거나 장시간 잘못된 자세를 취한다면 증상이 재발할 수 있다. 그래서 생활습관 교정이 무엇보다 중요하다. 평소 허리와 목을 편 바른 자세를 유지하는 습관을 가져야 한다.[69]

60. 조현병 '공격 증상', 일상 행동에 담겼다

조현병은 과거 정신분열병이라 불리던 질환이다. 생각, 감정, 지각, 행동 등 인격의 여러 측면에 걸쳐 광범위한 이상 증상을 일으킨다.

최근 조현병을 앓던 20대 아들이 60대 아버지를 살해한 혐의로 구속됐다. 이러한 조현병 환자의 공격성은 비슷한 유형의 사건으로 2016년 강남역 살인사건, 2018년 임세원 교수 사망사건, 2019년 진주 방화·살인사건과 창원 아파트 살인사건 등 강력 범죄를 유발하는 원인의 하나로 분석되고 있다.

의학적인 중요 문제일 뿐 아니라 사회적으로도 큰 관심이 모아지는 조현병 환자의 공격행위 예방을 위해 어떤 전략이 필요할까.

서울대병원 권준수·김민아 교수팀이 조현병 환자의 공격성 유형별 특성을 비교해 '대한조현병학회지' 최신호에 보고한 내용을 보면, 조현병 환자는 환청이나 망상과 같은 정신병적 증상에 의한 충동으로 갑자기 공격적 행동을 하는 경우가 있다. 조절 능력이 부족해 외부 자극에 크게 반응하면서 충동적인 공격성을 보이기도 한다.

연구대상은 2019년 7~9월 공격성이 수반된 위법 행위로 치료감호 명령을 선고받은 후 국립법무병원에 입소한 조현병 환자 116명이다. 이들의 공격성은 계획적 및 충동적으로 분류됐고 각각 33명과 83명이었다. 연구팀은 두 집단의 사이코패스(반사회적 성격장애), 충동성과 정서조절, 사회적 환경 영향, 스스로 병을 인식하는 여부 등을 조사해 비교했다.

연구결과, 계획적 공격성을 보인 조현병 환자는 상대적으로 지능이 낮고 어린 시절 학대 경험이 빈번했다. 즉 충동적 공격성 환자보다 사이코패스 관련 요인을 더 많이 가지고 있는 것으로 나타났다. 그러나 계획적 공격성을 보이는 조현병 환자는 정신병적 증상이나 충동 조절의 어려움과는 관계없다. 사이코패스 성향이나 스트레스 등 약물 치료에 잘 반응하지 않는 요소가 공격성에 영향을 주는 경우가 많다. 인지행동치료, 심리사회적치료 등 약물 이외의 치료적 접근과 사이코패스 성향을 고려한 공격행위 예방 전략이 필요하다.

권준수 교수(정신건강의학과)는 “이 연구결과가 조현병 환자의 공격성을 예측하고 예방해 실질적인 사회문제 해결로 이어지길 바란다”면서 “환자가 치료를 거부하는 경우 개인이나 가족에게 책임을 미루지 말고 국가가 나서서 판단하고 치료하도록 하는 ‘국가책임제’ 도입이 필요하다”고 강조했다. 김민아 교수(의생명연구원)는 “조현병 환자에게 나타나는 공격성이 중요한 사회문제로 대두되고 있다”면서 “국내 조현병 환자의 공격적 특성에 관한 정보가 효과적인 치료와 예방을 위한 전략 수립의 기반이 될 것”이라고 연구 의의를 밝혔다.

조현병 환자는 항정신병 약물을 사용하거나 충동조절에 유용한 항경련제와 기분안정제로 효과적인 치료가 가능하고 공격행위를 예방할 수 있다. 일찍 발견해 적극 치료하는 것이 무엇보다 중요하다. 전문적인 진료와 약물복용 및 주변의 지지 등으로 충분히 정상적인 일상생활뿐 아니라 학업과 특성에 맞는 직업 수행도 비교적 원활하게 할 수 있다.

조현병은 소아청소년기에 흔히 발생하므로, 특히 가정이나 학교에서 그리고 일반인들 또한 조현병을 예고하는 경보 증상에 대해 관심을 갖고 그 내용을 잘 알아둘 필요가 있다. 첫째, 일탈 현상이다. 조현병은 환각, 망상, 사고장애 등의 특징적 증상이 나타나기 전 수개월에서 수년에 걸쳐 전구기(잠복기)를 거치지만, 이 시기에 일어나는 미세한 변화를 눈치채기가 어렵다. 가장 기본적인 변화는 일상생활의 여러 영역에서 일탈현상이 나타나는 것이다.

☞ 조현병 잠복기에 발생 가능한 주요 일탈현상들(출처=국가건강정보포털)

—평소 세수, 목욕, 청소 등을 잘 하지 않아 불결하고 지저분하게 지낸다.

—옷이나 화장 등 자신을 가꾸는 일에 전과 달리 엉성한 모습이 나타난다.

—수면 시간이 불규칙해지고, 때론 밤과 낮이 뒤바뀌어 생활한다.

—감정의 기복이 심하고 막연하게 여기저기가 아프다고 호소한다.

—신경이 예민해져서 사소한 일에도 짜증을 내고 불안초조한 모습을 보인다.

—분노를 심하게 나타내면서 공격적인 행동이 잦아진다.

—집중을 잘 못해 업무 능률이 떨어진다. 학생은 이유 없이 성적이 떨어진다.

—철학적·종교적 주제에 지나치게 몰두하고 죽음·자살에 대해 자주 언급한다.

—다른 사람들과 함께 있는 시간이 줄어들면서 혼자 있는 시간이 많아진다.

—말수가 줄어들고 무엇인가 골똘히 생각하는 모습을 자주 보인다.

둘째, 불안감이다. 거의 대부분의 환자들이 조현병이 나타나기 이전에 불안감을 느낀다. 때로는 막연하게, 때로는 구체적으로, 자신이 앞으로 이 세상에 적응하며 살아가기가 힘들 것 같고, 심하면 자신의 존재 그 자체가 없어져버릴 것만 같은 극심한 공포가 엄습하기도 한다. 주변에서 볼 때 "원래의 그 사람 같지 않게 느껴진다는 것"이다. 이러한 전조증상이 거의 없이 갑자기 조현병이 발병할 수도 있다.[70]

61. 소리 없이 여성의 삶 갉아먹는 '자궁근종'

자궁은 태아를 담아 키우는 공간으로, 태아가 커가면서 근육들이 늘어나 공간을 유지해준다. 자궁근종은 이러한 근육층에서 근육세포가 변형되어 단단한 혹(종양)이 된 것을 말한다. 발생 부위에 따라 크게 장막하 근종, 근층 내 근종, 점막하 근종으로 나뉜다.

자궁근종은 대부분 초기 증상이 없기 때문에 주의가 필요하다. 자궁근종이 지속되면 우선 월경 양이 많아지거나 부정 출혈 등 월경 이상이 생길 수 있다. 또한 이로 인해 만성 빈혈증이 생기거나 두통, 만성피로가 나타나기도 한다. 근종이 신경을 누르면 허리나

다리 등 자궁과 먼 부위에서도 통증이나 저림증을 느끼기도 한다. 자궁근종이 커져서 직장이나 상복부를 누르면 배변 장애, 소화장애가 적지 않게 발생한다.

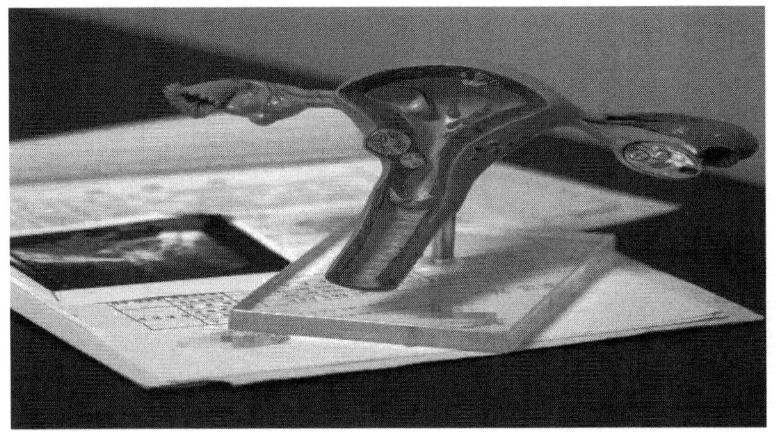

'자궁근종' 은 자궁 내 근육세포가 변형되어 단단한 혹(종양)이 된 것으로 발생 부위에 따라 크게 장막하 근종, 근층 내 근종, 점막하 근종으로 나뉜다(경향신문 자료사진)

자궁근종의 발생은 여성 호르몬(에스트로겐)의 영향을 받는다고 알려져 있다. 에스트로겐의 분비가 활발한 가임기 여성이나 초경이 빠를수록 자궁근종 발생 위험이 증가하며, 반대로 에스트로겐의 분비가 감소하는 폐경기에 접어들면 근종 발생 위험성은 감소한다.

건강보험심사평가원의 통계를 보면 2019년 자궁근종으로 진료받은 환자의 연령대는 20대부터 급격히 늘고 50대부터 감소했다. 에스트로겐 함유 피임약의 복용, 폐경 여성의 호르몬제 복용, 과체중 및 비만 등이 자궁근종의 발생 위험도를 높인다는 연구결과들이 나와 있다.

자궁근종이 발견되면 전문의의 판단에 따라 상황에 맞는 치료법을 선택할 수 있다. 산부인과 검진 등을 통해 초기에 발견되는 경우에는 정기적인 검사를 받으며 자궁근종의 크기가 커지지 않는지를 확인한다. 통증이나 압박감, 과도한 출혈, 난임이 있지 않는 한 반드시 치료가 필요하지는 않다.

하지만 근종이 빠르게 커지거나 근종에 의한 증상이 나타나면 우선 약물 치료를 시도할 수 있다. 항에스트로겐제제나 프로게스테론과 같은 호르몬제를 사용하는 경우가 가장 흔하다. 하지만 약물을 끊은 뒤 근종이 다시 커질 수 있다. 자궁경이나 복강경, 로봇을 통한 근종절제술, 자궁절제술, 자궁동맥색전술, 근종용해술 등의 수술적 치료를 하는 것이 확실한 치료법이다.

고려대 안암병원 산부인과 이화정 교수는 "자궁근종은 초기에 자각할 만한 증상이 없고 천천히 자란다는 특징 때문에 쉽게 생각하는 환자들이 있다" 면서 "하지만 자궁근종은 만성빈혈, 심한 월경통, 난임의 주요 원인이 될 수 있기 때문에 정기적인 검진과 추적 관찰을 받아 잘 관리해야 한다" 고 조언했다.

강동경희대병원 산부인과 한관희 교수는 "증상이 없어도 자궁근종이 있으면 6~12개월에 한 번씩 산부인과에서 정기검진을 통해 근종의 크기가 심하게 변하고 있지는 않은지 확인이 필요하다" 고 말했다. 자궁근종 진단은 우선 골반 진찰을 시행하며, 초음파 검사를 가장 많이 사용한다. 또한 점막하 자궁근종의 진단을 위해서는 생리식염수를 자궁강 내에 주입해가며 초음파 검사를 하는 초음파 자궁조영술을 시행하기도 한다. 이외에 필요에 따라 CT, MRI가 시행될 수 있다. 한 교수는 "다양한 치료 방법 중 하나만 고집하기보다는 반드시 전문의와 상의하여 임신계획, 증상, 폐경 여부 등을 고려한 뒤 결정하는 것이 중요하다" 고 당부했다.

성삼의료재단 미즈메디병원이 2011~2020년 최근 10년간 자궁근종과 자궁내막증을 함께 진단받은 6099명의 연령대별 환자비율을 분석한 결과 40대가 58.5%로 가장 많았고, 30대 20.3%, 50대가 18%였다. 2020년 환자수는 10년 전 대비 2.6배로 증가했다. 같은 기간 자궁근종만 진단받은 환자 4만4827명의 경우 40대가 43.9%로 가장 많았다.

미즈메디병원 산부인과 이성하 진료과장은 "결혼 전 생리통이 심했던 경우라면 출산 후에도 주기적인 검진을 통해 자신의 자궁 상태를 미리 알고 변화에 따라 빠르게 대처하는 것이 중요하다"고 설명했다.[71]

62. 울화·분노 쌓이는데…정신과 문턱 못 넘는 사람들… "불이익·차별 두려워요"

날로 증가하는 정신질환을 국가사회적으로 극복하기 위해서는 정신질환에 대한 조기발견과 적극적인 치료가 관건이다. 하지만 정신질환에 대한 편견과 제도적 차별에 대한 걱정이 커서 정신과(정신건강의학과) 진료를 기피하는 경우가 많은 것으로 나타났다.

서울대병원 공공보건의료진흥원과 서울대 의대 정신과교실 주최로 최근 열린 '시민사회 정신건강 증진과 편견의 해소-사람들은 왜 정신과에 가지 않을까' 심포지엄에서 정신과 진료를 가로막는 장벽에 대한 다양한 원인을 분석한 '온라인 소셜미디어 빅데이터 연구결과'가 발표됐다. 이번 심포지엄은 정신과 영역의 질환 치료에 대한 법적·제도적 차별과 낙인의 문제를 중점적으로 다뤘다.

서울대 의대 정신과 박지은 교수 연구팀은 2016년 1월부터 2019년 7월까지 사회관계망서비스(SNS), 온라인 카페, 블로그 등에 기록된 문서 약 9000만건 가운데 이번 심포지엄 주제와 관련된 약 600만건을 키워드 중심으로 분석했다. 이 분석방법은 방대한 정보를 활용할 수 있을 뿐 아니라 특정 주제와 관련하여 동시대 사람들의 생생한 담론을 '날것으로 파악할 수 있다'는 장점을 갖는다.

전체적인 분석 결과 정신과와 관련된 상위 키워드로 정보, 처음, 도전, 용기와 같은 단어가 눈에 띄었다. 또 정신과에서 어떤 치료를 하는지, 어떻게 진단이 내려지는지, 약 부작용은 없는지 등에 대해 많이 궁금해한 정황이 드러났다. 박 교수는 "우리 사회에서 정신과 진료 경험을 일상적으로 공유하지 못하기 때문에 온라인에서 정보를 필요로 하는 사람들이 많았던 것으로 해석된다"고 밝혔다.

세부적으로 정신과 이용의 주요 장벽에 대해 분석한 결과 우선 (정신과 진료)기록, 취업, 입시 등과 같은 제도적 불이익에 대한 두려움이 매우 중요한 장벽으로 파악됐다. 10~30대에서 특히 '정신과 진료기록으로 인해 입시나 취업에 불이익이 있을까봐 걱정된다'는 내용의 두려움이 크게 부각되었다. 또 하나의 큰 장벽으로 '미친 사람' '부정적 인식' '편견' '손가락질' '꼬리표' 등과 같은 사회적 인식의 문제가 꼽혔다. 특히 50~60대에서 사회의 부정적 인식으로 인해 정신과 진료서비스를 이용하기 어렵다는 언급이 많았다. 40대의 경우 제도적 불이익과 사회적 인식에 대한 걱정이 비슷한 수준으로 인식되는 것으로 추정되고 있다. 박 교수는 "최근 사회 곳곳에서 취업난, 입시 스트레스 등의 문제로 젊은층의 정신건강이 위기 상황이라는 진단이 나오고 있다"면서 "이러한 상황에서 젊은 세대가 '제도적 불이익'에 대한 불안으로 적절한 도움을 받지 못하고 있는 실정"이라고 지적했다.

이러한 불안의 이면에는 정신과 진료기록 정보보호에 대한 사회적 불신이 있다고 연구팀은 해석했다. 또한 더욱 근본적으로는 정신질환에 대한 사회적 차별이 실재하기 때문에 두려움이 지속되고 있다고 진단했다. 그중에서도 가장 크게 드러나는 차별의 단면은, 일부 직업군의 자격기준 관련 법 조항에서 유지하고 있는 정신질환으로 인한 결격조항이다. 박 교수는 "정신질환을 가진 사람에 대한 취업 결격조항은 정신건강의 문제를 경험하는 많은 사람들이 적절한 때에 도움을 구하지 못하게 하는 커다란 장벽일 뿐이므로 폐지되는 것이 마땅하다" 고 강조했다.

코로나19의 장기화로 국민건강에 빨간불이 더욱 짙어졌다. 우울뿐 아니라 울화와 분노 같은 증상을 겪는 사람들이 늘어나고 있다. 이 같은 정신심리 증상을 방치하면 불안·공황장애로 더 나빠질 수 있다는 것이 전문가들의 지적이다. 빠른 상담과 진료가 악화를 막고 병을 치료하는 첩경이다. 편견이 큰 조현병이나 주의력결핍 과잉행동장애(ADHD) 같은 경우도 거의 마찬가지이다.[72]

63. "조기 위암, 80%가 무증상…위내시경 등 검사 중요"

암 치료의 확실한 방법 중 하나가 수술이다. 위암은 국내에서 발병률이 가장 높은 암으로, 최근 내시경 시술의 발달로 조기발견이 늘어나면서 초기암 치료 성적이 크게 높아졌다. 하지만 아직도 약 30%의 환자는 암이 림프절을 침범하거나(진행성) 다른 장기로 전이(병기 4기)된 상태에서 발견된다. 이런 경우 수술을 포함해 항암제 투여와 방사선 치료가 필요하다.

위암 수술치료의 세계적 권위자인 노성훈 연세대 의대 명예교수(강남세브란스병원 위장관외과 특임교수)는 18일 "조기 위암의

80%는 진단 시 증상이 없고 진행성 위암인 경우에도 약 20%에서 증상이 없어 위내시경 등 정기적인 건강검진을 받는 것이 중요하다" 면서 "요즘은 진행성 위암뿐 아니라 전이암의 경우에도 수술과 항암요법 등을 병용해 생존기간을 늘리거나 완치도 기대할 수 있다" 고 밝혔다. 전이성 위암이란 위에서 발생한 암이 신체의 다른 부위로 전이되는 것을 말한다. 흔한 전이 장소는 간, 복막, 원격 림프절, 폐, 뼈(척추 · 늑골 · 골반골), 난소 등이다.

노 교수에 따르면, 전이의 양상에 따라 치료법이 다르다. 간 또는 난소 같은 장기에 전이된 경우 전이된 장기를 위절제술과 함께 제거할 수도 있다. 하지만 위암이 다른 장기에 전이되면 여전히 수술이 불가능한 사례가 많다. 위암 4기의 경우 과거에는 항암제 치료만 하고 수술을 고려하지 않았다. 이 경우 환자들의 평균 생존기간은 1년 내외로 매우 불량하다. 하지만 항암치료제, 표적치료제, 면역치료제 등의 개발과 함께 수술 및 수술 후 관리도 발전함에 따라 최근에는 전환수술이 활발히 이뤄지고 있다.

"전환수술이란 수술이 불가능하다고 진단된 4기 위암환자에서 항암, 표적치료 등을 하여 전이암 병변을 없애거나 현격하게 줄여 수술이 가능한 상태로 만든 후 위암 병변과 주위 림프절, 필요한 경우 전이병소를 같이 제거하는 수술입니다. 이러한 전환수술을 통해 4기 위암 환자 중에 장기 생존 환자는 물론 완치를 기대할 수 있는 환자가 늘어나고 있습니다."

요즘은 복강경(로봇 복강경 포함)이 위암 수술에서 적응증을 점점 넓히고 있다. 하지만 노 교수는 "위암 수술에서 중요한 것은 수술 도중 암병변을 건드리거나 만지지 않아야 하고, 림프절을 깨뜨리거나 손상시키지 않고 제거하는 것" 이라면서 "복강경 수술은 조기 위암이나 임상병기가 낮은 진행성 위암환자에서 시행하는 것이 맞다" 고 지적했다. 특히 암이 위벽의 가장 바깥층인 장막까지 침범한 경우 이러한 원칙을 지키는 것이 복막 재발을 줄이고 생존율을 높이는 데 중요하다고 강조했다. 위암 수술의 예후(치료 경과 및 결과) 등을 결정하는 요소 중 중요한 것이 철저한 림프절 절제이다. 따라서 복강경 수술을 진행암에서 시행하는 것에 대해서는 많은 논란이 있다.

"개복 수술의 경우 암병변을 수건 같은 종류의 타월 등으로 감싸고 수술함으로써 암병변을 만지지 않고, 암세포가 복강 내로 떨어져 나오는 것을 막을 수 있지만 복강경 수술에서는 거의 불가능합니다. 또한 긴 기구와 모니터를 사용하는 복강경 수술은 개복수술에 비해 림프절에 자유롭게 접근하기 어렵고, 림프절이 크거나 여러 개의 림프절이 서로 엉켜 붙어 있는 경우 림프절을 손상시키지 않고 절제하기가 훨씬 어렵습니다."

노 교수는 1989년에 세계 최초로 위암수술에서 칼이나 가위 대신 전기소작기를 이용해 조직을 자르고 림프절 절제를 시행했다. 이 수술법은 수술 중 출혈을 최소로 줄이고 수술시야를 깨끗하게 유지하면서 수술을 할 수 있다. 수술시간이 현저하게 줄고 환자의 회복이 빨라 당시 2주 입원기간을 10일 이내로 단축했다. 1990년대 중반부터는 비장을 제거하지 않고 보존하면서 림프절을 절제하는 수술(비장보존 위전절제술)을 처음 시행했고, 이것이 상부 위암의 표준수술법이 되었다. 최근 몇 년 전부터는 4기 위암환자의 치료를 위해 항암치료로 '전이 병소를 치료한 후에 위 절제와 림프절 절제를 하는 전환수술' 을 활발하게 시행하고 있다.

연세암병원 병원장(2013~2019)으로 명성을 날린 노 교수는 1987년부터 32년간 세브란스병원에서 외과 교수로 복무했고, 2019년 2월 정년퇴임 후 그해 3월부터 강남세브란스병원에서 특임교수로 근무 중이다. 한 주에 6~7건의 개복 위암 수술을 담당한다. 그의 좌우명은 '환자에게 최선을 다하는 것' 이다.[73)]

64. 요실금, 비슷해 보여도 해결책은 다르다

요실금은 본인의 의지와 관계없이 소변이 배출되는 증상을 말한다. 출산 경험이 있는 국내 여성의 40% 이상은 정도는 다르지만 요실금 증상을 겪고 있는 것으로 알려져 있다. 인구의 고령화에 따라 여성뿐 아니라 남성에서도 요실금 환자가 늘어나는 추세이다.

성삼의료재단 미즈메디병원(이사장 노성일)이 최근 10년간(2011~2020) 요실금 환자 5812명의 연령대를 분석한 결과 50대가 32.5%로 가장 많았고 40대가 23.7%, 60대가 22.6% 순으로 나타났다. 주목할 점은 연령대별 증가 부분이다. 50대 이하의 경우 2011년도에는 전체 요실금 환자의 78.1%를 차지했지만 2020년에는 52.6%로 낮아졌다. 반면 60대 이상은 2011년에는 21.9%였으나 2020년에는 47.4%의 비율을 차지했다. 2018년에는 50대와 60대의 요실금 환자의 비율이 29.9%로 동일했고, 2019년에는 50대 26.3%와 60대 27.5%, 2020년에는 50대 25.5%와 60대 28.7%로 점점 60대 요실금 환자가 더 많아지는 추세이다.

요실금의 전체 환자 중 90% 이상이 복압성 요실금과 절박성 요실금에 속한다. 복압성 요실금은 기침을 하거나 웃을 때, 뛰거나 무거운 물건을 들 때 흔히 소변이 새어 나온다. 심하면 걷거나 살짝 자세만 바꿔도 소변을 참지 못하는 경우가 있다. 출산과 노화로 인해 소변이 새지 않도록 막아주는 골반근육과 요도 괄약근이 손상되고 약해진 것이 복압성 요실금의 주요 원인이다.

절박성 요실금은 방광의 신경이 불안정해지면서 소변이 마려울 때 느껴지는 요의가 느닷없이 찾아와 이를 참지 못하고 소변을 지리게 되는 경우를 말한다. 보통 40대 후반 50대 초반, 갱년기를 겪고 난 후에 많이 나타난다. 이 시기의 호르몬 변화와 신경 불안정이 주된 원인이다. 소변이 마려워 화장실에 가는 도중에 나와버린다거나, 일상생활이나 운동 등을 하다가 느닷없이 소변이 새어 나오는 경우가 절박성 요실금의 대표적인 현상이다.

복압성 요실금과 절박성 요실금은 원인이 다르기 때문에 치료 방법도 상당히 달라진다. 쉽게 표현하면, 복압성 요실금이 고장난 수도꼭지를 고치는 데 초점을 맞춘다면, 절박성 요실금은 상수도 펌프가 제대로 조절되도록 만드는 것이 목표다.

복압성 요실금은 골반 근육이 약화돼서 문제가 일어나는 것이기 때문에 이 근육을 강화하기 위한 노력이 필요하다. 가장 쉬운 방법이 골반근육 강화운동이다. 이를 '케겔운동'이라고 한다. 질과 항문을 오므리는 운동으로, 5초 정도 힘을 주었다가 빼는 식으로 30번 정도 반복하고 이렇게 하루에 2~3번 하면 효과적이다.

복압성 요실금이 심하거나 단기간에 치료 효과를 얻길 원한다면 약해진 요도괄약근 부위를 수술로 보강하는 방법도 있다. 절박성 요실금은 근육이 아닌 신경계와 연관이 있기 때문에 주로 약으로 치료한다. 방광의 배뇨근이 불안정하여 소변 저장을 제대로 못하는 것을 약으로 완화하는 방법이다. 소변이 충분히 저장될 수 있는 상태를 만들어 정상적인 배뇨가 이뤄지게 한다.

미즈메디병원 비뇨의학과 김종현 진료과장은 "복압성 환자에게 약물 치료를 하거나 절박성 환자에게 수술 방법을 쓸 경우 증상이 좋아지지 않는다"면서 "원인을 정확히 알고 치료하는 것이 중요하다"고 밝혔다. 70대 이상이 되면 복압성과 절박성 요실금이 함께 올 수도 있다. 이럴 때는 복합적인 치료를 받아야 한다. 비뇨의학과 김기영 주임과장은 "요실금을 노화현상으로 생각하고 숨기거나 우울해하는 것은 삶의 질에 별로 도움이 되지 못한다"면서 "환자 상태에 맞게 제때에 치료한다면 건강하고 즐거운 노년을 보낼 수 있다"고 말했다.[74]

65. 열사병 주의보!…몸은 뜨거운데 땀 안 나면 위험

폭염주의보가 발효된 가운데 열화상 카메라로 찍은 서울 청계천변 건물 앞 도로. 높은 온도는 붉은색으로, 낮은 온도는 푸른색으로 표시된다(이석우 기자).

일사병은 여름철 직사광선에 계속 노출되어 갑작스레 체온이 상승하는 온열질환으로, 체온은 40도 이내이며 땀이 계속 나온다. 열사병은 주로 밀폐된 고온다습한 환경에서 서서히 체온이 올라 40도가 넘어가는 온열질환인데, 몸은 뜨겁지만 땀이 잘 나지 않는 것이 특징이다. 일사병을 방치하면 열사병이 되기 쉽다.

코로나19 스트레스가 가중되고, 가만히 있어도 땀이 흐르고, 연일 폭염특보가 발령되는 공포의 여름이다. 폭염기 생존의 삼박자인 물, 그늘, 바람의 도움을 받으며 '은인자중 과유불급'의 생활 자세를 가질 때다.

30도 이상의 기온이나 직사광선에 계속 노출되면 몸에 서서히 열이 쌓이면서 정상체온 범위(약 35.5~37.5도)를 벗어나 체온이 38도 이상으로 상승한다. 이때 체온 조절기능이 작동한다. 우선 땀이 난다. 또한 피부 말초혈관에까지 혈액을 보내 뜨거워진 피부를 식히기 위해 심장이 강하게 빨리 뛴다.

건강한 성인은 기온이 체온을 넘어서는 37도나 38도 이상이 돼도 땀을 흘리는 등 체온 방어기능이 정상 작동되기 때문에 큰 무리를 하지만 않는다면 괜찮다. 그러나 고혈압, 심장병, 당뇨병, 신장병 등 만성질환이 있거나 과로를 했거나, 잠을 제대로 못 잤거나, 술을 많이 마셨거나, 특정 약물을 복용했거나 하면 체온중추 기능에 문제가 생겨 오작동을 일으킬 수 있다. 특히 체온조절 기능이 미숙한 어린이나 체온조절 기능이 크게 떨어져 있는 노약자는 기본적으로 정상 성인의 60~70%밖에 체온중추의 방어기능이 작용하지 않으므로 더 조심할 필요가 있다.

여러 온열질환 중에서 가장 위험한 것이 열사병이다. 과도한 고온 환경에 장시간 노출되거나 더운 환경에서 운동이나 작업을 시행하면서 신체의 열 발산이 원활히 이뤄지지 않아 발생하는 응급질환이다. 바람이 불지 않는 고온다습한 실내에서도 열사병을 주의해야 한다. 특히 몸은 뜨거운데 땀이 나지 않으면 열사병으로 진행하기 쉽다. 이어 39~40도 이상의 고열이나 의식장애 등의 증상이 나타날 경우 빨리 가까운 병원이나 응급실로 가야 한다.

서울아산병원 심장내과 김대희 교수는 "고온에 장시간 노출되면서 땀을 많이 흘리면 심장병환자뿐 아니라 정상인들도 맥박이 빨라지거나 불규칙해지는 부정맥이 발생할 수 있다" 면서 주의를 당부했다. 아침은 심장에 가장 큰 부담을 줄 수 있는 시간대이기 때문에 가급적 저녁 시간을 이용해 적절한 운동을 하는 것이 지속적인 심장건강을 위해 필요하다.

가톨릭대 인천성모병원 가정의학과 서민석 교수는 "평소 고혈압·당뇨병·뇌졸중·협심증·동맥경화 같은 심뇌혈관 질환을 앓고 있는 경우 더위 자체가 건강의 큰 위협 요인이 될 수 있다" 면서 "외부 활동을 하다가 심장이 심하게 쿵쾅거리거나 어지럼증·

무력감을 느꼈다면 바로 활동을 멈추고 그늘이나 시원한 곳에서 10~20분 정도 휴식을 취하면서 수분을 섭취하라” 고 권고했다.

고려대구로병원 가정의학과 김선미 교수는 “열사병은 체온조절 중추 자체가 기능을 상실한 것으로, 40도 이상 체온이 올라가는데도 땀을 흘리지 못하고 얼굴이 창백해지면서 의식장애, 쇼크 등 혼수상태에 빠지기 쉽다” 면서 “응급처치가 늦어지면 고열로 인해 세포가 파괴되고 뇌와 간, 심장, 신장 등 직접적으로 장기를 손상시키고 심지어 사망에 이를 수 있기 때문에 무엇보다 빠른 대처가 필요하다” 고 강조했다.

열사병 환자가 스스로 대처할 능력이 없으면 주변에서 적극 도와준다. 우선 119에 신고한 뒤에 체온을 떨어뜨리기 위해 환자가 입고 있는 옷을 벗기고 서늘한 곳으로 이동시킨다. 젖은 수건 등으로 환자의 몸을 감싸고 찬물을 그 위에 뿌려준다. 의료기관에서는 얼음물에 환자를 담그거나 냉각팬, 냉각 담요 등을 사용해 체온을 급히 떨어뜨리기도 한다.[75]

66. 임신 중 자궁근종

자궁근종은 양성 종양으로 가임기 여성 약 30%에서 나타난다고 알려져 있다. 나이가 들수록 많아지고, 임산부 약 10%에서 발견된다.

임신 중 합병증은 초기 자연유산, 조기분만 진통, 태반조기박리 등이 있다. 초음파 추적검사 결과 임신 기간 동안 절반에서 근종 크기에 변화가 없지만, 부피는 평균 10%가량 증가한다. 분만 4주 후 근종은 임신 전 크기로 감소한다.

통증은 빈번한 증상으로 보통은 크기 증가와 관련이 있고, 이곳으로 혈액을 공급하는 혈관이 비틀리거나 부분적으로 막히면서 생길 수 있으며, 또한 근종 적색 변성으로 조직이 변하면서 생길 수 있다. 수액 및 진통제로 치료하고 수술할 필요는 없으며 대개 수일 이내 사라진다. 일반적으로 근종은 태아 성장에는 영향을 주지 않지만 여러 개가 있을 때 조기분만 진통과 태아위치 이상이 있을 수 있다.

분만 방법은 출산 전 위치, 크기, 개수 등을 고려하여 결정하여야 한다. 단순히 근종 때문에 제왕절개 적응증이 되지는 않는다. 하지만 근종이 여러 개인 경우, 크기가 큰 경우, 자궁 아래쪽에 있어 산도를 막고 있는 경우에는 수술해서 분만하여야 한다.

근종이 태반 근처에 있을 때 분만 후 자궁이완증으로 출혈이 많아질 수 있으니 주의하여야 한다. 임신 전 근종 수술 후 임신할 때 자궁 파열이 드물게 일어날 수 있기 때문에 세심한 감시가 필요하다. 제왕절개 시 근종절제술은 출혈 위험으로 일반적으로 추천되지 않지만 위치에 따라 조심스럽게 고려할 수 있다.[76]

67. '콜레스테롤', 제대로 관리하라

혈관 속 콜레스테롤 수치가 정상 범위를 벗어난 이상고지혈증도 심뇌혈관질환을 일으키는 주원인 중 하나이기 때문에 정부가 더욱 적극적으로 관리해야 한다.

추석은 유독 기름진 음식을 많이 먹어 건강에 적신호가 켜지는 시기다. 신종 코로나바이러스 감염증(코로나19)으로 외부 활동보다는 집에 머무르는 시간이 길어지고 배달음식 이용이 크게 증가해 비만도 많아졌다.

매년 9월 초 한국지질·동맥경화학회가 '콜레스테롤의 날'을 지정한 것도 명절 연휴와 무관하지 않다. 일반인에게는 '콜레스테롤'이 더 친숙하지만 사실 전문가들은 '이상지질혈증'이라는 용어를 더 많이 사용한다.

이상지질혈증은 혈중 내의 지질(콜레스테롤) 수치가 정상을 벗어난 상태다. 고지혈증, 고콜레스테롤혈증, 고중성지방혈증 등을 모두 포함하는 질환이다. 2018년 우리나라에서 이상지질혈증을 진단받은 20세 이상의 성인은 1155만 명에 이른다. 2002년 이후 약 7.7배나 폭증했다.

이상지질혈증은 고혈압, 당뇨병, 흡연과 함께 한국인의 심혈관질환 발생에 가장 큰 영향을 끼치는 4대 위험인자다. 특히 2014년 27만 명을 대상으로 실시된 국내 대규모 코호트 연구에서 이상지질혈증은 당뇨병보다도 심혈관질환 발생 영향이 컸다. 이는 이상지질혈증이 고혈압·당뇨병만큼 질환 관리에 있어 동등하게 취급돼야 함을 의미한다.

이상지질혈증의 적극적인 관리가 중요한 또 하나의 이유는 서구화된 식습관과 높은 비만율로 젊은 이상지질혈증 환자 수가 급증해서다. 국내 자료에 따르면 20대 인구 5명 중 1명(18.9%)은 이상지질혈증 환자다. 특히 남성의 경우 26.6%가 이미 20대 때부터 지질 관리가 필요한 상태다.

사람의 얼굴로 나이를 가늠 할 수 있는 이유는 바로 세포의 노화로 인한 피부탄력성 저하와 그로 인한 주름, 그리고 자외선 등 외부 손상 으로 인한 변색과 기미, 잡티, 검버섯 등 이다. 따라서 최근 시술이나 수술과 같은...

김대중 한국지질·동맥경화학회 기획이사(아주대 의대)는 "이상

지질혈증과 고혈압, 당뇨병은 서로가 서로를 부르는 연쇄질환" 이라며, "젊은 이상지질혈증 환자들이 일찍부터 지질 관리에 나서지 않으면 상당수는 40, 50대에 이르러 결국 고혈압과 당뇨병을 동반해 중증심뇌혈관질환에 걸릴 위험이 최대 7배까지 증가한다" 고 경고했다.

이에 지난해 4월 정부는 '심뇌혈관질환법' 을 개정했다. 이상지질혈증의 예방부터 치료까지 국가 차원의 계획과 사업 추진의 근거를 마련했다는 평가를 받았다. 그런데 법정질환으로 승격된 지 1년 5개월이 지난 현재에도 이상지질혈증 중점 관리를 위한 적절한 후속 대책이나 정부의 반영 계획은 전무하다.

향후 10년간 우리나라 만성질환 예방관리 정책의 토대를 제공할 제5차 국민건강증진종합계획이 1월에 발표됐지만, 이전 4차 계획과 비교해 이상지질혈증 관리계획과 성과지표상 개선사항은 없었다.

동네의원을 중심으로 환자들에게 만성질환 관리 서비스를 제공하는 '일차의료 만성질환관리 시범사업' 도 고혈압 또는 당뇨병으로 진단되어야 이상지질혈증 관리가 가능하다. 즉 고혈압과 당뇨병은 없지만 일찍부터 지질 관리에 나서야 하는 젊은 이상지질혈증 환자들에 대한 관리가 없다는 이야기다.

여기에 더해, 현장 전문가들은 환자 발굴을 위한 국가검진 시스템에도 문제가 있다고 비판한다. 2018년 국가건강검진 사업에서 이상지질혈증에 대한 검사 주기가 기존 2년에서 4년으로 연장됐기 때문이다.

비용 효과성 검토에 기반한 정책 개편이 의도치 않게 일선 진료 현장에서의 부작용과 혼란을 지속시키고 있다는 지적이 나온다. 또 전문가들은 지금까지 이상지질혈증이 여러 정부 정책 및 사업 계획에서 다뤄지지 않거나 고혈압·당뇨병의 합병증 정도로만 취급됐다고 한다. 즉 혈압·혈당·지질을 모두 관리하는 통합관리 정책으로 나아가야 한다는 것이다. 이를 위해서는 전문 학회들과 개원의 단체, 그리고 정부가 상호 협력하여 검진부터 환자 관리, 국민 인식 개선 등 폭넓은 영역을 아우르는 개선 방안을 논의해야 된다.

관련 학회에서는 이상지질혈증 국가검진 주기의 복원(2년) 및 여성 검사 시작 연령(40세) 재검토, 2030세대를 포함해 이상지질혈증 단독 보유 환자를 위한 관리 모형 개발, 고혈압·당뇨병·이상지질혈증 복합질환자에 대한 지질 관리 및 교육 강화, 대국민 교육 및 홍보 사업을 위한 제도적 지원 등을 지속적으로 요구해 오고 있다. 고지혈증이 있는 기자도 당뇨병과 고혈압처럼 국가가 제대로 관리해 주길 바랄 뿐이다.[77]

68. 찬바람 부는 아침, 심장 놀라게 하지 마라

코로나19로 운동을 제대로 못해 뱃살이 나오고 근육이 약해진 사람들이 적지 않다. 계단을 오르내리거나 조금만 뛰어도 맥박이 급격히 빨라지고 숨이 턱까지 찬다면 심폐기능이 크게 떨어졌다는 증거이다.

바야흐로 아침저녁으로 기온이 15도 이하로 떨어지고 바람이 쌀쌀하다. 전문의들은 "요즘 같은 환절기에 신체기능 저하 상태에서 갑자기 심하게 운동을 하면 협심증이나 심근경색, 부정맥 등이 발생하고, 자칫 심장돌연사를 당할 확률도 높아진다"며 주의를 당부한다.

심장 근육이 활발히 움직이기 위해서는 혈액공급을 받아야 하는데, 이 혈액 공급을 담당하는 혈관이 심장의 관상동맥이다. 신체가 활동을 별로 하지 않을 때에는 심장 또한 적당히 펌프질을 하므로 관상동맥의 일부가 좁아져 있더라도 피가 그런대로 흘러 대개 별다른 증상이 생기지 않는다. 관상동맥은 3개가 있는데, 3개가 다 막히기 전까지 무증상으로 지내는 사람들도 있다. 하지만 운동을 심하게 하거나 갑자기 흥분하게 되면 심장펌프 기능이 왕성해지면서 심장근육에 많은 양의 산소가 필요해진다. 좁아진 관상동맥에서 공급되는 혈액양으로는 산소가 부족해지기 쉽다. 이로 인해 심장 오른쪽 옆 가슴(가슴의 왼쪽과 중앙부위)이 옥죄는 듯한 통증이 생기는데, 다름 아닌 협심증이다. 여기서 더 나아가 관상동맥이 완전히 막히는 것이 급성심근경색증이다. 관상동맥이 좁아진 상태에서 혈전이라고 불리는 피떡에 의해 완전히 막히는 것으로, 심한 운동 중에 생기는 경우가 많다. 숨을 제대로 못 쉬고 가슴을 움켜쥐고 쓰러질 정도로 극심한 통증이 발생한다.

서울아산병원 심장내과 박덕우 교수는 “급성심근경색증 환자의 약 50%는 평소 건강에 이상을 못 느끼던 사람들이며 나머지 50% 정도는 협심증의 증상을 가지고 있던 환자들”이라며 “며칠 전 시행한 운동부하검사 등에서 이상이 없다는 판정을 받았음에도 불구하고 급성심근경색증으로 응급실로 내원하는 경우도 있다”고 밝혔다. 갑작스러운 심장돌연사는 거의 예고가 없으므로 “나는 건강하니 괜찮다”고 방심해서는 안 된다는 얘기다.

일교차가 큰 환절기에는 이러한 심혈관질환 환자가 급증한다. 우리 몸이 차가운 날씨에 노출되면서 혈관이 수축하기 때문이다. 혈관이 수축하면 혈관 안을 흐르고 있는 혈액의 압력, 즉 혈압이 갑자기 올라가게 되고 이로 인해 심장박동이 빨라지는 등 심혈관계 부담이 커진다. 또한 차가운 공기에 노출되면 교감신경계의 활동이 늘어난다. 교감신경의 활성화로 인해 말초동맥들이 수축되고 혈관 저항이 상승하면서 혈압이 오르게 된다. 이에 따라 심장의 부담이 커지고 피떡이 떨어져나가 심혈관이 막힐 확률도 높아진다. 박 교수는 "동맥경화증, 고지혈증, 고혈압, 당뇨병, 비만, 심혈관질환 등이 있거나 가족력이 있는 사람이라면 환절기에 더 많은 주의가 필요하다" 고 강조했다.

기상청 예보에 따르면 이번 주말부터 기온이 크게 떨어져 다음주에는 아침 기온이 5~10도 이하에 머물 것으로 전망된다. 아침 운동에 특별히 조심해야 한다. 박 교수는 "특히 새벽 찬바람에 노출될 경우 혈압이 순간적으로 상승하므로 몸을 잘 보온하라" 고 당부했다. 목이나 머리 부위의 보온이 무엇보다 중요하다. 밖에 나가기 전에 집 안에서 몸을 움직여 체온을 올려주는 것이 좋다. 충분한 수면을 취하고 과로를 피하는 것도 기본 수칙이다.

과한 운동, 과로, 과음 등 다양한 이유로 심장에 무리가 생기면 심장 박동이 바르르 떨리거나 불규칙해지는 부정맥이 발생할 위험 또한 높아진다. 운동을 제대로 하지 않아 심폐기능이 크게 떨어진 사람들은 심장의 부하가 과도하게 걸리면 부정맥 위험성이 몇 배로 커진다. 환절기 심장 건강과 운동의 첫째 키워드는 '은인자중' 이다.78)

69. 'C형간염 국가검진' 논의 6년째 제자리걸음

국내 3대 만성간질환(간염, 간경변증, 간암)의 주원인은 과도한 음주와 B형·C형 간염 바이러스이다. 국내 성인 가운데 약 150만명은 만성 B형간염으로 추산되며, 대부분 출생 직후 감염되어 40대 이후 간경화

(간경변증)·간암 발병 위험이 높아진다. 또한 국내 만성 C형간염 환자도 20만명 이상으로 추정되고 있다. B형간염은 백신으로 예방이 가능하며, C형간염은 항바이러스제로 완치할 수 있다.

제22회 간의날(10월20일)을 맞아 한국간재단(이사장 서동진)과 대한간학회(이사장 이한주)가 지난 20일 마련한 온·오프라인 토론회에서 국내 음주 폐해 예방 사업의 현황과 국내 C형간염 조기 발견 시범사업 및 비용·효과 분석 등에 대한 발표가 있었다.

보건복지부와 학회가 2020년 1964년생을 대상으로 진행한 C형간염 조기 발견 시범사업의 결과 및 비용·효과 분석에 따르면, 2020년 9월과 10월 두 달간 검진에 참여한 10만4918명 중 792명(0.75%)에서 C형간염 항체 양성이 확인되었다. 양성자 중 60% 이상은 과거에 C형간염 검사를 받아 본 적이 없는 사람이었고, 70% 이상은 과거에 진단받은 적이 없던 C형간염을 처음 진단받은 사람이었다. 이 같은 내용을 발표한 순천향대 의대 장영 교수는 "비용·효과 분석에서 모든 대상자를 1회 검진하는 스크린 올(Screen-all) 전략이 검진을 시행하지 않는 전략(No screening)에 비해 점증적 비용효과비(ICER)가 816만원으로, 임계값인 3583만원보다 훨씬 적어 비용효과적으로 나타났다" 고 분석했다.

정부와 학계는 2030년까지 C형간염 퇴치를 목표로 삼고 있다. 서동진 이사장은 "이번 결과를 발판 삼아 국가적 검진시스템을 갖춰 C형간염의 진단율과 치료율을 2030년까지 90% 이상으로 높이길 기대한다" 고 밝혔다. 하지만 C형간염 국가검진 논의는 6년째 거의 제자리걸음 수준이다. 2016년부터 정부가 수차례 시범사업을 반복하고 재논의를 하느라 시간을 허비한 것이다. 학회 관계자는 "정부와 보건복지부는 유병률과 비용효과성 등의 근거 부족을 이유로 6년째 국가건강검진 항목 도입 검토를 위한 공식 기구인 국가건강검진위원회에 상정조차 하지 않았다" 고 지적했다.

정부는 C형간염과 관련해 10여년 전 수립된 국가검진 항목 원칙을 고수하고 있다. 유병률 5% 이상의 질병에 해당돼야 한다는 것이 그 하나이다. 이는 C형간염 퇴치를 촉구하는 세계보건기구(WHO)의 최신 가이드라인 등을 종합적으로 고려할 때 시대적인 흐름에 맞지 않다는 지적이 크다. 미국, 일본, 대만, 독일, 이집트 등은 C형간염을 무료로 검사해주거나 독려하고, 치료를 진행 중이다.

이날 한국건강증진개발원 음주폐해예방팀 나세연 팀장은 "코로나19 발생 후 국민의 음주 빈도, 음주량이 감소했다가 코로나19가 장기화되면서 다시 증가하는 추세" 라며 "특히 혼술·홈술 증가, 저도주 소비 증가와 같은 음주 행태의 변화를 보이며 알코올 의존도가 높아질 위험이 있어 주의가 필요하다" 고 지적했다. 나 팀장은 "코로나19 이후 알코올로 인한 질환 유병률 추이에 대한 모니터링이 필요하며, 알코올의 건강 폐해에 대한 대대적인 국민 인식 확산 활동이 필요하다" 고 강조했다.

간학회 장재영 정책이사(순천향대 의대 교수)는 "2013년 처음 나온 '한국인 간질환 백서' 의 개정판을 발간했다" 면서 "급성 및 만성 간염, 알코올 관련 간질환, 지방간, 간경변증, 간암 및 간이식 등 간질환과 관련된 최신 내용을 담아 폭넓게 개정되었다" 고 밝혔다. 이한주 이사장(울산대 의대 교수)은 "이번에 개정된 백서는 국내 의학자와 의료인들이 간질환 극복을 위해 우리 사회에 던지는 동참의 메시지" 라며 "향후 국가적 간질환 관리정책의 지침이 되길 희망한다" 고 말했다.[79)]

70. 무릎에서 한번 물을 빼면 계속 빼야한다는데 사실일까

무릎 관절에서 물이 차는 경험은 어느 정도 연령대가 되면 흔히 겪는 일이다. 많이들 겪는 일이기 때문에 무릎에 물이 찼다고 하면 주변에서 대처방법을 전수해주는 이웃이나 가족들도 많을 것이다. 아마도 물 찼다고 뽑으면 안 된다거나 한번 뽑으면 계속 뽑아야 한다는 등의 말도 많이 들어보았을 것이다. 하지만 이는 사실이 아니다.

무릎 관절에서 물, 다시 말해 액체가 차는 원인은 외상부터 감염, 종양까지 여러 가지가 있다. 그중 가장 흔하게 접하는 것은 퇴행성 무릎 관절염 혹은 활액막염으로 인해 무릎에 삼출액이 차는 것이다. 퇴행성 무릎 관절염의 경우 주로 과사용에 의해 발생하는데 수십 년간의 사용이 쌓여서 중년이나 고령에 주로 나타나지만 사용량에 따라서는 십대나 이십대의 이른 나이에도 발생하는 경우가 있다. 이러한 여러 가지 이유로 관절 내에 염증이 발생하면 염증에 의해 내부에 삼출액이 고이게 된다.

정상적으로도 관절 안에는 활액, 혹은 관절액이라고 부르는 액체가 들어있다. 이것은 단백질 등 여러 가지 물질이 섞여있는 액체인데 히알루론산이라는 물질이 포함돼 점성을 띤다. 이 점성 덕분에 활액은 충격을 흡수하고 마찰을 감소시키는 윤활제 역할을 한다. 다른 관절에서도 중요하지만 체중을 지탱하는 무릎 관절에서 특히 중요할 것이다. 필자의 경우 진료 시 자동차에 비유하여 엔진오일과 같은 역할을 한다고 설명하곤 한다. 그런데 이 활액에 삼출액이 섞이게 되면 희석되고 히알루론산이 분해되면서 점성이 낮아지게 된다. 엔진오일에 물이 섞인 것이다. 점성이 낮아지면 당연히 윤활제의 역할을 제대로 하지 못하게 되어 관절의 손상을 가속화시키게 된다. 손상이 더 심해지면 더 많은 삼출액이 생성되어 활액이 더 희석되는 악순환이 나타나는 것이다. 이러한 과정을 반복하다보면 관절 내의 액체가 너무 많아져 압력에 의한 손상까지 나타나게 되고, 관절낭 자체가 늘어지고 커져 정상적인 양의 활액으로는 충분한 윤활작용을 하지 못하게 될 것이다. 따라서 이러한 과정이 발생하기 전에 과도한 양의 활액을 뽑아내고 희석된 활액에 히알루론산을 보충해주어 점도를 회복시키는 것은 생각해보면 당연한 치료법이다.

그런데 주변에서 흔히 들었던 말들, 한번 뽑으면 계속 뽑아야 한다는 그 말이 생각나 물을 뽑기를 주저하는 분들이 많다. 괜히 생긴 말은 아니다. 실제 한번 뽑기 시작한 사람들은 계속 뽑는 것을 경험하고 목격했기에 생긴 말이다.

하지만 이는 당연한 일이다. 뽑았기 때문에 계속 물이 차는 것이 아니라, 물이 찰 정도로 상태가 나빠졌기 때문에 애초에 물이 찬 것이고, 그 정도로 상태가 나쁘기 때문에 자꾸 물이 차는 것이다. 어차피 자꾸 뽑을 것이니 안 뽑으면 어떨까? 위에서 설명한 악순환이 가속화돼 무릎은 훨씬 빨리 망가지게 된다. 자동차에 비유하자면 엔진 오일에 물이 잔뜩 섞였는데 그거 한번 갈기 시작하면 계속 갈아야 하고 어차피 나중에 또 갈 거 안 갈겠다는 말과 같다. 그 결과 엔진은 오일을 계속 갈았을 때보다 훨씬 빨리 망가지게 될 것이다. 간혹 물이 너무 반복적으로 차서 그냥 안 뽑겠다는 분들도 있는데 이 경우는 어차피 계속 차니 그냥 방치하는 것이 아니라 수술적 치료를 고려하는 것이 의학적 판단이다.

자동차에 비유하면 이해가 빠를듯해 항상 자동차에 비유하곤 하는데 생각해보면 새 차 사서 1~2년 만에 오일을 갈아야 하는 자동차에 비하면 우리 무릎은 사실 자동차보다 훨씬 성능이 좋다. 일반적으로 수십 년은 별 문제없이 사용하고 나서 위에 기술된 문제들이 발생한다. 수십 년간 문제없었는데 갑자기 왜 이러냐고 놀랄 일은 아닌 것이다. 수

십 년 노고 끝에 물이 찬 무릎, 또 빼도 괜찮으니 물이 너무 찼으면 주저 말고 뽑자.[80]

71. 암(癌) 그리고 앎

암(癌, cancer), 악성 종양(惡性腫瘍, malignant tumor) 또는 악성 신생물(惡性新生物, malignant neoplasm)이란 세포가 사멸 주기를 무시하고 비정상적으로 증식하여 인체의 기능을 망가뜨리는 질병을 말한다.

비정상 세포의 제어되지 않은 성장과 분열이 원인이므로 어떤 생체 조직에서든 발병할 수 있으며, 암세포는 혈액이나 림프액을 통해 신체의 다른 기관으로 이동할 수 있으며, 이를 전이(轉移, metastasis)라고 한다.

암 혹은 암환자라고 하면 가장 먼저 떠오르는 것이 무엇일까? 암을 치료하는 종양학을 전공한 의사로서 일반인 혹은 우리 사회가 암과 암환자에게서 느끼는 다양한 의미가 있다는 사실은 매우 흥미롭다. 의사로서 또 과학자로서 나는 암을 바라본다. 암은 병적인 상태이고, 따라서 없애거나 줄어들게 해야 할 존재다. 그러나 이런 전문가의 영역을 떠나면 암은 단순한 질병의 개념을 넘어서게 된다. 다양한 사회적, 문화적 그리고 심리적 요소가 암의 의미에 투영된다.

가. 암 단순한 병을 넘어서는 수많은 상징과 은유

미국의 지성이며 문필가인 수전 손택은 실제로 자신이 유방암을 앓고 난 후 명저 '은유로서의 질병' 을 쓰게 된다. 그녀는 이 책에서 암이 가지는 부정적 이미지가 얼마나 환자들을 괴롭히고, 더 나아가 제대로 된 치료를 힘들게 하는지 예리하게 서술한다. 암은 욕망을 억제하지 못하는 개인에게 잘 발생하고, 주로 부끄러운 부위에 발생하는 병이라는 전통적인 오해는 떳떳하지 못함과 개인 책임, 더 나아가 저주의 이미지를 덧씌웠다. 소위 그녀가 개탄하고 있는 '질병에 도덕적 의미를 부여하는 가혹함' 이 있다는 것이다. 물론 수전 손택이 암치료를 한 70년대 후반의 의료 환경이 지금과는 다르지만, 암을 바라보는 과거와 현재의 부정적 인식이 얼마나 닮아 있는지 저자의 깊이 있는 통찰이 그저 놀라울 뿐이다.

나. 암치료가 발전해도 여전히 남아 있은 암의 상투적인 은유

나는 지난 글에서도 암환자가 암이라는 진단과 더불어 느끼는 감정 중에 암을 자신의 탓으로 돌리는 죄책감이 꽤 흔하다는 이야기를 한 적이 있다. 암 진단시 '암 선고를 받았다' 라는 표현이 있듯이 아직도 우리에게 암이라는 병의 형벌적 의미가 남아있다.

이런 암에 대한 은유는 텔레비전의 드라마에서도 비슷하다. 나쁜 짓을 일삼던 악역의 불행한 결말에 '갑작스러운 암' 이라는 전개가 흔하게 이용된다. 또 극적인 죽음과 절망의 순간에도 주인공의 암진단이 등장하기도 한다. 여전히 드라마에서의 암은 위중하고 생명을 위협하는 병이고, 인과응보의 죗값으로 간주되는 것 같다.

하지만 불치, 절망이라는 암의 은유와는 달리 현실은 꽤 희망적이다. 최근의 암환자 통계에 의하면 완치의 개념으로 생각되는 5년 생존율은 70%를 넘어, 10명의 암환자 중 7명이 암진단 후 5년 이상 생존하고, 우리 주변에 암유병자는 약 215만 명이나 된다. 국민 25명 중 한 명이 암으로 치료 중이거나 치료를 끝낸 사람이라는 뜻이다.

암환자를 이제는 보다 순화된 표현인 '암경험자' 라고 부르기도 한다. 또 치료가 끝난 암경험자를 부르는 '암생존자' 라는 말도 흔히 들을 수 있다. 이렇듯 암과 관련된 용어에서도 의학적, 사회 문화적인 변화를 많이 느낄 수 있다. 부정적인 암의 은유는 의학 발전과 더불어 어느 정도 희석돼 가는 것 같다.

다. 암은 나았지만 갈 곳이 없다

암환자가 증가했다는 것은 치료를 끝내고 가정과 사회로 복귀해야 할 암경험자가 많아졌다는 의미이기도 하다. 치료과정 보다 더 힘든 제자리 찾기의 어려움을 이야기하기도 한다. 암치료를 위해 잠시 자리를 떠난 것 같은데 다시 돌아오니 예전과 다른 대우를 받는 것 같고 동료와 가족 구성원으로서 동질감보다는 보일 듯 말 듯한 차별이 느껴진다는 것이다. 이제는 어떻게 그들을 바라보고 받아들여야 할지 진지하게 고민해야 할 때다. 경제력으로 우린 이미 선진국이라고 하지만 이런 세심한 차이를 해결하는 방법에서 우리 사회의 질적 성숙도를 가늠할 수 있다. 또 우리가 암경험자의 재활과 복귀를 방해하는 암의 은유를 만들고 있지 않은지 생각해 봐야 한다. 그것은 가끔 배려 혹은 선의라는 이름으로 포장되기도 한다.

암환자 치료의 진정한 종결은 만족할 만한 사회복귀일 것이다. 암환자를 둘러싼 전통적인 은유는 대부분 부정적이고, 나름의 역사를 갖고 있다. 소개한 수전 손택의 저서는 이런 부분에서 항상 인용되는 고전이다. 이제 암환자의 치료와 더불어 재활과 복귀에도 신경을 써야 할 시기다.[81]

72. 수술 잘하는 의사의 조건

외과 의사들끼리는 종종 "저 의사는 수술 잘한다" 혹은 "저 의사는 수술 잘 못한다"는 말을 한다. 수술을 주로 해야 하는 외과 의사 입장에서 수술을 잘 못 한다는 것은 치명적이다. 그래서 외과 의사라면 누구나 수술을 잘하기 위해 열심히 노력한다.

물론 나이가 들면 아무래도 체력이 젊었을 때보다는 떨어지기 때문에 수술을 많이 하기도 힘들고 장시간 동안 해야 하는 수술이 부담스러워지는 것이 당연하다. 그래서 나이가 들어도 수술을 잘할 수 있도록 꾸준히 체력 관리를 하는 외과 의사들이 많다.

수술을 잘한다는 것은 무엇을 의미할까? 수술을 빨리 끝내면 잘하는 의사일까? 사실 수술 시간이 길어지면 그만큼 환자가 마취에 노출되는 시간이 길어지기 때문에 환자에게 좋지 않다. 이뿐만 아니라 비록 수술실이 무균실이라고 해도 공기 중에 환부가 오래 노출되면 감염 위험성이 커지는 것도 사실이다. 이런 이유로 수술 잘하는 의사가 되려면 가능한 한 빠른 시간 안에 수술을 끝내는 것이 중요하다.

하지만 수술을 빨리 끝내는 것만으로는 부족하다. 예를 들어 인공관절 수술을 할 때 어떤 외과 의사는 1시간 안에 끝내는데 다른 외과 의사는 서너 시간이 걸릴 수도 있다. 의사의 성향과 수술 방식의 차이 때문이다. 수술할 때 출혈을 최소화하기 위해 지혈을 꼼꼼하게 하는 의사는 시간이 많이 걸릴 수 있고 큰 혈관만 신경 쓰고 작은 혈관은 무시하면서 수술하는 의사는 시간이 덜 걸린다. 수술하는 과정에서 결정을 해야 할 때 빠르게 하는 의사가 있는가 하면 신중하게 여러 경우의 수를 고려한 후 결정하는 의사도 있다. 이처럼 여러 조건에 의해 수술 시간이 달라지므로 수술 잘하는 의사가 되려면 빨리 끝내는 것

외에 다른 조건도 갖춰야 한다.

환자는 크게 수술을 꼭 해야 하는 환자, 수술하지 않아도 되는 환자, 수술을 꼭 해야 하는 것은 아니지만 안심하고 안 할 수도 없는 경계선에 있는 환자 세 부류이다. 꼭 수술해야 하는 환자와 안 해도 되는 환자는 크게 고민할 것이 없다.

문제는 경계선에 있는 환자들이다. 경계선에 있을 경우 어떤 의사는 수술을 하고 또 다른 의사는 가능한 한 수술을 하지 않으려고 한다. 흔히 전자를 '공격적', 후자를 '보수적, 수동적'이라고 표현한다. 환자의 상태와 의사 개인의 성향 등 여러 조건에 따라 결론을 달리 내릴 수 있기 때문에 정답은 없다.

다만 너무 공격적으로 수술을 하는 것도, 반대로 너무 지나치게 보수적으로 수술을 안 하려 하는 것도 바람직하지는 않다. 공격적으로 수술을 했는데 결과가 좋지 않거나 반대로 보수적으로 수술을 하지 않았는데 결과적으로 환자가 더 악화했다면 둘 다 훌륭한 외과 의사가 되기 어렵다.

환자의 성격이나 상태도 충분히 고려해야 한다. 의사 관점에서는 수술을 하는 것이 환자에게 좋다는 판단이 서도 환자가 수술을 극구 거부하거나 부정적으로 생각한다면 존중할 필요가 있다. 환자가 충분히 공감하고 동의하지 않은 상태에서 수술을 강행하면 환자가 불만을 계속 호소할 수 있기 때문이다.

결국 수술 잘하는 의사는 수술 전 최적의 치료 방법을 잘 판단하는 의사라 해도 과언이 아니다. 환자의 상태·성향 등 여러 가지 상황을 종합해 환자에게 가장 도움이 되는 치료법을 선택할 수 있어야 수술 잘하는 의사가 될 수 있다. 또한 수술 후 발생할 수 있는 부작용, 예를 들어 인공관절 수술 후 다리가 붓는다든지 열감이 있거나 열이 나거나 할 때 얼마나 잘 대처하는지도 중요한 기준이 된다.

예전에는 크게 절개하고 수술하는 의사를 빅 서전 혹은 큰 의사, 위대한 의사라고 표현할 때도 있었다. 하지만 지금은 가능한 한 절개 범위를 최소화할 수 있는 의사가 수술 잘하는 의사로 인정받는다. 작게 쨀수록 수술 부작용도 줄어들고 회복 속도도 빨라져 그만큼 환자에게 좋기 때문에 절개 부위가 작을수록 잘하는 의사라는 데는 대부분 이견이 없다.[82]

73. 단백질 신화의 그늘

우리 사회에는 단백질에 대한 신화가 많이 존재한다. 단백질은 매우 중요한 영양소이고, 부족하면 많은 문제가 생기기 때문에 충분히 섭취하여야 하며, 이러한 이유로 고기를 충분히 먹어야 한다고 생각한다. 그래서 고기를 안 먹는 채식주의자를 만나면, 단백질은 어떻게 하느냐고 걱정까지 해 준다.

단백질은 중요한 영양소인 만큼 많이 먹을수록 좋다고 생각하여 의식적으로 단백질이 많이 들어있는 음식을 많이 먹으려 하고, 그것도 부족하여 언제부터인가 단백질 보충제의 소비도 늘고 있다. 인터넷 검색창에서 '단백질'을 타이핑하면 바로 '단백질 보충제'라는 두 단어가 맨 윗자리에 나타날 만큼 단백질 보충제를 팔려는 마케팅 노력도 적극적인 세상이 되었다.

단백질 신화의 많은 부분은 맞다. 단백질은 탄수화물, 지방과 함께 에너지원으로 쓰이지만, 주요 사용처는 다양한 신체조직과 각종 효소의 재료다. 부족하면 제대로 성장하지 못하고, 면역력이나 심장, 폐와 같은 기관들의 기능이 약해지는 원인이 된다. 부족할 때 대체할 수 있는 수단이 없고, 탄수화물이나 지방처럼 저장하지 않기 때문에 매일 적정량을 섭취하는 것이 매우 중요하다.

그렇지만, 잘못 알려진 부분들도 많다. 사람들은 단백질 하면 고기를 제일 먼저 생각하지만, 식물성 식품에도 콩 종류나 견과류, 통밀, 현미처럼 고기 못지않게 단백질이 많이 들어있는 식품들이 많다. 동물들의 몸에서는 단백질을 만들지 못하고, 식물이나 식물을 먹고 사는 다른 동물들에서 가져와 모양만 일부 바꾸기 때문에 동물성 단백질이 더 좋은 것도 아니다(생명이야기 17편 참조).

단백질에 대해 잘못 알려진 부분 가운데 가장 심각한 문제는 단백질을 많이 먹으면 좋다고 생각하여 지나치게 많이 먹는 것이다. 단백질이 우리 몸에서 온갖 재료로 쓰이기 때문에 재료의 특성상 부족하지 말아야 하겠지만, 그렇다고 넘치는 것이 좋은 것은 아니며, 더더구나 다다익선은 아니다. 일상생활에서와 마찬가지로 남는 것은 당연히 버려야 하는데, 버리는 비용이 만만치 않다.

단백질을 오랫동안 지나치게 많이 먹을 경우 남는 단백질을 버리는 비용은 신진대사 과정에서 콩팥이나 간, 심장, 뼈를 포함한 여러 장기들에게 부담을 주어 암을 비롯한 다양한 질병의 위험이 높아진다. 더구나 단백질을 많이 먹기 위해 식이섬유나 탄수화물 기타 다른 영양소의 희생을 동반하는 경우에는 그러한 영양소의 부족으로 인한 문제도 생기게 마련이다.

장기간에 걸친 지나친 단백질 섭취는 몸을 산성화시키기 때문에 과일과 채소, 견과류와 같은 알칼리 식품을 함께 먹어 중성화시키지 않으면 몸이 산성화된다. 몸이 산성화되면 오줌의 양이 늘어나고, 탈수현상이 나타나며, 골다공증이나 근육 악화, 신장 결석, 염증의 위험성을 높인다.

고단백 식단은 우울한 기분에도 기여할 수 있다. 탄수화물은 기분

좋게 만들어 주는 호르몬인 세로토닌을 분비하는 데 필요하기 때문에 미국 의학 협회의 한 연구에 따르면 1년 동안 고단백, 고지방 및 저탄수화물 식단으로 식사한 사람들은 저지방, 고탄수화물, 적당한 단백질 식단을 섭취하는 사람들보다 불안, 우울증 및 기타 부정적인 감정을 더 많이 경험했다.

고단백 식단은 식이섬유가 적은 경우가 많아서 특히 주요 단백질 공급원이 동물성 배변을 식품인 경우 식이섬유 부족으로 인한 여러 문제를 겪을 수 있다. 식이섬유는 편하게 하고, 변비를 완화시키며, 비만의 위험을 낮춘다. 또한 혈당을 안정시켜 당뇨병의 위험을 줄이고, 간에서 콜레스테롤의 합성을 억제하여 동맥경화의 원인이 되는 저밀도 콜레스테롤과 중성지방을 낮춘다.

단백질을 너무 많이 섭취하면 몸을 피곤하게 만들 수 있다. 단백질의 과잉 섭취는 콩팥, 간 및 뼈의 업무량을 늘려 부담을 주며, 특히 뇌의 주요 에너지원인 탄수화물을 너무 적게 섭취하면 뇌가 늘 날카롭고 집중하며 활발하게 일하는 데 방해가 될 수 있다.

고단백 식단은 짧은 시간에 몸무게를 줄이는 데 상당한 효과가 있을 수 있는데, 장기적으로는 다른 결과를 나타낼 수 있다. 고단백 식단은 보통 탄수화물 섭취를 줄이는데, 운동을 하는 데 필요한 에너지를 공급해 주는 탄수화물 섭취가 줄어들면 운동도 줄어들 가능성이 높아져 줄어든 몸무게가 다시 늘 가능성이 높아진다.

우리 몸에서 많이 섭취할수록 유익한 영양소는 없으며, 단백질도 예외가 아니다. 단백질도 다른 영양소처럼 우리 몸에서 쓰이는 재료의 하나이므로 일부러 많이 섭취하여 좋을 이유가 없다. 따라서 단백질도 과잉 섭취하려 하지 말고, 과일과 채소, 곡물을 다양하게 통째로 충분히 먹는 생명식을 따르는 것이 바람직하며, 당연히 보충제는 가까이할 이유가 없다.[83]

74. 노루궁뎅이 버섯 균사체로 발효한 옻 차

스님 한분이 차(茶)를 연구한다는 소문을 듣고 찾아왔다. 옻나무 차(茶)라 하면서 벽돌모양의 시커먼 덩이차를 봇짐에서 꺼내 손수 차를 우려내어 마셔보라 권했다. 하지만 한때 옻이 올라 얼굴이 붓고 온몸이 가려워 고생했던 일이 떠올라 선 듯 마실 수가 없었다. 낌새를 알아차린 듯, 이 차는 옻이 오르지 않는다고 하면서 차를 만들게 된 경위를 설명했다.

암자 뒷산에 자생하는 옻나무 가지를 잘라 만든 톱밥을 포대에 가득 넣어 곡간에 두었더니 일 년 남짓 지나자 동전보다 작고 둥근 갓을 쓴 황갈색의 버섯이 포대를 뚫고 나와 자랐다 한다. 톱밥은 균사체가 한 덩어리로 뒤엉켜 있어 부스러트리고 찐 다음 벽돌 모양의 덩이로 만들어 말렸더니 옻이 오르지 않는 검붉은 차가 되었다 한다.

스님은 심한 위장병으로 통증과 함께 정신적인 고통으로 고생을 하던 중에 이 차를 물 대신으로 몇 년을 마셨더니 자신도 모르는 사이에 완쾌되었다 한다.

버섯은 자연의 청소부라 일컬을 정도로 다양한 효소를 분비한다. 특히 나무를 구성하는 성분들을 효소적으로 분해하여 영양원으로 이용하면서 특유의 성분들을 합성한다. 버섯은 종에 따라 잘 번식하는 수종(樹種)이 있으며 온습도가 맞으면 미생물처럼 빠르게 번식하는 진균류(眞菌類)에 속하는 담자균(擔子菌)이다. 송이와 능이는 활물기생(活物寄生: 살아있는 나무에 기생)을 하는 반면 나머지 대부분은 사물기생(死物寄生: 죽은 나무에 기생)을 한다. 사물기생 버섯은 대개 참나무 톱밥에 미강, 수수, 기장, 조 등의 잡곡류를 5~20% 혼합한 배지에서는 잘 자란다.

옻나무에는 우루시올이라는 독성성분을 함유하여 대부분의 버섯은 잘 자라지 않지만 잘 자라는 버섯으로 참옻나무버섯과 칠황 버섯이 있다. 그러나 스님이 발견한 버섯은 이들 버섯과 색상은 비슷하나 갓의 크기가 다르다고 하며, 살려두지 못한데 대해 크게 아쉬워했다.

옻나무는 목질부와 외피에 피세틴(fisetin)과 푸스틴(fustin)이라는 기능성 플라보노이드가 들어있다. 또 수지(樹脂)에는 설푸레틴(sulfuretin)과 부테인(butein)을 비롯한 70여종의 플라보노이드가 우루시올(urushiol)과 공존한다. 우루시올은 카테콜(catechol)의 3번 탄소에 15~17개의 탄소가 연결된 지방족 사슬이 연결되어 있다. 이 사슬에 이중결합의 수가 2개 이상 되거나 사슬의 길이기 길수록 알레르기의 발생률이 높아진다(McGovern & Barkley, Bot Dermatology, 1998).

카테콜의 수산기는 우루시올 옥시다아제(urushiol oxidase)나 공기 중에서 산화하여 반응성이 높은 퀴논(quinone)으로 전환되며 이량체(dimer) 또는 그 이상의 중합체를 만들며, 단백질과 결합하기도 한다. 또 측쇄의 이중결합을 수소로 포화시키거나 효소적 또는 비효소적으로 분해하면 독성이 소실되는 것으로 알려져 있다.

버섯을 이용한 옻나무 발효 타깃의 첫째는 우루시올의 독성을 제거하는 것이며, 둘째는 버섯의 기능성을 발효물에 부가하는 것으로 가령, 영지버섯을 발효에 이용한다면 영지버섯이 지니는 항암작용, 항산화 및 정력증강효과를 부가할 수 있으며, 상황버섯으로는 항암 및 면역기능을, 느타리버섯은 항요통 및 항암작용을, 표고버섯은 항암, 폐질환예방과 바이러스에 대한 면역증강, 노루궁뎅이버섯은 항위염, 기억력 향상, 치매예방과 치유, 역류성 식도염 개선을, 새송이는 신경안정과 피부미용, 팽이는 항암과 항콜레스테롤 효과를 기대할 수 있다.

또, 칠황버섯은 옻나무에 잘 자랄 뿐만 아니라 상황버섯보다 높은 항암효과를 부가할 수 있다. 하지만 이들 버섯이 옻나무의 독성을 제거시킬 수 있는지에 대하여는 의문을 가지고 있으나 아까시재목 버섯이 생성하는 효소, 라카제(laccase)가 우루시올의 독성을 제거한다는 자료가 있다(농진청, 2013).

필자는 당시에 스님이 경험한 이름 모를 버섯을 구할 수 없어 보관 중인 노루궁뎅이 버섯 균사체를 이용하여 옻나무 톱밥의 발효를 시도한 바 있다. 건조한 옻나무로 만든 톱밥에 5%의 포도당을 함유하는 10% 감자 열수추출을 톱밥무게에 대하여 40%(v/w)되게 부어 반죽한 후 내열성 폴리플로필렌(polypropylene) 병에 채워 넣고, 지름 2cm, 길이 18cm의 둥근 막대기를 가운데 꽂아 121℃에서 한 시간 동안 살균한다.

다음에 무균상으로 옮겨 식힌 후 막대기를 뽑아낸 구멍에 PD배지(potato dextrose broth)에서 배양한 노루궁뎅이 버섯 균사체 배양액을 접종하여 25℃ 30일간 발효했다. 이것을 다시 증자한 후 벽돌모양으로 제형 하여 5개월 동안 말리면서 숙성시켜 노루궁뎅이 버섯 옻 차를 만들었다.

우려낸 옻 차는 여린 흑갈색으로 옻이 오르는 현상은 나타나지 않았으며 구수한 후미가 있는 품격이 있는 차가 되었다. 또 베타글루칸의 함량이 높고 항산화활성이 시판 발효차와 유사한 수준을 나타내었다. 그러나 항암효과를 찾는 등의 추가적인 실험은 하지 못한 것이 아쉽다.[84]

75. 아는 만큼 건강해진다

홍수가 나면 물이 지천이지만 정작 마실 물을 찾기 어렵듯이 정보의 홍수 속에 살고 있는 오늘날 올바른 정보를 얻는 것은 갈수록 어려워지고 있다. 대중 매체와 인터넷을 통해 연일 쏟아지는 다양한 정보는 대부분 이권과 상술에 오염되어 있다. 심지어 공정과 정확성이 요구되는 뉴스조차도 액면 그대로 받아들이기 어려운 현실이다. 혼탁한 정보의 바다에서 어떻게 정확하고 유용한 지식을 습득하느냐는 모든 일의 성패를 좌우할 정도로 중요해졌다.

생활이 윤택해지면서 고령자들이 늘어나고 있다. 1960년대만 하여도 환갑을 넘기는 사람들이 드물었고 나이 70은 고희라 하여 하늘이 내린 복이라 하였지만 지금은 백세시대라 할 정도로 많은 분들이 장수하고 있다. 2020년 현재 우리나라 기대수명은 83.5세이며 백 세 이상인 사람은 오천 명을 넘는다.

장수시대에 걸맞게 건강에 대한 관심은 어느 때보다 고조되어 있다. 대중 매체와 인터넷에서는 연일 건강 관련 정보를 쏟아내고 있으며 건강 관련 시장이 폭발적으로 성장함에 따라 다양한 상술이 횡행하고 있다. 허위 과장 광고가 대부분이며 얼핏 과학적 근거를 제시하는 경우에도 단편적 사실을 침소봉대하거나 왜곡하여 거짓을 호도하는 경우가 많다. 주체하기 어려울 정도로 많은 건강상식이 난무하지만 대부분 도움이 되기보다는 궁극적으로 건강을 해치고 있다.

건강은 무엇보다도 중요한 가치이다. 건강을 지키지 못하여 자신이 이룬 성과를 누리지 못하는 경우를 왕왕 볼 수 있다. 타고난 천재성과 노력으로 애플이라는 대제국을 건설하고도 췌장암에 걸려 요절한 스티브 잡스의 삶은 우리에게 시사하는 바가 크다. 자신과 가족의 건강을 지키기 위해서는 건강에 대한 정확한 지식을 가지고 있어야 한다. 건강은 스스로 주체가 되어 영위하여야 얻을 수 있는 것이며 탁월한 의료인이라도 단지 도움을 줄 수 있을 뿐이다.

건강을 지키기 위해 전문적인 의학지식을 쌓을 필요는 없다. 양방의 해부학적 생리적 그리고 병리적 지식은 건강을 지키는데 유용하지 못할 뿐만 아니라 오히려 독소로 작용하는 경우가 많다. 인체는 조직과 조직이 상호 유기적으로 연관되어 있는 하나의 복잡한 세계이기에 과학이 극도로 발달한 지금도 전모를 파악하지 못하고 있다.

2000년 생로병사 문제를 완전히 해결하리라 장담하였던 게놈 프로젝트가 완결되었을 때 오히려 관련 분야가 사양길에 접어든 사실을 상기할 필요가 있다. 의료인들의 평균수명이 일반인보다 짧은 것 또한 이를 반증한다. 건강 측면에서 그런 현학적 전문지식은 오히려 독이 될 수 있다. 올바르고 유용한 지식만이 건강을 지키는데 도움이 된다. 대다수 질병의 고통은 죄악이나 전생의 업보 때문이 아니라 건강에 대한 무지로 기인된다. 무지가 바로 병이며 죄악이다.

한의학은 수천 년 동안 질병과 싸워오면서 치료하는 것도 중요하지만 미리 병들지 않는 것이 더욱 중요하다는 사실을 깨닫고 이를 구현하기 위해 체계적인 지식을 구축하였다. 인체는 복잡한 시스템이지만 조직과 조직이 상호 유기적으로 작용하는 온전한 하나의 세계이므로 외적 요건이 충족되면 내적 평형이 유지되어 건강해질 수 있다.

건강을 유지하기 위한 외적 요건은 바로 '생활의 법도' 이다. 한의학은 수천 년 동안 선험적 그리고 임상적 지식을 축적하여 '생활의 법도' 를 정리하였다. 건강을 위한 비법이기에 무언가 대단한 것이라 여겨질 수 있으나 실제 우리가 일상을 통해 쉽게 실천할 수 있는 아주 사소한 것들이다. 사소한 차이가 나날이 누적되면 천지 차이로 나타나듯이 소소한 일상의 습관이 종국에는 건강과 질병의 분수령이 된다. 향후 몇 회에 걸쳐 건강을 위한 참지식 즉 '생활의 법도' 를 정리하도록 하겠다.[85]

76. 약은 늘리는 것보다 줄이는 것이 어렵다

81세 여성 환자. 당뇨, 고혈압, 고지혈증, 신부전, 빈혈, 무릎관절염, 허리디스크, 비염, 백내장. 병명만 열거하기에도 숨이 찰 정도였다. 4년 전 처음 만났을 무렵 6개의 동네 의원을 다니고 계셨다. 각 의원에서 처방받는 경구약을 모두 모아놓고 보니 진통제 종류가 4종류, 진통제와 함께 처방된 위장약도 4종류였다. 분명 신장이 안 좋은데 어찌나 드시는 약이 많은지.

몇 달에 걸쳐 약 개수를 서서히 줄여가기 시작했다. 신장에 무리가 될 만한 진통제를 다른 종류로 바꿨고, 위장약들도 대거 줄여 18개 약제가 12개가 되었다. 의료기관 방문 횟수도 줄었다.

약을 줄인 후 나는 뿌듯하였지만, 건강보험 심사와 함께 받은 메시지는 "한 환자에게 12제 이상의 다약제를 처방하였으니 특별 심사 대상으로 넣겠다"는 문구였다. 그 후로 매달 이분께 약을 처방할 때마다 똑같은 메시지를 받고 있다. 이분이 이전에 다녔던 어떤 의료기관도 이런 경고를 받은 적은 없었을 것이다. 각 의료기관에서는 3~5개씩의 약제만 처방하였으니, 18개 종류에 스물두 알의 약을 매일 드신들 다약제 처방 경고를 받는 일은 없다. 내가 이분과 4년을 지내왔으니, 약값을 줄여 아낀 건강보험재정만 계산해도 족히 100만원 이상은 될 터인데!

건강보험 심사의 포커스가 환자에 있지 않아 보니 생기는 일이다. 각 의료기관에서 어떻게 약을 처방했는지만 심사하지, 여러 의료기관을 아울러 환자를 중심에 놓고 보지 못하니, 18개 약제를 12개로 줄인 의사가 경고를 받는 일이 생기는 것이다.

이분과의 4년이 매끄럽지만은 않았다. 우연히 감기약 처방을 위해 처음 들른 동네 의원. 무슨 질환을 앓고 계시는지, 무슨 약을 복용하시는지 질문하니, “뭔 놈의 질문이 꼬치꼬치 많냐” 고 역정을 내시는 것으로부터 우리의 관계는 시작되었다. “진통제를 다른 의료기관에서 처방받아 이미 드시고 있으니, 감기약에 진통제는 넣지 않겠다” 고 말씀드렸던 것이 계기가 되어 “내가 딴 병원에서 무슨 약을 받아먹고 있는지 궁금해하는 데는 여기밖에 없어?” 하시며 두 번째 방문이 이루어졌다. 그 후로 몇 개월에 걸쳐 진통제부터 줄이기 시작했다. 바꿨는데 효과가 없어 통증이 심해졌던 때도 있었지만, 조금씩 쌓인 신뢰로 위기를 넘겼다. 진통제와 위장약이 꽤 정리된 후에야 고혈압, 당뇨약도 처방받고 싶다고 말씀하셔서, 명실공히 이분의 주치의가 될 수 있었다.

얼마 전 건강보험심사평가원에서 <노인의 다약제 사용관리 방안 연구보고서>를 공개하였다. 다약제를 복용하는 노인의 입원과 응급실 방문이 높아지는 결과였다. 원래도 아프니 약을 많이 드셨겠지라고 하기에는, 동반상병이나 외래 방문 횟수를 보정한 후에도 응급실 방문이 1.2~1.8배, 사망이 1.6~2.8배 높았다는 점을 무시할 수 없다. 보고서는 노인 다약제 관리를 위해 국가 차원의 로드맵이 필요하다고 제안하였는데, 나는 이것이 ‘주치의제’ 가 아닐까 생각한다.

약은 늘리는 것보다 줄이는 것이 힘들다. 증상이나 질환에 대해 약을 처방하는 것은 쉽다. 오히려 어려운 것은, 증상이 있는데도 약을 쓰지 않고 기다려보자고 설득하거나, 꾸준히 드시던 약을 줄여보자고 제안하는 것이다. 시간도 더 많이 걸리고, 서로의 관계도 더 탄탄해야 가능한 일이다.

대통령 선거에 ‘전 국민 주치의제’ 가 공약으로 등장했다. 주치의가 생기면 내 삶이 뭐가 달라질까 궁금한 분들이 있다면, 18개 약제가 12개로 줄어드는 일이 가능할 것이라고, 건강보험 심사의 포커스가 의사의 행위가 아닌 '환자의 건강'에 맞춰질 것이라고 답하고 싶다. 진료실 안에서 우리가 쌓아 온 관계, 환자와 의사 사이의 신뢰가 제도로서 인정받게 될 것이라고.[86]

77. 당신의 간은 밤새 안녕하십니까

간은 붉다. 들고 나는 피의 양이 많기 때문이다. 쉴 때 간은 우리 몸에 필요한 전체 산소의 약 20%를 쓴다. 유난히 붉은 색조를 띠는 기관은 산소와 피의 요구량이 크다고 보면 대체로 틀림이 없다. 콩팥과 심장도 그런 곳이다. 이들 두 기관과 달리 간에는 하나가 아니라 두 개의 혈관이 연결된다. 산소를 듬뿍 담고 심장에서 출발한 신선한 피는 간에 들어오는 피의 4분의 1에 불과하다. 나머지 혈액은 소장과 대장에서 온다. 이렇듯 우리 몸의 가운데를 관통하는 소화기관에서 소화하고 흡수한 영양소가 일차로 결집하는 곳이 간이다. 그렇기에 간은 몸의 안과 밖을 잇는 경계에 선 관문이다.

음식을 많이 먹어 영양소의 양이 늘면 간은 커질까? 그렇다. 2017년 스위스 제네바 대학 쉬블러 연구팀은 생쥐의 간이 24시간을 주기로 커졌다 줄어들기를 반복한다는 실험 결과를 <셀>에 발표했다. 야행성인 쥐에서 얻은 결과를 뒤집어 해석하면 우리 간의 크기는 아침에 막 일어났을 때 작고 잠들기 직전이 가장 커지리라 짐작된다. 영양소를 흡수하고 저장하는 낮과 먹지 않고 그것을 쓰는 밤에 간세포 크기가 달라진 까닭이다. 놀라운 사실은 밤과 낮의 간 무게 차이가 30%가 넘었다는 점이다. 영양소가 들어오면 간세포는 서둘러 합성 공장을 건설하고 단백질을 만드는 한편 식후 넘쳐나는 포도당을 저장한다. 바로 이런 생리적 작업에 몰두하느라 간이 커지는 것이다. 사람을 대상으로 실험하는 일은 쉽지 않겠지만 초음파를 써서 측정하면 사람의 간도 생쥐처럼 크기가 변하는 걸 볼 수 있다.

앞의 생쥐 실험 결과에서 또 하나 주목할 것이 있다. 잠을 자야 하는 시간에만 억지로 먹인 쥐의 간 무게는 밤낮 변함없이 줄어든 상태라는 점이다. 이는 간의 무게가 먹는 일뿐만 아니라 생체 시계의 영향도 동시에 받는다는 사실을 보여준다. 사람에게나 쥐에게나 잠자는 시간에 뭔가를 먹는 일은 그리 권장할 만한 것이 못 된다.

간이 하는 일은 참 다양하지만 굵직한 세 가지만 들자면 첫째는 영양소를 처분하는 물질대사, 둘째는 독소 제거 그리고 마지막으로 담즙산을 만드는 일이다. 앞의 두 가지는 간단히 살펴보았으니 잠시 담즙산의 정체를 파헤쳐보자. 잡도리가 서툰 고기나 생선을 먹다가 쓴맛을 느낀 경험은 누구에게나 있을 것이다. 그 쓴맛의 정체가 바로 담즙산이다. 간의 상당한 부분을 차지하는 간세포가 콜레스테롤을 담즙산으로 바꾼다. 이렇게 만들어진 담즙산은 필요할 때까지 담낭에 보관된다. 음식물이 들어오면 담낭은 십이지장으로 담즙산을 보내 지방의 소화를 돕는다. 물에 녹지 않는 지방을 감싸는 계면활성 효과가 있기에 가능한 일이다.

최근 담즙산이 대장에 상주하는 세균에 의해 대사된다는 사실이 새롭게 밝혀졌다. 앞에서 보았듯 소화를 돕는 담즙산은 지방산이 흡수될 때 다시 간으로 돌아간다. 순환하는 셈이다. 하지만 일부 담즙산은 대장까지 흘러간다. 여러 종류의 담즙산은 공교롭게도 살균 작용이 있기 때문에 그 양이 늘면 세균으로서는 달가울 리가 없다. 따라서 대장 세균은 담즙산을 무해한 물질로 바꾸거나 아예 담즙산을 적게 만들도록 간에 위협을 가한다. 이렇듯 담즙산은 대장 세균의 숫자와 종류, 다시 말해 장내 세균생태계를 조절하는 막중한 일을 한다고 볼 수 있다.

생물학자들 대부분은 장내 세균이 '대사 기관'이라는 데 동의한다. 집단으로서 장내 세균은 소장에서 미처 소화하지 못한 섬유질을 분해하여 우리 인간이 쓰는 에너지의 10%를 충당한다. 게다가 필수 비타민을 만들어 공급하기도 하고 각종 대사체를 만들어 인간의 건강에 커다란 영향을 끼치는 존재이기도 하다. 우리 몸 안에 있지만 출입구가 열린 소화기관은 엄밀한 의미에서 몸 밖이다. 따라서 세균도 몸 밖에 있다고 보아야 한다. 하지만 이들 세균은 숙주가 조금이라도 해찰하면 몸 안으로 곧장 들어와 자신의 세력을 과시하려 든다. 바로 이 지점에서도 담즙산은 한층 빛을 발한다. 세균이 날뛰지 못하도록 소화기관 장벽을 담즙산이 굳건히 지켜주기 때문이다. 따라서 담즙산은 간의 엄중함을 재조명하는 고맙고도 쓴 생체물질이다.

인간은 입으로 음식물을 씹어 넘기면서 우리 자신과 몸속 세균을 먹여 살린다. 해부학적 위치와 생리적 기능 측면에서 간은 그 중심에 서 있다. 아침에 눈을 떠 기지개를 켜면서 오른손으로 간을 한번 만져 보자. 낮에 분주히 움직이려 간은 밤새 근사를 모았다. 당신의 간은 밤새 안녕하셨는가?[87]

78. 뇌졸중 부르는 심방세동, 심전도 검사 필수

자영업을 하는 A씨(58)는 얼마 전부터 잠자리에 누우면 맥박이 빨라지다가 '쿵~' 하고 내려앉는 느낌 때문에 잠을 제대로 못 자고 잠자리에 들기가 두려울 정도였다. 증상이 점점 심해져 심장내과를 찾은 A씨는 심전도 검사와 24시간 심장박동을 측정하는 장비를 통해 부정맥의 일종인 심방세동 진단을 받았다.

심방세동은 규칙적인 전기신호를 받지 못한 심방이 원활한 수축운동을 하지 못하고, 심실까지 이상 전기신호가 퍼져 심장 전체의 규칙적인 수축과 이완 운동 능력이 떨어지는 질환이다. 지속적으로 심장 운동이 매우 빠르게 이뤄져 심장이 마치 과부화된 자동차의 엔진처럼 부르르 떠는 증상이 지속된다.

심방이 제대로 수축하지 못하고 가늘게 떨기 때문에 심장 내에 피떡이라 부르는 혈전이 생기고, 이 혈전이 뇌혈관을 막으면 뇌졸중이 발생한다. 심방세동 환자의 뇌졸중 발병 위험도는 일반인의 5배 이상이다.

심방세동 환자는 심장이 빨리 뛰는 빈맥 증상으로 인해 두근거림, 가슴 답답함을 느낄 수 있다. 증상이 지속될 경우 심장 기능저하로 인해 피로감, 어지럼증 등이 생기기도 한다. 하지만 증상이 있더라도 잘 느끼지 못하는 경우도 많다.

심방세동은 환자 스스로 손목의 맥박을 반대쪽 손가락으로 만질 때 맥박 간격이 고르지 않고 강도도 일정하지 않은 경우 의심할 수 있다.

그러나 확실한 진단을 위해서는 심전도 검사가 필수적이다. 심전도 검사에서 확인되지는 않지만 심방세동이 의심되는 경우 일상 중에 24시간 심전도를 기록하는 홀터 검사나, 1~2주간 심전도를 확인할 수 있는 사건 기록기 등을 통해 심방세동 진단이 가능하다.

정상적인 심박동을 회복 및 유지시키는 치료로는 약물치료, 고주파 전극도자절제술, 냉각풍선절제술을 통한 치료가 있다. 심방세동 초기에는 항부정맥 약물치료를 통해 심박동 회복을 고려해 볼 수 있다. 약물치료와 심장이 뛰는 박자를 확인하면서 전기적 충격을 주어 심장 박동을 되돌리는 심율동전환을 병행하기도 한다.

항부정맥 약물에 저항성을 보이는 재발성 심방세동이거나, 약물을 사용하기 어려운 환자에게는 시술적 치료를 고려한다. 전극도자절제술은 부정맥을 일으키는 심장 부위에 에너지를 가해 비정상 조직을 파괴해 부정맥을 치료하는 시술이다. 두꺼운 다리 혈관을 통해 관(카테터)을 삽입해 심장까지 넣은 뒤, 비정상적인 전기신호가 나오는 심장 부위를 고주파 에너지를 사용해 절제하고, 전기적으로 격리하는 과정을 거쳐 부정맥을 치료한다. 냉각풍선절제술은 심방세동을 유발하는 폐정맥 입구에 특수 설계된 풍선을 밀착시키고 액체질소를 이용해 영하 50도 이하로 급격히 냉각시키는 방법이다.

심방세동 전극도자절제술 5000건과 냉각풍선절제술 500건을 달성한 연세대 세브란스 심장혈관병원 박희남·유희태 교수는 "심방세동은 나이가 들수록 진행하는 만성질환이고 약 40%는 무증상"이라면서 "따라서 시술이나 약제로 증상이 사라졌다고 방심하면 안되며, 꾸준한 생활습관 개선과 심전도 모니터링이 필요하다"고 강조했다. 세브란스 심장혈관병원 부정맥센터는 정보영 센터장, 이문형·박희남·김태훈·유희태·박윤정 교수가 심장혈관외과, 마취과 등과 협진해 환자의 진단부터 치료, 추적 관리까지 하는 체계적 시스템을 갖췄다.

심방세동은 술, 커피, 과식, 과도한 카페인 섭취 등으로 인해 발생하거나 증상이 악화될 수 있다. 특히 음주와 흡연은 반드시 삼가야 한다. 성분을 잘 모르는 건강보조식품이나 생약 등도 멀리하는 것이 좋다. 몸에 무리가 될 정도의 운동이나 스트레스, 피로, 수면부족 등을 피하고 조깅, 자전거 타기 등 가벼운 유산소 운동을 규칙적으로 하는 것이 좋다.[88]

79. 우리는 어떻게 봄을 맞이해야 할까?

요즘 추위가 막바지 기승을 부리고 있다. 보통 강아지와 하루 2~3번 산책을 하는데 한 번에 30분 이상을 밖에 나와 있기가 힘들어, 계속 산책하자고 버티는 강아지를 냉큼 안아서 들어오곤 한다. 하지만 생각해보면 다가오는 토요일이 벌써 나무에 싹이 트고 개구리가 깨어난다는 경칩(驚蟄)이다. 어느새 봄이 왔다는 이야기이고, 이렇게 추운 날씨도 조금 있으면 포근해질 것이다. 겨우내 움츠러든 몸이 기지개를 켜는 시기, 한편으로 코로나로 야외 활동이 제한된 요즘 우리는 어떻게 봄을 맞이해야 할까?

계절적으로 가장 양기가 가득하고 활동이 왕성한 것은 여름이지만, 생명력이 가장 넘치는 계절은 봄이다. 봄에는 인체의 모든 기능이 새로운 도약을 위해 시동을 거는 것이다. 이 시기에 가장 조심해야 하는 것은 갑작스러운 활동량 증가에 의한 체력 저하와 다양한 자극(꽃가루, 바이러스 등)에 대한 면역력 문제이다. 체력 저하는 춘곤증이나 만성피로, 식욕부진, 코피 등을 유발할 수 있고, 면역력 문제는 감기, 비염 등의 호흡기 질환이나 피부건조 등으로 이어질 수 있다. 아이들이 새 학년이 시작되면서 종종 코피가 나거나 감기에 자주 걸리는 것도 이러한 까닭이다.

한의학에서는 이를 기혈이 부족하거나 막혀서 순환이 안 되는 것으로 보고, 기운을 북돋고 순환을 도와주는 방법으로 체력과 면역력을 키웠다. 예를 들어, 기가 허하면 기운을 더해주는 보중익기탕을, 혈이 허하면 혈액과 영양분의 대사를 도와주는 사물탕을, 기혈의 순환이 안 되는 경우에는 순환을 돕는 사역산이나 당귀작약산을 처방하여 인체의 생리적 기능을 활성화시킴으로써 체력 증진과 면역력 강화를 유도하였다. 한의학에서는 면역력을 특정 항원을 차단하는 딱딱한 갑옷이 아니라 기혈의 순환을 통해 강화된 정기에 의한 생리적 방어막으로 여기는 것이다(正氣存內 邪不可干).

현대인들에게 기허나 혈허와 같은 한의학적 개념은 너무 모호하게 느껴질 수도 있다. 한의계도 그러한 의문에 충분히 공감하고, 실질적인 작용기전과 임상적 효과에 대한 연구를 진행하고 있다. 예를 들어, 대표적인 기허 치료 처방인 보중익기탕의 경우 만성피로증후군, 아토피 피부염(기허형), 비염, 치매, 요실금, 현훈(어지러움) 등 다양한 질병에 대한 치료효과를 검증하는 연구들이 수행됐다. 또한, 보중익기탕이 운동선수의 에너지 대사 및 근지구력을 향상시킨다는 연구도 수행됐다. 최근에는 보중익기탕의 작용기전이 체내 에너지 항상성(homeostasis)의 주요 조절인자인 AMPK (AMP-activated protein kinase)의 활성화 조절과 관련이 있다는 세포실험 결과도 보고되는 등 한의학적 관리방법의 과학적 기전을 규명하기 위한 노력이 계속되고 있다. 현재는 개별 처방에 대한 단편적인 연구들이 중심이 되고 있으나, 이러한 연구결과들이 축적되면, 현대인들에게 보다 효과적인 한의학 기반 건강관리를 제공할 수 있을 것으로 기대한다.

물론, 이러한 '평소 건강증진 방법'이 한의학에만 있는 것은 아니다. 기본적으로 생활습관 관리와 건강식품 섭취가 있다. 건강식품, 약차(藥茶), 홈트레이닝 시장은 꾸준히 성장하고 있으며, 최근에는 웨어러블 디바이스와 연동되는 건강관리 앱들도 우후죽순처럼 생겨나고 있다. 나의 손목에도 스마트밴드 하나가 자리 잡고 있다. 그런데 아이러니하게 건강에 좋다는 것들이 넘쳐나면서 진짜 나에게 필요한 것은 무엇인지, 너무 많이 먹거나 함께 먹으면 안 되는 것을 가려내는 일이 오히려 어려워지고 있다. 어떤 건강기능식품의 경우는 관련 논문을 홍보자료에 크게 노출했는데, 실제 논문을 보니 해당 건강기능식품을 8주간 먹고 마지막 날 해당 식품을 먹기 전후에 차이가 있다는 실험결과를 제시했다. 그러면 오래 먹을 필요가 있나? 라는 생각에 문의했더니 해당 글은 사라졌다. 일반 대중들이 논문까지 확인하면서 건강관리를 하기는 쉽지 않다. 나에게 맞는 봄철 건강관리를 위해서는 한의사든 의사든 반드시 전문가에게 상담하여 올바른 방향을 잡고 시작하시기를 권한다.[89]

80. 국가암통계로 알아보는 유방암

보건복지부와 중앙암등록본부는 매년 말 2년 전 암발생률, 생존율, 유병률을 발표하고 있다. 지난해말에 발표된 2019년의 자료를 살펴보면 다음의 내용을 알 수 있다.

우리나라 국민들이 기대수명 83세까지 생존할 경우 암에 걸릴 확률은 37.9%였으며, 남자 80세 5명 중 2명(39.9%), 여자 87세 3명 중 1명(35.8%)에서 암이 발생할 것으로 추정된다.

모든 암의 연령군별 발생률을 보면 65세 이상에서의 암발생률은 10만 명당 1576.6명에 달해 고령층에서 암 발생이 급격하게 증가하는 특성을 잘 보여줬는데, 이와 같은 암 발생의 특성과 최근의 전체 암 연령표준화발생률 추세를 고려할 때, 인구 고령화에 따른 자연적인 암 발생 증가가 최근 암발생자 수 증가의 주요 원인인 것으로 보인다.

성별로 나눠 살펴보면 50대 초반까지는 여자의 암발생률이 더 높다가, 후반부터는 남자의 암발생률이 더 높아지는 것으로 나타났다.

주요 암종에 있어 유방암, 전립선암, 췌장암, 신장암은 1999년 이후로 지속적인 발생률 증가 추세를 보이고 있으나 위암, 간암, 담낭과 기타담도암의 발생률은 최근 감소 추세를 보이고 있다.

특히 비교적 치료가 용이하고 예후가 좋은 갑상선암을 제외한다면 여성에 있어 유방암의 발생은 눈에 띄게 급증함을 알 수 있다.

여성에 있어 유방암의 발생 원인은 크게 태어날 때부터 소인을 가지고 있는 유전적인 영향과 살면서 생활 패턴으로 인한 외부적인 요인으로 구분할 수 있다.

유전적 소인은 그 정도를 명확하게 알기 어려우나 전체 유방암 발생의 약 5~10%를 차지한다고 알려져 있다.

외부적인 요인은 서구화된 생활 습관으로 인한 고지방식, 음주, 알코올 섭취, 흡연, 환경 호르몬 등이 원인으로 손꼽히고 있다.

또 최근 들어 사회적 영향으로 인해 결혼을 늦게 하는 경향이 뚜렷해지다 보니 첫 자녀를 30세 이후에 가지거나 수유를 하지 않는 여성, 그리고 자녀가 없거나 적게 둔 경우에 있어 유방암의 발생 가능성이 높다.

동시대를 사는 여성들에 있어 가장 두려운 유방암이지만 방법이 없지는 않다. 공격이 최상의 방어라는 얘기가 있듯이 유방암은 적극적인 검진으로 조기에 진단이 될 수만 있다면 수월하게 치료하고 예후도 좋아질 수 있다.

1기에 발견해 적극적인 치료를 한다면 5년 생존율이 96%, 10년 생존율이 85%에 달할 만큼 좋은 예후를 보일 수 있다.

초기 치료가 중요한 유방암인 만큼 치료 이후 추적관찰도 중요하다. 2021년도에 발표된 유방암학회의 진료권고안을 살펴보면 조기 유방암의 경우 수술 후 6개월에 유방촬영술을 시행하고, 이후 6개월에서 1년 간격의 추적 검사를 2~5년간 시행한다. 반대측 유방에도 새롭게 암 발생 가능성이 있기 때문에 매년 유방촬영술로 정기검사를 시행해야 한다.

이러한 정기검사는 유방촬영술, 초음파검사, CT 등을 활용해 검사가 가능하다. 치밀 유방인 50세 이하에서는 1년마다 유방 MRI를 이용해서 정기검사를 시행할 수 있다.

유방암의 진단과 치료 추적관찰은 의사 한두명의 노력만으로 이뤄지지 않고 다양한 과의 전문의들이 다학제를 통해 끊임없는 논의가 필요한 만큼 전문인력이 잘 갖춰진 병원에서 치료를 받는 것이 중요하다.

여성 25명 중 1명이 평생에 한 번은 걸릴 수 있다는 유방암이지만, 좋은 의료진과 함께 적극적인 공격으로 방어할 수 있다면 더 이상은 두려운 질병이 아니라고 생각한다.[90)]

81. 여전히 석연치 않은, 갱년기 호르몬 치료

나는 땀이 많은 체질이다. 누군가에게 "그렇게 땀이 많은 체질이니 갱년기가 되면 더 괴로우시겠어요" 라는 얘기를 들었다. 지금 40대 중반이니 사실 갱년기는 곧인데? 지금도 땀이 많아서 여름만 되면 땀띠로 고생인데, 땀이 더 많아진다고? 갱년기가 되면 땀이 덜 나게 호르몬 치료라도 받아야 하나? 나를 환자의 입장에 놓고서 갱년기 호르몬 치료를 처음으로 고민하기 시작했다.

내가 의대 본과에 진학하기 직전인 2002년, 갱년기 호르몬 치료에 대한 어마어마한 연구 발표가 있었다. 미국 국립보건원의 지원을 받아 여성건강연구소에서 시행한 '2002년 WHI 연구' 로 잘 알려져 있다. 갱년기 여성에게 젊음을 유지시켜 주기 위해 시행한 호르몬 치료가 오히려 심뇌혈관 질환을 더 일으키고 유방암 위험도 높인다는 결과가 전 세계로 보도되었다. 의사고 환자고 가릴 것 없이 사람들은 모두 충격을 받았고, 당시 호르몬 치료를 받던 여성들의 70~80% 정도가 치료를 갑자기 중단할 정도로 사회적 파장은 컸다.

당시의 나는 속으로 '그것 봐!' 라고 외쳤다. 갱년기는 질병이 아니라 여성이라면 누구나 겪게 되는 급격한 호르몬의 변화 시기이자 인생의 한 거쳐가는 단계일 뿐인데, 그걸 질병으로 규정하고 치료하려고 하니까 이 사달이 나는 거지! 갱년기 자체가 문제가 아니라, 여성의 나이 듦을 교정해야 할 것으로 바라보는 비틀린 시각이 오히려 여성들을 더 병들게 하는 실증적 사례를 찾은 거라 생각했다.

그러면서 갱년기에 여성이 얼마나 자유롭고 건강할 수 있는지를 찾아보았다. 생리통으로부터 해방되어 살 것 같다는 얘기에서부터 여행의 자유를 마음껏 누리고 있다, 임신의 두려움이 없어 성생활을 더 즐기게 되었다는 얘기까지 다양한 긍정적인 경험이 보고되어 있었다. 그러니까 갱년기 문제라는 건, 갱년기를 이상하게 보는 사람들의 문제인 것이지, 실제로 갱년기 여성들의 문제는 아니라는 것이 20대로서의 당시 내 결론이었다.

10년쯤 지나자 2002년 충격적인 연구 결과에 대한 세부적인 분석들이 나오기 시작했다. 대규모 연구에 참여한 여성들을 여러 조건 - 나이, 호르몬 치료 시작 연령, 약제의 종류, 기저 질환 등 - 으로 나누어 분석했더니 호르몬 치료가 그렇게까지 상종 못할 치료는 아니었다는 결론이었다. 갱년기 호르몬 치료는 어떤 여성들에게 필요하기도 하고, 어떤 여성들에겐 이익보다 손해가 큰 치료이기도 하다. 그러니 누구에게 필요한지, 누구에겐 필요하지 않은지 잘 골라

내야 하는 것이 임상 의사와 환자 자신의 몫이라는 결론. 지금은 누구나 당연한 듯이 인정하는 결론, '케바케'이다.

그러나 케이스 바이 케이스라고 손쉽게 인정하고 넘어가기엔 석연치 않은 게 있다. 갱년기라는 단어를 발음할 때 나는 항상 약간의 긴장을 느낀다. 갱년기라고 이름을 붙여 너무 좋았다고 하는 사람들이 있다. 형언할 수 없는 각종 증상 모둠 세트에 이름을 붙이니 비로소 인정받는 느낌이었다는 것이다. 반면 갱년기라고 불리는 게 싫다는 사람들도 있다. 너무 싸잡아 보는 것 같다는 거다. 내가 겪는 이 모든 괴로움, 불편함을 갱년기라고 한 방에 매도하는 것 같다고. 왜 각각의 몸에 더 주의를 기울이지 않고, 으레 이 나이 여자의 몸으로 일반화하기만 하냐고. 갱년기 단어에 대한 이런 느낌도 단지 사람마다 다른 것이기만 할까?

20년이 지나 이제는 첫 연구 발표의 충격은 사라지고 케바케만 남았지만, 그때의 감각을 상기하는 게 여전히 유효하다. 나이 든 여성들에게 호르몬 치료가 무분별하게 권유되던 시대적인 맥락, 이런 연구가 기획되었던 사회적인 맥락, 그런 맥락을 느끼면서 진료할 때 조심스러운 긴장이 유지되기 때문이다.[91]

82. 항문 질환 치질 오인 많아 정확한 감별 필요

흔히들 입은 없어도 살 수 있지만 항문이 없으면 살 수가 없다고 말하면서도 항문은 소화기관의 맨 끝에 있다는 이유로 제대로 대접을 받지 못했다. 항문은 겉모양과는 달리 그 구조와 기능이 복잡하고 섬세하여 함부로 다루어서는 안되는 기관이다.

항문 질환 중에서도 가장 흔한 치핵이란 항문에 덩어리가 생기는 병이다. 치핵은 오직 두 발로 걷는 인간에게만 생긴다. 두 발로 서 있으면 밑으로 내려갈수록 압력을 많이 받는다. 위에서는 체중이 누르고, 밑에서는 중력이 끌어당기기 때문에 항문 혈관에서는 혈액 순환 장애가 일어나기 쉽다. 피가 잘 통하지 않으면 혈관들이 뭉쳐 부어올라 치핵을 만드는 것이다.

치핵을 만드는 중요한 요인 중의 하나는 잘못된 배변습관이다. 배변은 제때 빨리 끝내는 것이 좋다. 변의를 느끼는데도 화장실에 가지 않고 참아 변비를 만들거나 쓸데없이 변기에 오래 앉아 있는 것 모두 좋지 않은 배변습관이다. 변이 딱딱할 때도 그렇지만 변기에 오래 앉아 항문에 힘을 많이 주면 그만큼 혈관에 피가 많이 몰려 항문 쿠션이 비정상적으로 커져 치핵을 만든다. 이 외에도 변비나 설사, 동물성 단백질을 많이 섭취하고 식이섬유소를 적게 먹는 사람들, 과음을 하거나 맵거나 짠 음식 등의 식생활, 직업상 오랫동안 서서 일하거나 가만히 앉아서 일하는 사람들, 임신과 분만 등도 조심해야 한다.

항문과 직장의 경계를 구분해주는 치상선을 중심으로 위쪽에 생기는 치핵은 '내치핵', 아래쪽에 생기는 치핵은 '외치핵'이라고 부른다. 내치핵은 대부분 통증이 없다. 새빨간 피를 떨어뜨리기는 하지만 아프지는 않다. 외치핵은 치상선 아래쪽에 생기는 치핵이다. 과음이나 과로로 인해 혈전이 생기면 통증이 일어나기도 한다. 대부분 어느 정도 시간이 지나면 가라앉지만 통증이 아주 심하거나 자주 재발한다면 수술을 할 필요가 있다.

치핵이 심하지 않을 경우에는 약물치료나 수술을 받지 않고 생활습관과 식사습관을 바꾸는 것만으로도 얼마든지 좋아질 수 있다. 다만 보존적 치료는 치핵을 근본적으로 치료하는 것이 아니라 상태가 더 이상 악화되지 않도록 하는 것이 목적이다. 첫 번째는 변 보는 습관을 바로잡는 것이다. 정상적인 배변은 아무리 길어야 5분 안에 끝난다. 그러니까 대변이 잘 나오지 않거나 덜 눈 듯한 느낌이 든다고 화장실에 오래 머물지 말고 일단 대변보기를 중단하고 나왔다가 변의를 느낄 때 다시 들어가는 것이 바람직하다. 이 외에 식이섬유소와 물을 많이 섭취하고 온수좌욕이나 목욕, 매일 규칙적으로 운동하는 것, 술과 자극적인 향신료를 피하고 장시간 오래 앉아 있지 않도록 노력하는 것이 필요하다. 치핵을 가장 확실하게 치료하는 방법은 수술이다. 3도 이상의 심한 내치핵은 수술을 하지 않고서는 고칠 방법이 없다. 치핵절제술은 불필요하게 돌출돼 있는 치핵을 제거하는 수술이다. 예전에는 수술을 할 때 치핵 조직을 완전하게 제거했지만 요즘에는 과도하게 커진 부분만을 제거하는 추세이다. 치핵을 무조건 다 잘라내면 항문도 좁아지고 항문 쿠션 기능도 약해지기 때문이다. 수술 후에는 무통주사를 맞기 때문에 큰 고통을 느끼지 않지만 약 일주일까지 통증과 진물에 시달리게 되는데 이때는 적절한 진통제를 사용하는 것이 좋다. 따뜻한 물로 하는 좌욕은 통증을 줄여주고 혈액순환을 좋게 하고 상처 부위를 청결하게 해 주기 때문에 꼭 해야 한다. 치핵은 가장 흔한 항문 질환이다. 그래서 항문질환을 다 치질이라고 오인하는 경우가 많다. 진찰을 통해 정확한 감별을 하고 적절한 치료로 항문 질환에 대한 두려움에서 자유로워지기를 기대해 본다.[92)]

생활이 윤택해지면서 고령자들이 늘어나고 있다. 1960년대만 하여도 환갑을 넘기는 사람들이 드물었고 나이 70은 고희라 하여 하늘이 내린 복이라 하였지만 지금은 백세시대라 할 정도로 많은 분들이 장수하고 있다. 2020년 현재 우리나라 기대수명은 83.5세이며 백 세 이상인 사람은 오천 명을 넘는다.

83. 급한 불끄기식 정신건강정책, 누구를 위한 것인가

최근 시행된 여러 정신건강 관련 조사 결과 일관적으로 정신적 어려움을 호소하는 인구가 이전에 비해 늘어났음을 보여주는데, 특히 20대의 급격한 증가가 눈에 띈다.

코로나19 이전부터 큰 이슈가 되고 있는 자살률의 경우 리투아니아가 경제협력개발기구(OECD)에 가입한 2018년을 제외하고는 한국이 2005년부터 OECD 회원국 중 부동의 1위이다. 특히 2021년에는 젊은층의 자살률이 증가하고 있다는 보고가 있다. 이 모든 지표들은 우리나라 국민들의 정신건강을 위해 국가 차원의 정책이 필요함을 여실히 보여준다.

이를 반영하듯 지난 한 달여 사이에도 정부 차원에서 관련 입법 발의와 정책이 발표되었다. 3월 말에는 입법기관인 국회에서 정신건강을 다루는 인력에 대한 2개의 법(심리상담사법안, 국민 마음건강 증진 및 심리상담 지원에 관한 법률안)이 발의되었고, 4월 초에는 보건복지부가 사회서비스 사업에서 6월부터 시작하는 '청년마음건강지원사업'을 발표했다. 또한 복지부 자살예방정책과가 올 3월 말부터 부산지역에서 동네의원-정신의료기관 치료 연계 시범사업을 시작했는데, 이 사업은 비정신과 동네의원에서 정신건강 스크리닝을 하고 위험군의 경우 정신의료기관으로 치료를 연계하는 것을 골자로 한다.

이 모든 사업은 정신건강 증진을 목적으로 한다는 측면에서는 환영할 만하지만, 과연 이런 정책이나 프로그램들이 국민들의 정신건강을 함양시키는 결과를 가져올지에 대해서는 다소 회의적이다. 이 모든 사업을 관통하는 "단기간 내 다수에게 대량의 서비스 제공"

이라는 기본적 입장 때문이다.

발의된 2개의 법안에서는 '심리상담사' 라는 자격증 기준으로 학사나 석사 1년의 교육이나, 5년 이상의 실무경험만을 명시했다. '청년마음건강지원사업' 의 경우 전문 심리상담 서비스 제공 인력 기준을 상담 분야를 전공하고 실무경력(학사 2년, 석사 1년)이 있는 자로 규정했다. OECD 심리사 기준(석사 및 석사 후 실무 수련 3000시간)에 턱없이 못 미치는 기준이다. 또한 동네의원-정신의료기관 치료 연계 사업은 정신과적 훈련을 받지 않은 비정신과 동네의원에서 정신건강 위험군을 선별하게 한다는 것이 골자이다. 선별에 전문인력이 필요 없다는 가정에 기반한 의사결정이다.

이 프로그램들의 성공 여부는 과거 유사 정책의 결과에서 예측해 볼 수 있다. 한 예로 2009년부터 실시된 발달장애인을 위한 발달재활 서비스 바우처 사업의 경우 초반에는 학사와 현장경험만을 요구해 서비스 비용을 낮게 책정할 수 있었으나, 서비스 질적 강화에 대한 요구로 2018년 기준을 상향조정했다. 서울시 청년 '마음건강지원사업' 은 올해 3차 연도 사업을 시작하면서 서비스 제공자의 자격 기준을 상향했다. 이 예들은 전문성이 확보되지 않은 서비스 제공 인력으로는 사업에 성과를 낼 수 없음을 단적으로 보여준다. 전문인력의 중요성은 유럽에서 가장 높은 자살률을 보였던 핀란드가 국가 심리사(석사+3000시간 이상의 수련 기준)의 집중적인 양성과 이들을 통해 자살 예방에 성공한 것이나, 네덜란드의 OECD 수준 심리사 양성을 통한 낮은 자살률 유지에서도 어렵지 않게 찾아볼 수 있다.

정신건강과 관련된 우리나라의 정책들은 빨리빨리로 대표되는 국민적 특성과 모든 이들에게 공평함이 강조되는 현재 국내의 사회적 배경, 그리고 표를 의식하는 정책자들의 염원이 반영된 것으로 보인다. 하면 할수록 어려운 것이 다른 사람을 변하게 하는 일이다. 심지어 마음의 어려움이 있는 경우 특히 문제가 깊을수록, 오래되었을수록 변화는 더더욱 어렵다. 눈에 보이지 않는다고 아무나 할 수 있다는 생각은 큰 오산이다. 또 다른 측면, 즉 정신건강 서비스의 접근성 측면에서 차별을 가져올 수 있는데, 결국 질 좋은 서비스를 받지 못하는 다수는 선택권 없이 서비스를 이용할 가능성이 높다. 그럼 이런 정책은 과연 누구를 위한 것인가?

대한민국은 선진국이며, 국민은 그에 맞는 기대를 한다. 멀리 보고 크게 보는 정책이 필요한 시점이다수 시대에 걸맞게 건강에 대한 관심은 어느 때보다 고조되어 있다. 대중 매체와 인터넷에서는 연일 건강 관련 정보를 쏟아내고 있으며 건강 관련 시장이 폭발적으로 성장함에 따라 다양한 상술이 횡행하고 있다. 허위 과장 광고가 대부분이며 얼핏 과학적 근거를 제시하는 경우에도 단편적 사실을 침소봉대하거나 왜곡하여 거짓을 호도하는 경우가 많다. 주체하기 어려울 정도로 많은 건강상식이 난무하지만 대부분 도움이 되기보다는 궁극적으로 건강을 해치고 있다.[93]

84. 부정출혈 원인진단 통해 삶의 질 유지해야

산부인과를 방문하는 환자들은 여러 가지 증상을 호소하는데 그 중 하나가 질출혈이다. 생리할 때가 아닌데 피가 난다거나 최근 몇 달간 생리양이 늘었다거나 또는 드물기는 하지만 딸아이가 놀이터에서 놀다가 어딘가에 부딪힌 후 아래쪽으로 피가 묻는다는 등이 일반적인 사례다. 질출혈은 주로 자궁, 자궁경부, 질, 나팔관 그리고 난소에서 나타나는 출혈에 의해서 유발되지만 간혹 방광이나 요도에서 발생하는 출혈이 질출혈로 나타나는 경우도 있다. 비정상적인 자궁·질 출혈의 경우 여러 원인에 의해 발생하며, 정상적인 생리 이외의 주기적이지 않은 출혈을 의미한다.

유소아기에는 생리적 출혈, 외상, 내분비질환, 성조숙증 등이 주요원인이다. 생리적 출혈은 모체로부터 받은 여성호르몬의 영향으로 신생아기에 발생하며 보통 저절로 사라진다. 외음질염은 기저귀나 속옷에 의한 단순 염증, 이물질에 의해서 음부에 상처 및 감염이 생긴 것으로 연고 등의 치료와 생활습관 개선으로 좋아진다. 유방의 발달 등과 질출혈이 동반되는 경우 성조숙증을 의심해야 한다. 사춘기에는 무배란성 출혈, 혈액응고장애, 임신, 질·골반 감염 등이 주요 원인이다. 사춘기에 처음 생리를 시작할 때는 주기가 자리 잡는데 보통 1~2년이 걸리기 때문에 이 기간 동안의 불규칙한 출혈은 검사상 이상이 없는 경우 정상으로 본다. 피가 한번 나면 잘 멈추지 않는 혈액질환이 있어 질출혈을 계속하는 경우도 있다. 임신 가능성이 있는 경우 단독 면담, 임신반응검사, 초음파 검사를 시행해야 한다.

가임기에는 임신관련 출혈, 무배란성 출혈, 질·골반 감염, 양성질환, 내분비질환, 악성질환, 혈액응고장애, 의인성 원인 등이 주요 원인이다. 임신 상태에서는 절박유산, 자연유산, 자궁외임신 등이 출혈의 원인이다. 다낭성난소증후군, 난소기능 부전 등 배란 장애로 인한 불규칙한 무배란성 출혈이 발생할 수 있다. 자궁의 근종, 용종, 자궁선근증 등의 양성 질환도 부정출혈을 유발할 수도 있다. 자궁에 생기는 혹 중에 가장 흔한 것은 자궁근종이며 가임기 여성의 약 25~35% 정도 발생하나 자궁근종을 가지고 있는 여성의 50% 이상은 특별한 증상을 느끼지 못한다. 하지만 자궁근종은 위치, 수, 크기 등에 따라 다양한 증상을 나타내는 질환이다. 월경과다, 골반 통증, 생리통, 성교통과 비정상 자궁출혈이 동반될 수 있다. 피임약의 부작용으로 질출혈이 발생할 수 있는데 배란을 조절해서 피임을 할 수 있도록 해주는 약이지만 점상 출혈, 주기적 출혈, 무월경, 메스꺼움, 두통 등의 부작용이 나타날 수 있다.

갱년기에는 무배란성 출혈, 자궁내막증식증, 자궁내막용종·자궁근종·자궁선근증, 의인성 원인이 주요 원인이다. 폐경 후에는 위축성질염, 자궁내막암·자궁내막증식증, 자궁내막용종, 호르몬요법 등이 주요 원인이며 나이가 들수록 혹에 의한 출혈의 경우 악성 종양 발생 빈도가 올라갈 수 있다.

그러나 폐경 후 에스트로겐 저하로 인한 위축성질염 그리고 직장이나 방광의 문제로도 질출혈은 일어날 수 있기 때문에 정확한 진단 없이 암 공포를 느낄 필요는 없다. 생각보다 많은 여성분들이 부정출혈을 경험하고 있으며 원인에 따라서는 건강상에 큰 문제가 되지 않는 경우도 있지만 가볍게 생각할 부분은 아니며 적극적인 상담과 적절한 검사로 그 원인을 파악하는 것이 자궁과 건강을 지키고 삶의 질을 유지하고 향상시키는 중요한 과정이다.[94]

85. 소리없이 진행하는 병 '경추 척수증'

경추 척수증은 목 부위의 척추관을 지나는 척수라는 중추 신경다발이 여러 가지 원인에 의하여 서서히 압박되며 나타나는 병입니다. 척수는 뇌에서 연결된 뇌조직과 같은 중추신경으로 압박성 척수증이 되면 뇌 손상과 같은 증상을 일으키는데 초기에는 감각신경 증상만 나타나기 때문에 잘 진단이 안되고 방치되는 경우가 많습니다.

척수증은 다섯 단계로 나눠집니다.

1단계는 척수가 눌리면서 감각이상만 나타나는 시기로 경추 척수에 의해 분지되는 신경부위 어디에든 나타납니다. 증상은 하지에만 있기도 하고 상지에만 있기도 하며 상, 하지, 등, 골반,어깨 등 여러 부위 다양하게 나타납니다. 이 시기에는 하지에만 나타나서 요추부위를 수술하는 경우도 흔하며 진단이 잘 되지 않기 때문에 경추 전문의의 진찰에 의해서만 발견되는 경우가 많습니다.

2단계는 걸음걸이가 어둔해지는 단계로 철뚝길 위를 자걸음을 걷는 미세한 걸음이 어둔해 집니다. 그러나 환자는 이때까지도 자각증상이 없어 방치되거나 진단과 치료를 적극적으로 하지 못하는 경우가 대부분입니다.

3단계는 걸음걸이가 어둔해 지면서 일상생활에 지장이 나타나는 경우로 보통 이 시기에는 진단이 어렵지 않습니다. 보통 이 시기에 손의 어둔함이 같이 나타나게 되는데 글자쓰기, 젓가락질, 단추 잠그기가 어둔해 지게 됩니다.

4단계는 지팡이나 보조기 없이 걷지 못하게 되는 상태입니다.

5단계는 휠체어를 타거나 누워 있게 되며 심한 경우 호흡근 마비도 동반되어 인공호흡기에 의존할 수도 있게 됩니다.

척수증의 진단이 중요한 이유는 한번 진행된 척수증을 뒤로 돌릴 수가 없다는 것입니다. 특히 걸음걸이가 눈에 띄게 어둔해지고 손이 어둔해 지면 이는 보통 3단계에 해당하는데 이때는 수술해도 더 이상 나빠지는 것을 막는 것이 목적이며 정상으로 돌리는 것이 목적이 아닙니다.

따라서 척수증은 초기 진단 및 마비가 진행되기 전에 치료를 시행하는 것이 중요합니다.

그런데 한가지 희소식이 있습니다. 척수증의 자가 진단 방법이 있다는 것입니다.

'Tandem gait' 라고 부르는 걸음걸이를 점검해 보는 방법입니다. 우리말로 표현하면 자걸음 정도 될까요? 일직선의 줄을 두고 그 위를 앞꿈치에 뒷꿈치를 붙여가면서 걸어 보는 것입니다.

이런 걸음걸이가 어렵거나 흔들거린다면 적어도 2단계 이상 진행된 척수증이 아닌가 의심해 보면 됩니다.

척수증이 의심되면 전문의의 진찰을 받아 확실한 진단을 하는 것이 중요합니다. 진단은 경부MRI를 촬영하면 쉽게 알 수 있습니다. 이외 근전도, CT 등이 필요합니다.

척수증의 치료는 수술적 치료밖에 없습니다.

수술은 장비와 내과 등 과의 협진이 잘 갖추어진 종합 병원에서 어렵지 않게 시행 할 수 있습니다. 전방 유합술, 후방 유합술 혹은 후방 후궁성형술 등을 통해 압박된 척추를 풀어주는 것으로 경험 있는 의사에서는 비교적 쉽게 시행 할 수 있습니다.

수술의 목적은 마비를 돌리는 것이 아니라 더 이상의 진행을 막는데 있습니다. 따라서 3단계로 진행된 경우 술 후에도 기능의 회복은 완전히 기대하기가 어렵습니다. 그렇다면 초기에 마비가 경미할 때 수술적 치료를 한다면 예후가 좋겠지요.

결론은 초기에 진단하여 마비가 진행되기 전에 수술적 치료를 시행하는 것이 척수증 치료의 최선입니다.[95]

86. 위암의 예방과 관리

우리나라와 같이 위암 발생률이 높은 곳에서는 40세 이후부터 2년마다 위장 조영 검사나 위내시경 검사를 받을 것을 권유하고 있다. 또 위내시경에서 위암의 위험도가 증가되는 소견이 나타나면 정기적인 위내시경 검사가 필요한데 주로 만성 위축성 위염, 장상피화생, 위궤양, 위의 선종성 용종 등이 있다.

위암이 발병 원인은 정확히 나온 것은 없지만 식습관, 환경이나 유전, 문화적 요인들이 있다. 위암 유발 인자인 헬리코박터균, 흡연, 술, 가족력, 짠 음식에 대해 알아 본다.

세계보건기구에서는 위산 속에서도 살 수 있는 나선형 세균 헬리코박터균을 위암을 일으키는 발암 물질로 분류했다. 헬리코박터균 감염이 위암 발생에 독립적으로 관여한다고 인정하기에는 아직 의학적 증거가 불충분하지만, 여러 대규모 역학 연구들에서 헬리코박터 균 감염률이 높은 나라에서 위암의 발병률이 상대적으로 높다고 한다. 헬리코박터균은 위염, 위암 등의 주요 원인으로 위암 발생 위험을 3.8배 증가시킨다.

위암은 흡연과도 관련이 있다. 흡연자는 비흡연자에 비해 위암 발병 위험도가 3배 정도 높다. 우리나라에서 남녀간 식생활 차이가 별로 없음에도 남자의 위암 발생이 여자의 2배 가까운 것은 남성의 흡연율이 여성보다 높다는 사실과 연관된 것으로 보인다. 물론 이외에도 음주 등 다른 환경적 요인이 있지만, 담배는 가장 잘 알려진 발암 원인이다. 흡연은 피할 수 있으면 피하는 게 좋다.

술은 간에 영향을 많이 준다. 다량의 음주를 할 경우 위암 발생 위험을 2배 가량 증가시킨다. 위 점막을 손상시키고 만성 위염을 유발시켜 최종적으로 위암을 발생할 수 있다고 하니 음주를 하더라도 소량을 시간을 두고 먹는 게 좋을 것 같다.

모든 질환이나 암이 그렇듯이 가족 중에 위암이 있는 경우 위암 발생률이 2배로 증가한다. 유전적 요인도 있지만 가족의 생활 환경과 식생활, 식습관이 비슷해서 생기는 것이라고 해석된다.

짠 음식을 많이 섭취한 사람은 적게 섭취한 사람보다 위암 발병 위험도가 4.5배 더 높다. 질산염 화합물(햄·소시지류 등 가공 보관 식품), 탄 음식, 염장 식품들도 위암의 위험을 높인다고 한다. 지나친 염분은 위 점막을 자극하기 쉽고, 자극과 손상이 지속되면서 위암이 발생하기 쉽게 된다. 매운 음식도 위산을 다량 분비하게 해서 위에 자극을 주고 위염과 위궤양 등을 유발하게 된다.

위암의 치료 방법에는 여러 가지가 있다. 수술로 원발 병소를 완전히 절제하고, 위 주위의 광범위한 림프절 절제술을 시행한 후 위장관 재건술을 한다. 수술은 병변의 위치와 침윤 정도에 따라 위아전 절제술(3분의 2 절제), 위전 절제술 및 합병 절제와 함께 위 주위의 광범위한 림프절 절제술을 함께 시행한다. 일부 국한성 표재성 위암에 대해서는 내시경 점막 절제술이나 내시경 점막하 박리술이 시도되고 있다.

여러 메타 분석에서 보조 항암 화학요법이 생존율을 향상시키는 것으로 나타나고 있다. 따라서 위암의 근치적 수술 후 보조 항암화학요법을 권고하고 있다. 수술 전 방사선 치료는 국소적으로 시행하는 위암의 근치 절제 가능성을 높이기 위해 제한적으로 수술 전에 시행한다. 또한 위암의 근치 수술 후 보조 요법으로 항암 화학, 방사선 병용 요법이 고려될 수 있다.

위암 예방을 위해서는 정기 건강검진과 올바른 식습관이 중요하다. 40세부터 2년에 한 번 위내시경 검사는 위암 발병 여부를 확인하는 위암 예방법이라고 할 수 있다. 위암 환자들은 대부분 초기에는 특별한 증상이 없었고 우연히 발견했다고 한다. 그러기에 위내시경을 정기적으로 하는 것이 매우 중요하다. 초기에 진단하거나 예방한다면 치료가 매우 수월해지기 때문이다.

위축성 위염이 있다면 1년에 한 번 위내시경를 실시하고, 장상피화생이 있다면 역시 2년이 아닌 1년에 1회 위내시경을 받는 것이 좋다.

식습관도 아주 중요하다. 훈제 식품을 적게 먹고, 태운 육류나 생선 등을 먹지 않는 게 도움이 된다. 소금에 절인 식품을 비롯해 짠 음식은 피하고, 방부제나 식용 색소가 적게 든 음식물을 선택해야 한다. 딱딱하거나 너무 뜨거운 음식을 삼가하고, 녹황색 채소와 과일을 많이 섭취하는 습관을 들여야 한다.[96]

87. 먹지 않고도 살아갈 수 있는가

적절한 영양 유지는 인체의 정상 기능, 성장, 질병의 예방·회복에 필수적 요소다. 대한민국 사람들은 일제 식민지배, 한국전쟁 등 격동의 시기를 거치는 동안 먹고 사는 데 엄청난 어려움을 겪어왔다. 서민 대부분은 "아이야 배 꺼진다 뛰지 마라!" 하고 지청구를 늘어놓듯 배고픔에 시달려왔다. 산업화 사회, 우리나라가 경제 개발에 성공함으로써 사회 환경과 국민의 영양 상태가 개선됐다. 영양 결핍의 시대가 오히려 영양 과잉의 시대로 바뀌었다는 사실에 격세지감을 느낀다.

영양 과잉의 시대에도 입원 환자의 30% 정도가 영양 결핍 상태에 놓여 있다. 영양 결핍은 환자의 회복에 나쁜 영향을 미칠 뿐만 아니라, 치료 후 합병증과 사망률을 높인다. 특히 장이 막히거나, 병 때문에 장을 대부분 잘라내고, 수술 후 장의 내용물이 피부 밖으로 새어 나오는 장 피부 누공증 환자는 입으로 음식물을 전혀 섭취할 수 없게 된다. 이 경우에는 정맥을 통해서 영양을 공급하는 경정맥 고영양 수액 요법(IVH)으로 영양을 공급한다.

입으로 먹지 못하는 환자에게 경정맥 고영양 수액 요법을 고안한 사람은 1968년 펜실베이니아 의과대학 외과 교수인 스탠리 두드릭이다. 사람이 먹지 못하면 영양실조가 오고 사망에 이르게 되는 것은 보편적 진리였으나, 두드릭이 고 영양수액을 인체의 중심 정맥인 대정맥에 관을 넣어 서서히 주입하는 방법을 고안한 것이다. 이것은 물의 양 탄수화물 단백질 지방 전해질 미량 원소 비타민 등을 인체에 필요한 만큼 인위적으로 계산해서 주입하는 요법으로, 사람이 먹지 않고도 장기간 생존할 수 있다는 사실을 두드릭이 처음 보고했다. 이런 연구 결과는 수술 후 장이 막히거나 장이 지나치게 짧은 환자, 수술 후 장이 새는 장 피부 누공증 환자, 장에 만성질환이 있어 먹어도 흡수가 잘 되지 않는 환자, 항암치료 도중에 오심과 구토 등으로 식사를 제대로 못하는 환자 등에게 희소식이었고, 높은 사망률을 획기적으로 감소시켰다.

생물학과를 졸업한 두드릭 교수는 대학에서 토양의 마그네슘양이 토마토 성장에 미치는 영향에 대한 연구를 수행했다. 이후 펜실베이니아 의대에 입학한 그는 같은 대학의 외과 교수가 돼 영양 결핍이 수술 후 경과에 매우 좋지 않은 결과를 가져온다는 사실을 알게 됐다. 장에 문제가 있어 먹지 못하는 환자는 사망률이 매우 높다는 사실을 알고, 이의 개선책으로 중심 정맥(대정맥)에 주사를 놓아 고영양 수액을 공급하는 경정맥 고영양 수액요법을 생각해냈다. 임상 적용에 앞서 그는 실험 개에게 먹이를 주지 않고 주사만을 이용해서 수개월을 생존, 성장시키는 데 성공했다. 두드릭은 이 고영양 수액법을 사람에게 적용함으로써 '먹지 않고도 살아갈 수 있다' 는 사실을 1968년 학술지에 발표했다. 두드릭의 고영양 수액법은 리스트의 소독법, 플레밍의 페니실린 발견, 마취법의 발견 등과 어깨를 겨루는 현대의학의 훌륭한 업적으로 인정받았다. 먹지 않고도 주사를 통해서 생명을 유지할 수 있다는 것을 두드릭이 증명해 낸 셈이다.

1986년 장을 절제한 후 합병증으로 생기는 장피부 누공증, 불가피하게 장을 너무 많이 절제해 생기는 단장(短腸) 증후군 등의 환자에게 필자도 이 고영양 수액법을 적용·치료했더니 종전 30%에 이르던 사망률이 1, 2%로 크게 개선된 사실을 확인하고, 2년 뒤인 1988년 대한외과학회에 보고했다. 요즘은 대부분의 병원에서 영양지원팀을 조직해 환자 개개인에 대한 영양 상태의 평가, 영양지원의 방식, 영양지원의 양, 영양지원의 종류 등을 평가하고 지원한다. 필자가 근무하는 온종합병원에서도 내·외과 의사 영양사 간호사 약사 등으로 영양지원팀을 구성해 활발한 영양지원을 통한 환자회복에 크게 도움을 주고 있다.

현대의학의 획기적 발견이라는 평가를 받는 경정맥 고영양 수액요법도 단점은 있다. 첫째 비용이 많이 든다는 거다. 우리가 아무리 비싼 음식을 사먹는 데도, 주사로 영양을 공급하는 비용의 10분의 1도 들지 않는다. 합병증으로 생기는 감염 기흉 대사 이상 고혈당증 저혈당증 간 기능 장애 전해질 이상 등도 무시할 수 없는 단점이다. 따라서 우리 인간은 자연의 섭리대로 입으로 먹는 것이, 맛을 즐기면서 건강을 유지하는 최선의 방법이다.[97]

88. 암(癌) 그리고 앎 - 아는 것이 힘이다

"아는 것이 힘이다"

이 격언에 의견을 달리하는 사람은 없을 것이다. 정보에 접근하는 것이 힘든 시절에는 정보의 질보다는 정보의 유무 그 자체가 중요 사안이었다. 어디에 무엇이 있는지? 대중교통이 어디까지 갈 수 있는지? 팔을 다친 사람을 치료할 의사가 있는 병원이 어디에 있는지? 등 이런 일상에서 발생하는 물음에 대한 답이 필요한 시대에는 아는 것은 정말 힘이 되었을 것 같다. 그래서 이것저것 잘 아는 사람에게 '척척 박사' 혹은 '걸어 다니는 백과사전'이라는 말로 유식한 사람으로 대우(?)하곤 했었다.

그렇다면 요즘 같은 정보의 홍수시대에도 여전히 아는 것은 힘이 되는 것일까? 구글을 포함한 다양한 검색프로그램을 이용하면 이 세상에 알 수 없는 정보는 없을 것 같다는 생각이 든다. 난생 처음 가는 외국 여행지도 크게 겁이 나지 않는다. 인터넷 검색창으로 현지 교통 상황은 물론이고 심지어는 현지어로 식사 주문을 하는 것도 가능하다. 간단한 조작을 할 수 있다면 누구든 모든 정보를 얻을 수 있다. 이제 정보는 소수의 것이 아닌 다수의 것이 됐다. 상식이 다수의 것이 되면서 국민의 지식은 일정 부분 그 총량이 증가했을 것이다. 긍정적인 부분이 분명히 있다. 최소한 궁금해 죽는 있은 없을 것 같다. 검색할 수 있는 능력만 갖추었다면.

진료실에서도 마찬가지다. 암이라는 말을 듣고 얼마나 불안하고 또 큰 걱정이 될까? 이것저것 알아본다. 먼저 인터넷에서 '검색'을 해보고서 필자를 찾아온다. 처음 만나는 데도 필자를 잘 알고 있다고 하고, 심지어 내 논문 이야기를 하는 사람도 있다. 위암 이야기를 해보니 훨씬 이해를 잘 하고, 말이 잘 통하는 것 같다. 설명이 이렇게 쉽다면 의사 생활도 할 만한 것 같다. 마치 어려운 수업하기 전에 예습을 하고 온 학생을 대하는 교수 같은 생각이 들 때도 있다. 진단과 치료 등에 대한 어려운 전문단어도 잘 이해하는 것 같다.

호사다마라고 했던가? 몇 차례 진료 후에 막상 치료를 시작하려던 차에 문제가 생겼다. 암이 진행돼서 수술로 제거하는 것보다는 항암치료를 시작하자는 이야기를 했다. 이런 저런 치료법이 있지만 명확하게 효과가 있다는 것은 장담할 수 없다는 이야기를 하는데 표정이 좋지 않다. 의사는 본능적으로 나에 대한 신뢰가 흔들리고 있다는 것을 직감한다. 특정 버섯을 이야기하면서 이것을 이용한 치료를 하고 싶다는 이야기를 하고, 몸을 해치는 항암치료보다는 면역을 증강시키는 자연식과 요양을 하는 것이 어떤지 묻는다. 나는 과학적 검증이 되지 않은 방법을 권장할 수는 없다는 점과 설령 효과가 있더라도 지금은 이런 방법을 쓸 시기가 아니라는 점을 이야기한다. 환자는 선생님이 말한 치료 방법도 효과를 장담할 수 없고, 여러 가지 방법이 있는 것을 다 잘 알지도 못하면서 너무 나쁜 쪽으로만 이야기를 한다고 한다. '나도 다 검색해 봐서 하는 말입니다'라는 말을 덧붙인다. 해마다 몇 번은 겪는 일인데, 이번에는 어색한 관계를 회복하고 환자를 설득하느라 유난히 힘이 든다.

접근이 쉽고 다수가 이용할 수 있는 정보의 제공은 정보화 시대의 장점이 극대화되는 논리적 근거다. 하지만 지금은 많은 정보보다는 올바른 정보가 필요한 시대 즉 그 질을 평가하고 관리해야 하는 시대가 되었다. 양질의 의료 정보도 분명히 많아졌지만, 잘못된 정보, 사람의 마음을 호도하는 선정적인 정보, 정보의 얼굴을 한 광고 등은 오히려 접하지 않는 것이 나을 법하다. 검색을 통해 모르는 것을 쉽게 해결할 수는 있다. 하지만 몇 번의 '손가락 동작'으로 모든 것이 해결되지는 않는다.

특히 의료에서는 더욱 그러하다. 정보가 올바른 지식이 되려면 반드시 전문가의 판단이 필요하다. 검색해본 식당이 맛이 없다면 다시 가지 않으면 그만이지만, 질병에 대한 정보라면 다른 이야기가 될 것이다. 잘못된 정보로 건강을 잃을 수도 있기 때문이다. 이제는 아는 것이 진정한 힘이 되려면 중요한 전제 조건이 필요하다. 아는 것이 무조건 힘이 되는 게 아니라, 제대로 아는 것이 힘이 된다.98)

89. 지방의료원에 '인턴 배분' 해 공공의료 살려야

코로나19 팬데믹이 저무는 이즈음에 감염병 국가 재난 극복을 반기는 마음보다 지방의료원장으로서 앞으로 닥쳐올 경영 어려움에 대한 걱정이 앞선다. 코로나 초기에는 힘들었지만, '덕분에 캠페인' 으로 격려도 받았고 공공의료 중요성을 사회가 높게 인정하는 현상을 체험하며 지방의료원의 미래에 희망을 품기도 했다. 지금은 코로나 환자 수가 격감하는 속도에 비해 일반 진료량은 훨씬 더디게 회복되면서, 이 격차로 인해 앞으로 얼마나 오래 얼마나 큰 적자를 감당해야 될지 가늠하기 어려운 상황이다. 이런 적자 경영이 직원들의 사기 저하로 이어지면서 유능한 직원들이 떠나는 악순환 고리까지 형성되지 않을까 불안하기도 하다.

공공의료의 중요성을 인식한 지방정부들은 시립병원 추가 건립 계획을 발표하고 있다. 그러나 우리나라에서 공공의료를 살리겠다는 시도와 약속의 역사는 짧지 않지만 그 결실을 본 경험은 별로 없다. 이는 실무자인 지방의료원의 입장이 아닌 관리자인 중앙정부의 시각에서 해결책을 수립해왔기 때문이라고 본다. 지방의료원에 재직하면서 정리한 지방의료원 발전방안이 있어 이를 제안한다. 서울에 있는 소위 '빅5 병원' 에서 수련하는 인턴 정원(700여명)을 전국의 지방의료원들로 배분해 "지방의료원을 인턴 수련 병원화하는 것" 이다. 이것은 다음의 유익함을 가져온다.

첫째, 인턴에게 유익하다. 인턴 기간은 의과대학생과 레지던트라는 고밀도 학습기와 고강도 수련기 사이에 끼어 있으면서 교육 성취도는 매우 낮은 기간이다. 학생도 아니면서 제대로 된 의사도 아니어서 학습 기회 및 임상 체험 기회가 둘 다 제대로 제공되지 않는다. 하지만 수련 장소를 지방의료원으로 바꾸면 인턴 지위는 격상된다. 레지던트가 없으므로 전문의의 1차 보조의사로서 다양한 역할이 주어질 것이며 의사로서의 기능을 함양하는 기회를 갖게 된다.

둘째, 지방의료원에 유익하다. 수련병원이 아닌 지방의료원들에 근무하는 전문의들은 모든 진료 단계들을 손수 수행해야만 하며 또한 야간·휴일 당직 근무도 훨씬 빈번히 담당해야 한다. 이런 이유들로 전문의들은 지방의료원 근무를 기피한다. 자신을 보조하는 인턴이 있으면 전문의의 부담은 크게 줄어든다. 이는 지방의료원 근무에 대한 매력도를 높여 우수한 의사 채용을 촉진할 것이다.

셋째, 빅5 병원에 유익하다. 빅5 병원이 인턴 모집을 유지하는 가장 큰 이유는 우수한 레지던트 자원 풀을 확보하는 것이다. 빅5 병원에서 인턴의 의사 역할은 계속 축소되어 인턴 없이도 진료에 큰 문제가 없으며 인턴 수련에 소요되는 시설 및 비용을 감안하면 오히려 유리할 수도 있다. 빅5 병원이 인턴 정원을 지방의료원에 양보한다면 공공의료에 큰 공헌을 하는 것이 된다.

넷째, 공공의료 발전에 유익하다. 우리나라 의료가 급격한 상업화의 길을 가면서 의사가 수련 과정에서 공공의료에 노출되는 기회가 거의 없어졌다. 비록 짧은 인턴 기간이지만 다수의 의사를 공공의료에 노출시킨다면 그중 일부라도 우리 사회에서 취약계층 의료, 지역사회 보건 활동, 비인기 의료분야 공백 등 의료적 문제들이 얼마나 심각한지 이해할 가능성을 높일 것이다.

다섯째, 중앙정부에 유익하다. 의료기관의 의료 품질을 결정하는 요체는 의료진의 품질이다. 지방의료원을 인턴 수련 병원화해 소속 의료진과 직원들의 자긍심을 높인다면, 상업화로 휩쓸려가는 우리나라 의료를 붙잡는 닻과 같은 역할을 지방의료원이 담당하면서 공공의료의 중추로서 발전할 것이다.

물론 많은 어려움이 있을 것이다. 강력한 반대 의견들과 관행에서 비롯된 선입견 및 장애들을 극복하는 지혜와 노력이 필요하다. 우리 의료계는 수년 전에 인턴을 없애고 의대생에서 바로 레지던트로 직행하는 제도를 모색했던 역사를 가지고 있다. 그때 없애지 못한 인턴 제도를 잘 활용하여 더 유익한 방향으로 운영한다면 지방의료원과 공공의료를 살리는 디딤돌이 될 것이다.[99]

90. 전증(간질)에 걸린다면?" 뇌전증의 실제

뇌전증(과거, 간질)은 뇌신경세포가 간헐적으로 흥분해서 이상 증상이 반복적으로 발생하는 흔한 뇌 질환이다. 우리 뇌는 머리끝부터 발끝까지 양방향 신호를 전달하기 위해 세포막에서 전기적인 신호를 만들어낸다. 쉽게 말하자면 뇌에서 의도하지 않은 '스파크'가 튀어 뇌가 감전되는 현상이다.

일반적으로 수면 부족, 음주, 약물 복용 등의 유발요인 없이 발작이 2회 이상 재발할 때 뇌전증이라고 진단하게 된다. 뇌전증을 일으키는 원인은 유전자 이상, 뇌 손상, 뇌종양, 뇌경색, 뇌염, 뇌혈관 기형 등으로 다양하다. 하지만 아직 많은 경우, 특별한 원인을 발견하지 못하는 경우도 많다.

뇌전증은 신생아부터 노인에 이르기까지 뇌를 가지고 있는 한 모든 연령에서 발병하는 질환이다. 인구 1,000명당 4~10명으로 전 세계적으로 6천 5백만 명의 뇌전증 환자가 있고, 우리나라는 약 36만 명의 뇌전증 환자가 있다. 그리고 매년 우리나라에서만 2만 명의 뇌전증 환자가 새로 발생하고 있다.

뇌는 위치에 따라 다양한 기능이 분화돼 있고, 뇌전증이 발생하는 위치나 정도에 따라 발작은 여러 가지 형태로 나타나며 사람이 할 수 있는 생각이나 움직임 모두 증상으로 나타날 수 있다. 어떤 사람은 자꾸 어지러울 수도 있고, 어떤 사람은 입맛을 다시며 멍해질 수 있고, 어떤 사람은 잠시 말문이 막힐 수도 있고, 또 다른 사람은 흔히 알고 있는 '눈이 뒤집히고 거품을 물면서 정신을 잃는' 경우도 있을 수 있다. 치매나 정신질환으로 오진되기도 한다. 같은 종류의 뇌전증이라도 개인에 따라서 나타나는 증상이 다르고 갑자기 나타나기 때문에 예측하기 어렵다. 뇌전증 발작은 수초에서 수분 가량 지속되며, 회복하는 시간 또한 다양하다.

뇌전증은 전조(조짐)만 있다가 뇌에서 전기가 더 강해지거나 주변으로 퍼지면 경련 발작으로 나타나며, 발작은 크게 부분 발작과 전신 발작으로 구분된다. 부분발작은 의식이 있는 단순부분발작과 의식이 없는 복합부분발작으로 나누어지고, 발작 뇌파가 뇌 전반으로 강하게 퍼지게 되면 전신강직간대발작으로 진행하는데 이를 이차적 전신발작이라고 한다.

처음부터 전신강직간대발작으로 내원하는 경우, 대부분 응급실을 경유하게 되며, 환자와 보호자는 큰 충격을 받게 되고, 치료에 대해 받아들이는 경우가 많다. 하지만 쓰러진 채 목격자 없이 발견된 경우, 가벼운 국소 발작의 경우, 뇌전증에 대한 인식이 좋지 않아 치료가 필요하지만, 회피하는 경우도 많다. 뇌전증의 60~80% 정도는 약물이나 수술적 치료로 매우 좋은 효과를 보인다. 하지만 폐렴처럼 항생제를 사용해 세균을 죽이면 없어지는 병이 아니라, 고혈압처럼 약물을 통해서 꾸준히 조절하는 병이므로 규칙적인 항경련제의 복용이 중요하다.

스마트폰이나 컴퓨터도 여러 가지 프로그램을 띄우고 장시간 사용하게 되면 갑자기 작동이 안 되는 경우가 있다. 사람의 뇌 또한 마찬가지다. 과도한 피로나 스트레스, 수면 부족, 음주, 발열, 생리주기에 따른 호르몬의 변화 등은 발작을 일으키는 유발요인이 될 수 있다. 발작에 영향을 미치는 유발 요인을 발견하면 생활 습관을 바꾸거나 이러한 유발 요인을 피할 수 있는 방법을 찾아야 한다.

성인 뇌전증 환자들이 가장 궁금해하는 것이 운전과 임신이다. 운전 중에 정신을 잃거나, 의식의 혼란과 혼동으로 차량을 통제하지 못해 사고가 날 위험이 크다. 예측할 수 없이 돌발적으로 발생한 병의 특성으로 뇌전증 환자는 운전면허의 취득에 제한받는다.

실제 우리나라에서 운전 중에 의식을 잃는 뇌전증 발작이 발생하여 큰 사고로 이어지는 경우가 몇 차례 있었다. 우리나라 도로교통법에는 뇌전증 진단을 받은 사람은 법적으로 운전을 할 수 없다고 명시돼 있지만, 도로교통법 시행령(시행령 제42조 제1항)에서는 위원회에서 전문 의사의 진단을 참조해 제한적으로 운전을 허용하고 있다. 최소 1년간, 뇌전증 증상이 없으며 운전에 지장이 없다는 전문의 소견서와 적성검사를 통해 면허 취득과 유지를 할 수 있다.

뇌전증 환자의 임신과 출산은 금기가 아니며 뇌전증을 앓는 산모의 95%는 건강한 아이를 출산하고 있다. 임신 전, 주치의와 상의하여 미리 준비하게 되는데 엽산의 복용과 안전한 약물로 전환하게 된다. 뇌전증이 있다는 이유로 제왕절개를 해야 하는 것은 아니며, 뇌전증이 잘 조절되는 경우는 대부분 자연분만 및 모유 수유도 가능하다. 예전보다 뇌전증의 인식이 많이 개선되고 있다. 치료받으면 분명히 좋아지는 병이다. 그래서 정확한 진단과 치료가 중요하다. 신경과 전문의와 상의해 건강하고 행복한 삶을 찾을 수 있기를 바란다.[100]

91. 암으로부터 탈출

인간의 욕망은 무병장수하며 다복한 가정을 이루는 것이다. 구약성경에 따르면 인간의 수명을 120세로 정하고 있으나 무두셀라는 969세까지 살았다고 한다. 그런데 인간은 암에 걸려서 주어진 수명을 누리지 못하고 세상을 떠난다.

일찍이 암에 대한 기록은 이집트 문헌에 처음 보이지만 본격적인 기록은 그리스시대부터 나타났다. 암을 뜻하는 영어 cancer의 어원은 그리스어 karcinos이며, 원래 게를 뜻하는 말이었다. 그리스시대 이전부터 널리 알려졌던 암은 여성의 유방암이었다. 암이 어느 정도 진행돼 봉우리가 만져지고 핏줄이 붉어지면 비정상적인 현상이라고 생각했다. 그리스 사람들은 그 모습이 게 같다고 해 이같이 이름을 붙였다. 우리나라에서는 예로부터 암(癌)이 바위라는 개념으로 쓰여 '병들어 누울 역' 자에 '바위 암' 이 만나 딱딱한 바위처럼 만져진다는 데서 유래됐다. 동서고금을 막론하고 그 발단은 유방암으로부터 비롯됐으며, 울퉁불퉁하고 딱딱하게 부어오르는 것이라는 의미이다.

종양은 인체에서 무질서하게 번식해 장기를 파괴하는 조직의 일종을 말한다. 인체에 발생하는 바람직하지 않은 종양에는 성장 속도가 느리고 어느 정도까지 자라면 더 자라지 않으며 생명에 영향을 주지 않는 양성종양과 성장 속도가 매우 빠르며 주위의 정상조직을 침범해 주위 장기를 파괴하는 악성종양(또는 암)이 있다. 악성종양은 무절제한 증식 및 침윤의 특성이 있으며, 발생한 첫 장기를 떠나 임파샘이나 혈관을 통해 간, 폐, 뼈, 뇌 등으로 전이해 결국은 생명을 위협한다. 암 발생의 80~90% 정도가 직접 또는 간접으로 환경요인과 관련돼 있으며, 외인성 발암인자의 90% 이상이 자연환경에 존재하는 각종 화합물질이라고 인정된다. 자동차 배기가스, 담배 연기, 공장에서 사용하는 각종 화합물, 농약, 인공감미료, 식품첨가물, 의약품의 일부가 원인이 될 수 있다.

체내에 생성된 백혈구의 수명은 수시간에서 수백 일에 이른다. 백혈구는 생체 내 염증이 생기면 세균을 탐식한 후 자신도 죽게 되므로 2~3시간 내외에 파괴된다. 백혈구가 죽으면 다른 백혈구로 보충해야 해 5대 영양소를 고루 섭취하며 생산에 필요한 영양요소를 충분하게 공급해야 한다. 세계보건기구, 미국암학회와 국립암센터가 추천한 예방법을 효과적으로 정리하면 다음과 같다.

암의 발생 원인은 ①스트레스는 만병의 근원이므로 스트레스를 피하든지, 피할 수 없으면 즐겨야 한다. ② 불고기, 생선구이 등 검게 탄 음식과 훈제음식은 1급 발암물질인 벤조피렌이 함유돼 있다. 고기 구울 때 100배 이상의 벤조피렌이 발생하므로 탄 음식은 피해야 한다. ③포유동물의 붉은 고기와 햄, 베이컨, 소시지, 패스트푸드와 가공식품은 암을 유발한다. ④흡연과 음주는 암 위험을 증가시킨다. 금연하고 소량이더라도 알코올 섭취를 금해야 한다. 알코올 분해 시 생성되는 아세트알데히드가 암 발생의 원인이 되고 있다. ⑤과다한 나트륨의 섭취는 위암을 일으킨다. 소금은 배추절임하듯이 위에 들어가 위벽을 쭈글쭈글하게 망가뜨린다. ⑥유효기간이 경과했거나 실온에 장기간 방치된 음식은 미생물의 오염원이 될 수 있다. 땅콩은 실온에 방치할 경우 곰팡이에 감염돼 간암을 일으킬 수 있다. 냉장고에 있더라도 3일 이상 경과했으면 된장 등 발효 식품을 제외하고 폐기를 고려해야 한다. ⑦과식하지 말아야 한다. 체내 과다 흡수돼 남는 영양소는 몸에 독이 될 수 있다.

암의 발생 예방은 ①스트레스, 흡연과 음주, 붉은 고기, 나트륨, 검게 탄 음식 섭취 등은 암을 발생시키므로 피해야 한다. ②육체적으로 활발하게 활동해 체력과 면역력을 향상시켜야 한다. ③탄수화물, 단백질, 지방, 비타민, 무기질 등 5대 영양소를 골고루 섭취해야 한다. 곡류, 견과류, 뿌리채소와 다양한 종류의 과일과 토마토, 포도, 호두 및 브로콜리 등 채소를 많이 섭취해야 한다. 채소에는 비타민A와 항산화제인 비타민C, 비타민E가 풍부하다. 항산화제가 많은 과일로 토마토가 추천되고 있다. 5대 영양소를 충분히 공급해 백혈구 생성에 대비해야 한다.

최근 우리나라에서 사망률이 가장 높은 질병은 암이다. 지피지기(知彼知己)면 백전백승(百戰百勝)이다. 암의 발생 원인을 알고 효율적으로 대처하면 창세기에서 보장한 120세까지 장수할 수 있을 것이다.[101]

92. 호르몬 전쟁

먼저, 나는 화가 나서 이 글을 쓰기 시작했음을 밝힌다. 내 휴대폰은 하루 두 번 알람이 울린다. 기상과 호르몬 약 복용 시간. 지름 0.5㎜도 안 되는 이 작은 알약 하나가 갖는 위력은 무척 세지만, 그만큼 부작용도 따른다. 지난주에 매년 필수로 받아야 하는 암 검사를 마치고, '올해는 별일 없나 보다' 안도하는 나를 보며 만감이 교차했다.

증상의 양상, 강도, 기간 등 개인적 차이는 있지만, 완경 전후 호르몬 고갈로 인한 갱년기 증상들은 중년 여성들의 삶의 질을 크게 좌우한다. 그럼에도 그저 노화 과정 중 하나이니 개인적으로 '견뎌내야 하는 것'으로만 인지하고 있었다. 그러다 우연히 신문 기사를 통해 영국의 사례를 읽고 부러움과 동시에 화가 솟았다.

최근 국제사회에서 갱년기 여성들의 노동과 건강권을 주목하기 시작했는데, 영국이 대표적이다. 영국은 이미 10여년 전부터 갱년기 여성들의 고통을 국가적 이슈로 인지하고, 다양한 조사와 대책을 수립했다. 조안나 부루이스 영국 오픈대학 교수는 "영국에서는 90만명 넘는 여성이 완경으로 조기에 직장을 떠난다. 완경기 여성들의 조기 퇴직으로 인한 생산성 손실은 전 세계적으로 179조원 이상"이라고 말했다. 문제의 심각성을 인지한 영국 평등청(Government Equalities Office)은 구체적 조사와 지원책을 마련했다. 경영자에게는 갱년기 여성 근로자에게 적절한 치료 프로그램을 제공하고, 휴가를 주도록 권했다. 정부, 학계, 경영계, 노동계가 손을 잡고 76개 기업을 '갱년기 친화 기업'으로 인증했다. 영국노총(TUC)에서도 갱년기 여성을 위한 가이드를 발간해 노조와 고용주가 해야 할 일, 직장 단위 지원책, 갱년기 교육 등을 제공하고 있었다.

국내 현실은 어떨까? 국내 완경기 여성 80% 이상이 "증상이 괴롭고 치료가 필요하다"라고 호소하지만, 적극적인 치료와 관리를 받지 못한 채 건강기능식품 의존도는 매년 높아지고 있다(대한폐경학회, 2020). 나처럼 병원 호르몬 치료를 택한 사람들도 전문가마다 견해가 달라 정보를 접할수록 오히려 불안만 가중된다. 국내 연구는 주로 갱년기 인식, 치료실태, 심리적 측면에 초점을 맞추고 있어 갱년기 여성들의 노동권, 사회적 대책 등 다각적 측면의 지원방

안은 요원하다.

나는 감히 촉구한다. '꾸준한 운동과 균형 잡힌 식사' 이제 그런 얘기는 그만 듣고 싶다. 개인적 노력 말고, 사회적 인정과 지원을 받고 싶다. 생애 주기별 특성을 반영한 실질적 정책과 사회적 공론화가 필요한 때다. 갱년기를 생애전환기 필수 검진 항목으로 지정하고, 전문의로부터 충분한 상담과 교육이 뒷받침되기를 희망한다. 병원, 보건소, 직장, 가정 각 단위별 세부 지침을 마련하고, 누구나 소외받지 않고 눈치 보지 않고 검사와 치료를 받을 수 있는 제도와 환경이 조성되기를 바란다.

10월8일이 세계보건기구와 국제폐경학회가 지정한 '세계 폐경의 날' 인 것도 이번에 처음 알게 되었다. 앞으로 갈 길이 멀다. 갱년기에 관한 사회적 인식이 바뀌고 정부와 기업이 나서도록 하기 위해서 당사자들이 더 목소리를 내야 할 때다. 당장 나부터라도 갱년기에 관해 더 많이, 더 자주, 더 당당히 얘기하련다.[102]

93. 누구에게나 올 수 있는 공황장애

유명 연예인들이 공황장애를 겪는 것을 공개적으로 밝히면서 생소하던 공황장애가 사회적 이슈가 되던 때의 일이다.

필자에게 공황장애를 진단받고 치료하던 중년 여성 환자가 딸에게 "엄마가 공황장애로 치료받고 있어" 라고 했더니 딸이 "엄마가 무슨 연예인이야" 라고 말했다고 하는 웃지 못할 에피소드가 있다.

공황장애를 앓는 연예인들이 많이 알려지면서 일종의 직업병처럼 연예인 병으로 알려진 경우가 있으나, 공황장애는 연예인만 걸리는 연예인 병이 아닌 누구에게나 올 수 있는 흔한 병이다. 공황장애의 평생 유병률은 3% 내외로 알려져 있다. 우리나라 인구를 5천만이라고 한다면, 150만명이 일생에 한번은 공황장애를 앓는다는 의미이다.

이렇듯 공황장애는 흔한 병이나, 공황장애를 포함한 정신과 병에 대한 편견으로 과소진단 되고 과소치료돼 공황장애 환자들은 치료와 회복의 기회를 놓치고 고통 속에서 삶의 질이 현격히 떨어진 채 살아가고 있는 경우가 많다.

그러나 지난 2012년 이후 유명 연예인들이 방송에서 공황장애로 치료받고 있다는 것을 용기 있게 공개하면서 공황장애를 포함한 정신과 병을 바라보는 일반인들의 편견과 낙인이 감소하는 긍정적인 효과가 생겨났다.

일반인들에게 공황장애를 포함한 정신과 병을 정신적 및 사회적 능력의 결격 사유가 아니라 치료받아야 하는 의학적 병으로 받아들이는 효과를 낳았다.

용기 있는 그들의 고백에 동시대를 살아가고 있는 정신건강의학과 의사의 한사람으로서 깊은 감사의 마음을 전한다. 이러한 흐름에 힘입어, 공황장애에 대한 인지도와 정신과 치료의 수용도가 과거보다 높아지면서 치료받는 공황장애 환자 수가 증가하고 있다.

국민건강보험공단의 자료에 따르면, 공황장애로 진료받은 환자는 지난 2010년 약 5만명에서 지난 2020년에는 약 20만명으로 10년 동안 4배 가까이 늘었다.

그럼에도, 아직도 여전히 많은 환자는 적절한 전문적인 치료를 받지 않고 있는 것이 현실이다.

일반인들이 공황장애를 정신과 병으로 인식하지 못하는 이유에는 정신과 병에 대한 편견뿐만 아니라 발현되는 공황장애 증상에도 있다.

공황장애는 예상치 못하는 공황발작 증상이 반복적으로 있어야 하는데, 의학적으로 공황발작은 아래 13가지 증상 중, 4가지 이상이 갑자기 동시에 나타나는 경우이다.

공황발작 증상은 다음과 같다.

①맥박이 빨라지거나 가슴이 심하게 두근거리거나, 심장이 빨리 뛴다. ②가슴 부위에 통증이나 불편감이 느껴진다. ③숨이 가쁘거나 답답한 느낌. ④질식할 것 같은 느낌. ⑤땀이 많이 난다. ⑥화끈거리거나 추운 느낌. ⑦손발이나 몸이 떨린다. ⑧감각이상(감각이 따끔거리거나 둔해지거나 하는 느낌). ⑨ 어지럽거나 불안정하거나 멍한 느낌이 들거나 쓰러질 것 같은 느낌. ⑩메스껍거나 복부 불편감. ⑪비현실감(현실이 아닌 것 같은 느낌) 또는 이인증(내가 아닌 느낌, 자신으로부터 분리되어 있는 느낌). ⑫스스로 통제할 수 없거나 미칠 것 같은 두려움. ⑬죽을 것 같은 공포감 등이다.

공황발작 증상을 구분해서 살펴보자. 공황발작 증상은 심폐계 증상군(①~④), 신경계 증상군(⑤~⑨), 소화기계 증상군(⑩), 인지정신 증상군(⑪~⑬)으로 나눌 수 있다.

이상에서 알 수 있듯이 공황발작의 증상은 인지정신증상보다 심폐계 증상, 신경계 증상, 소화기계 증상 등 신체적 증상이 더 많다. 때문에 공황장애 환자들은 심장내과 혹은 호흡기 내과를 많이 방문하다. 또 신경과를 방문하거나, 드물게 소화기 내과에 방문하기도 한다.

증상이 심한 경우 응급실을 방문하지만, 공황장애는 심장, 호흡기계, 신경계, 소화기계 자체의 병이 아니기 때문에 각종 내과 및 신경과적 검사에서는 이상 소견이 발견되지 않는다.

일반인들은 신체적 증상이 있으면, 신체적 병이라고 생각하기 쉬운데, 반드시 그렇지는 않다.

공황장애의 경우 신체적 증상들이 많이 나타나지만, 신체적 병이 아니다. 공황장애는 뇌의 불안 중추인 뇌간의 청반(locus ceruleus)의 기능 이상에 기인한 불안장애의 일종으로 정신과 병이다. 당뇨나 고혈압이 누구에게나 올 수 있는 병이며, 전문적인 치료가 필요하듯, 공황장애도 누구에게나 올 수 있는 병이며, 전문적인 치료가 필요하다.

소를 잃었으면 외양간을 고쳐야 한다. 소를 잃고 소와 관계없는 곳을 고치는 우를 범하지 말아야 하듯이 건강을 잃어 병을 얻었다면 그 병에 대한 정확한 진단과 그에 맞는 전문적인 치료를 받아야 한다.

공황장애의 평생 유병률은 3% 정도로 누구에게나 올 수 있는 흔한 병이며 신체적 증상이 많이 나타나기는 하나, 신체적 병이 아니라 정신과 병으로 전문적인 정신건강의학과 치료를 받고 빠른 회복을 하자는 것이다.

공황장애를 편견(偏見)으로 보지 말고 정견(正見)으로 보자.

공황장애 환자들이 더 이상 갑작스럽게 찾아오는 죽을 것 같은 공포, 고통 속에서 벗어나 평안의 날을 맞기를 바란다.103)

94. “마약 환자 뇌 손상 어릴수록 심각…금단현상은 지옥의 고통”

천영훈 인천참사랑병원 원장이 지난 10월26일 인천 서구 참사랑병원에서 경향신문과 인터뷰하고 있다. 천 원장은 “‘마약과의 전쟁' 은 마약 환자를 치료할 시설이 없다면 의미가 없는데 매우 부족한 실정" 이라면서 "정부가 컨트롤타워를 통해 실질적인 마약 대책을 마련해야 한다" 고 말했다(우철훈 선임기자).

마약중독을 전문적으로 치료하는 국내 소수 전문의 중 한 명이다. 원광대 의대에서 정신과 수련의 과정을 거쳤다. 인천 서구에 위치한 정신건강의학 전문 인천참사랑병원에 2003년 합류했고, 2007년부터 병원장으로 일하면서 보건복지부 지정 마약중독자 전문 치료기관으로 선정되는 데 핵심 역할을 했다. 한국마약퇴치운동본부 이사, 서울고검 및 인천지검 의료자문위원을 맡고 있다. 식품의약품안전처 마약류안전관리심의위원회 위원이기도 하다. 마약 퇴치에 기여한 공로로 2018년 대통령 표창을 받았다.

재벌 3세들의 마약 투약 사건이 최근 또 발생했다. 마약사범이 연간 1만명을 넘고 전국 모든 하수처리장에서 불법마약류 성분이 검출되는 한국은 더 이상 마약청정국이 아니다. 문제를 해결하려면 마약중독자들을 치료할 인프라도 충분해야 한다. 하지만 국내 마약 전담 치료시설을 갖춘 병원은 겨우 2곳에 불과하다. 그중 한 곳인 인천참사랑병원에서 마약치료전문의로 일하는 천영훈 원장을 지난 10월26일 만났다.

천 원장은 "마약 환자의 지능지수는 중독되기 전 정상 범주에서 중독 후엔 지체지능 수준으로까지 떨어진다. 젊을수록 이 같은 뇌 손상은 심각해진다" 며 "확산하는 마약에 대응하려면 치료시설 확충이 절실하다" 고 말했다.

그는 "오늘날의 대마초는 개량종이라 1960~1970년대와 다르므로 합법화해선 안 된다" 며 "처방전으로 남용되는 약물 중독 문제는 미국보다 우리가 더 심각하다. 의료계의 각성이 필요하다" 고 말했다.

- 마약, '아주 조금, 한 번만' 하면 괜찮습니까.

"미량 정도로 괜찮은 마약이 있다면 저도 먹고 우리 가족들한테도 먹였겠죠. 그런 마약은 없어요. 우리가 일상생활에서 술·담배 정도로는 경험 못하는 강력한 쾌감을 유발하는 물질이 마약이에요. 마약 환자들은 '하늘로 떠올라 천국을 엿봤다'고 해요. 추락한 이후엔 삶이 지옥입니다. 예외 없어요. 마약으로 물의를 빚었던 연예인들이 방송활동 멀쩡하게 하니까 마약이 대수롭지 않다고 오해하는 분들이 많은데, 옛날 대마초 얘기일 뿐입니다. 주사기로 마약했던 이들은 이미 고인이 됐거나 연예계에서 사라졌습니다."

- 마약은 뇌에 어떤 작용을 합니까.

"일상생활의 기쁨은 엔도르핀 또는 도파민의 작용인데 가장 높은 경우는 성관계를 통한 오르가슴입니다. 마약은 이의 13배에서 많게는 100배를 최장 72시간에 걸쳐 뇌에서 쏟아지도록 합니다. 태어나서 죽을 때까지 나올 엔도르핀과 도파민을 다 긁어모아도 못 따라갈 정도의 양이 단번에 분비됩니다."

마약류의 종류

구분	종류		특성
천연마약	아편계	양귀비	키 1~1.5m 식물 . 아편의 원료
		아편	식욕·성욕 상실, 구토, 호흡장애
		모르핀	아편보다 강한 중독성, 호흡억제, 발한, 변비
		헤로인	모르핀보다 강한 중독성, 내분비계통 퇴화, 자아통제 불능
		코데인	진통, 진해 의약용으로 사용
	코카계	코카인	심장장애, 경련, 과대망상, 정신착란
		크랙	코카인보다 저렴하나 중독위험 심각
합성마약	페티딘계		호흡감소, 경련, 내성, 의존성
	메타돈계		아편계 중독 치료, 내성, 의존성
향정신성의약품	환각제	LSD	자기통제력 상실, 재발성 환각질환
		MDMA (엑스터시)	변비, 혼수, 자아통제 불능
		메스칼린	환상, 환각
	각성제	암페타민류	불안, 흥분, 망상, 정신착란
		YABA	우울증, 정신착란, 공포
	억제제	진정수면제	의존성, 호흡곤란, 심기능 및 사고 저하
		신경안정제	운동실조, 착란
대마류	대마초		흥분과 억제 두 가지 작용
	대마수지 (해시시)		빠른 감정변화, 사고 및 기억 단절
	대마오일 (해시시오일)		자아상실감

자료 :관세청

- 이때 뇌는 어떻게 망가지나요.

"쾌락중추인 보상계에는 엔도르핀·도파민 공장이 있는데, 마약은 이 공장을 미친 듯이 가동시키고, 과열된 공장들은 점점 무너집니다. 결국에는 기쁨을 느낄 수 없는 상태가 되죠. 뇌 손상은 약물에 따라 다른데, LSD의 경우 뇌 안에 있는 고속도로 같은 회로들을 망가뜨리고, 필로폰·펜타닐 등의 약물은 뇌세포를 손상시킵니다. 필로폰 한 번 하는 것은 220V짜리 노트북에 1만V 전류가 지나는 것과 마찬가지예요. 고압전류가 회로를 다 찢어버리는 거죠. 중독 이전 지능에 비해 입원환자들의 지능지수(IQ)는 거의 20~30 정도 떨어진 상태입니다. 심할 경우 정신지체 수준에 이릅니다. 문제는 통제기능을 하는 전전두엽이 망가지면서 판단력이 떨어져 마약을 더 하게 된다는 겁니다. 알코올·도박 같은 다른 중독보다 약물중독이 훨씬 더 빨리 망가지고 회복률이 떨어지는 이유입니다. 금단 증상도 심각하죠. 펜타닐 계통 마약 환자는 뼈마디가 다 끊어질 듯한 지옥의 고통을 호소합니다."

- 어릴수록 뇌 손상이 심각하다고요.

"인간의 뇌는 25세 무렵 완성됩니다. 건축에 비유하면 골조공사를 마치고 마지막 외장재를 덮어야 하죠. 그래서 어린 시절에 약물을 시작할수록 뇌 손상은 광범위해집니다. 완공 전에 해일이 밀려와 건물이 다 쓸려나가는 것과 마찬가지예요. 미국 대학생들이 남용해 문제가 됐던 암페타민 계통 각성제 '애더럴'을 국내 일부 학부모들이 미성년 자녀들에게 먹였다는 얘기를 듣고 어처구니가 없더군요. 뇌 회로를 빨리 돌려서 태우는 것과 다름없죠."

- 젊은층 내 마약 확산이 문제가 되고 있습니다.

"2016년 저희 병원의 마약 외래환자 대부분이 40~50대 남자였어요. 현재 환자 수가 10배 이상 늘었는데 10~20대가 절반을 차지합니다. 중년 남성들은 대부분 숨어서 혼자 마약을 했고, 직장·가정을 책임져야 하니까 회복의 동기도 있었어요. 그런데 젊은층은 모여서 하고, 체력이 받쳐주니까 약을 하고도 크게 힘든 걸 몰라요. 동남아 여행 가서 클럽을 통해 여러 종류의 마약을 패키지로 합니다. 필로폰 등에 국한됐던 예전과 몇년 새 크게 달라졌어요. 신종 마약이 문제라고는 하지만, 어차피 기존 마약까지 다 쓰는 경우가 대부분이라 기존 마약 중심으로 대책을 짜는 편이 낫습니다."

- 마약중독에 취약한 것도 유전됩니까.

"부모가 알코올중독일 경우 자녀도 따라갈 확률은, 그렇지 않은 부모인 경우에 비해 3~5배까지 높다고 보고됩니다. 반면 마약은 그 자체가 워낙 강력한 물질이라 유전성과 무관해요."

- 자녀가 마약을 하는지 알아챌 방법이 있나요.

"우리나라는 각성제 계통을 많이 합니다. 그래서 활동량이 많아지고, 행동이 부산해지고, 몇날을 밤을 새울 정도로 잠이 없어집니다. 마약 복용 사실을 숨긴 상태에서 병원에 가면 조울증으로 오인되기도 해요. 반면 안정제 계통에 의존하는 이들은 의욕 없이 누워 지내고 잠을 많이 잡니다. 자녀 방에서 낯선 약봉지가 발견되면 부모님이 반드시 물어보고 확인을 하셔야 합니다. 그런데 아이들은 약을 할 때 가족들을 피해 '잠수'를 타는 경우가 대부분입니다."

- 공무원, 교사 등의 직업군에 대해 마약중독 검사가 시행되고 있는데요.

"간이검사 키트로는 최장 2주 전 투약 여부만 확인 가능합니다. 검사일을 공고하면 그 날짜만 피해 마약을 하는데 어떻게 잡나요. 외국의 일부 기업에서는 그래서 불시에 전 직원 소변검사를 합니다."

- 대마초 얘기를 해볼까요. 미국 일부 주와 태국이 대마초를 합법화했는데 괜찮은 겁니까.

"문제입니다. 지금의 대마초는 1990년대 초까지 유통되던 대마초와 전혀 다릅니다. 예전에 미국 히피들이 피우던 대마초는 환각을 유발하는 테트라하이드로칸나비놀(THC) 성분 함유량이 '떨' 하나에 3.6~3.8%였어요. 그리고 96%가 약용 가능한 칸나비디올(CBD)이었고요. 그런데 미국 정부 모니터링에 따르면 현재 미국 내 유통되는 대마초의 THC 함량은 18~21%예요. 편집증·망상·환청을 비롯한 사이코시스(정신증)를 유발하는 THC 레벨이 16%인데 이를 훨씬 넘어섰어요."

- 어떤 변화가 있었나요.

"업자들은 CBD 우세종인 인디카 대마가 아닌 THC 우세종인 사티바를 집중적으로 품종개량했습니다. 여기에다 약품처리를 한 합성대마는 THC 함량이 62%이고, 액상대마는 92.8%예요. 대마를 피웠는데 주사기로 필로폰 한 것 같은 정신증으로 환자들이 병원에 오는데, 2~3년 전만 해도 없던 일입니다. 미국은 1980년대 마약과의 전쟁을 하면서 대마를 1종 마약으로 지정했어요. 이후에는 의학연구도 막혔습니다. 현재 근거로 제시되는 자료들이 그래서 다 옛날 연구 결과들에 불과합니다."

- 미 콜로라도주 등은 왜 대마초를 합법화했나요.

"경제력 약한 마약중독 환자들이 주사기를 돌려쓰면서 미국은 1980~1990년대 후천성면역결핍증(에이즈)과 C형 간염 환자가 폭증했습니다. 2002년 미 클린턴 정부는 주사기 교환 프로그램(needle exchange program)을 도입해 거점센터에서 헌 주사기를 새 주사기로 무상교환해줬어요. 미국은 이렇게 강성 마약도 통제가 안 되고, 고등학생들까지 대마초를 피울 정도로 마약이 만연해요. 2014년 콜로라도가 대마초를 합법화한 것은 돈이 돼서입니다. 갱단이 가져가는 대마초 유통 수입을 주정부가 세금 형태로 거두고 이를 국공립 교육시설 확충 등에 쓰겠다고 공언했어요. 산업기반이 약한 터라 마약을 고부가가치 산업으로 택한 거죠. 가공식품 및 음료 산업의 경제유발 효과가 수조원대로 예상됐거든요. 결과는 좋지 않습니다. 대마는 다른 마약의 대체재가 아닌 교량 역할을 하는 것으로 드러나고 있어요. 다국적 제약회사들이 콜로라도 농장을 사들여 대규모로 대마를 재배하면서 밀려난 중소 자영농들은 산으로 숨어들어가 대마를 재배하고 암시장은 더 커졌습니다."

- 대마초가 담배보다 금단현상이 적다는 주장도 있습니다.

"담배의 니코틴 작용시간은 5분인데, THC는 최장 4시간입니다. 약기운이 떨어지는 속도가 빠를수록 금단현상이 심하게 나타나는 것일 뿐이고, 뇌에 미치는 악영향은 THC가 훨씬 강합니다."

- 마약으로 손상된 뇌가 다시 살아날 수 있나요.

"죽은 뇌세포는 살아나지 않아요. 하지만 신기하게도 마약과 술을 완전히 끊고 9개월 정도가 되면 살아 있는 뇌세포가 나뭇가지 뻗듯이 성장하고, 3년 정도가 되면 원상복구가 됩니다. 중독은 시간과의 싸움이에요. 알코올·도박·마약 중독 모두 100일이 고비입니다. 시간이 지나면 마약에 대한 갈망이 줄어들고 충동을 조절할 수 있는 힘이 생겨요."

- 지난 국정감사에서 '한국은 경쟁사회에서 불행지수와 자살률이 높아 마약이 퍼질 토양이 갖춰져 있다'고 지적하신 바 있습니다.

"경제적·시간적 여유가 없는 청소년들과 청년층이 건강한 여가생활과 즐거움을 향유할 수 있는 인프라가 갖춰지지 않는다면, 방구석에서 가장 가성비 높은 쾌락은 인터넷게임 중독 아니면 마약 정도밖에 없어요. '피자 한 판 값' 에 약을 살 수 있는 환경이 된 것도 문제죠. 게다가 처방 약물에 중독되기도 쉬운 상황이에요. 외국에서 강성 마약을 하던 이들이 한국 병원에서는 달라는 대로 약을 다 주니 '살 만하다' 고 할 정도입니다. 의사들은 '이 환자가 왜 굳이 이 약을 찾을까' 경각심을 가져야 합니다."

- 마약 환자 증가세에 비해 치료시설은 매우 부족하다고요.

"마약류 중독자 치료보호 지정기관 20여개 중 시설을 갖춘 곳은 저희 병원 등 두 곳에 불과합니다. 법무부에서 '마약과의 전쟁' 을 선포했는데, 잡아들이면 뭐합니까. 재활시설이 없다면 의미가 없어요. 우리나라는 강력한 마약범죄 처벌에도 불구하고 재범률이 40% 정도인데, 이건 처벌이 해법이 아니라는 뜻입니다. 서구에서 성공한 마약정책이 딱 두 가지인데, 앞서 말씀드린 주사기 교환 프로그램과 '약물 법정' 입니다. 마약사범을 구속하는 대신 판사가 사회복지 전문요원을 배치해 마약 환자의 치료 및 재활 과정을 점검하고, 모범적인 경우에는 전과를 말소시켜줍니다. 우리 정부도 컨트롤타워를 통해 실질적인 마약 대책을 마련해야 할 때 입니다."

가. 마약 보도에도 가이드라인 필요하다

국내 언론의 마약 보도에 대해 천영훈 인천참사랑병원장은 "마약에 대한 경각심을 환기하려다가 마약 유통경로를 소개하는 수준이 되면 곤란하다" 고 말했다. "한국언론(기자협회)이 2004년 자살보도 윤리강령을 도입하고, 2012년 성폭력 범죄보도 세부 권고기준을 마련한 것처럼 마약 보도에 대해서도 동일한 방식의 가이드라인을 둬야 한다" 는 것이다. 마약 범죄 증가 추세에 맞게 도입 검토가

시급하다.

그는 한 방송에서 온라인을 통해 마약을 구입하는 방법을 구체적으로 시연했는데, 호기심 많은 10대들이 이를 따라했다가 실제로 약물에 중독된 경우가 있다고 말했다. 유통책들은 이 같은 마약 초보들에게 LSD나 엑스터시 같은 더 높은 단계의 마약을 샘플로 제공하며 더 깊은 중독의 늪으로 끌어들인다.

천 원장은 마약 보도 관련 자료영상으로 흰색 가루나 주사기를 클로즈업해서 보여주는 것도 지양돼야 한다고 했다. "필로폰 환자들은 주사기만 봐도 가슴이 벌렁벌렁한다고 호소한다. 그런 화면은 마약 사용을 부추긴다고 느낄 정도로 자극적"이라는 것이다. 병원에서 처방하는 마약성 약물이 문제가 된다는 보도를 하면서, 약품의 구체적 상표명을 언급하는 것도 문제 소지가 있다.

'텔레그램을 통해 비트코인으로 마약을 구입, 결제하면 단속이 어렵다' 같은 내용도 부적절하다고 천 원장은 지적했다. 게다가 사실도 아니다.

"국가를 불문하고 마약 판매자는 기소될 경우 유죄협상(플리 바기닝) 용도로 구매자 정보를 관리하기 때문에 구매자는 100% 다 걸리게 돼있다"면서 "추적하기 어려운 다크웹과 특정 장소에 물품을 미리 놓고 가는 '던지기 수법'으로 마약을 구입한다고 잡히지 않는 게 아니다"라고 설명했다.[104)]

95. 새해 결심에서 우리가 놓치는 한 가지

"술을 적게 마시고, 담배를 끊고, 낯선 사람에게 황당한 소리를 하지 않는 것이랍니다." 영화 '브리짓 존스의 일기'에서 여자 주인공 브리짓은 신년 가족 파티에서 새해 결심을 이렇게 말한다. 사람들은 새해의 시작과 함께 자신의 직업적 스킬을 개발하거나 나쁜 습관을 없애고자 하는 열망을 새해 결심으로 집약한다. 좋은 의도에도 불구하고 새해 결심에는 좌절이 흔히 따라다닌다. 좀 의지가 약한 사람은 새해가 10일만 지나면 예전의 자기로 돌아가며, 한두 달 후에는 더 많은 사람들이 새해가 들면서 세웠던 목표를 포기하고 새해 결심 자체를 망각하고 만다. 이런 일이 연례행사처럼 반복하면 사람들은 자신감이 줄어들고, 아예 새해 결심 자체가 쓸데없다고 판단하여 그것을 하지도 않게 된다. 위의 사례 외에 체중을 6kg 줄이고, 토익 점수를 800점 넘기겠다는 등의 목표도 새해 결심의 흔한 유형이다. 그런데 그런 목표는 장기간의 노력이 필요하기 때문에 달성하기가 쉽지 않다.

그러나 새해 결심의 본질을 우리가 제대로 이해한다면 그 목표에 도달하지 못한다고 해서 실망하지 않을 것이다.

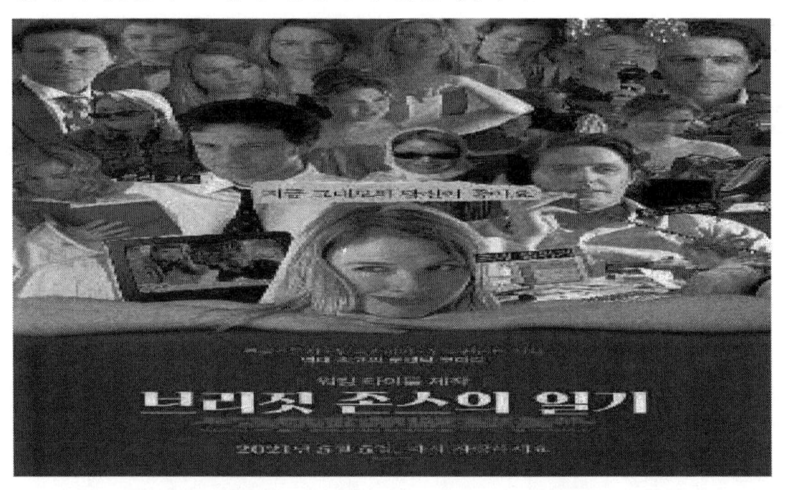

목표는 가치를 지향한다. 매일 한 시간씩 운동하는 것은 목표이

며, 이 목표는 건강의 가치를 지향한다. 토익 점수를 800점 넘기겠다는 것은 목표이며, 이 목표는 영어 능력 개발의 가치를 지향한다. 브리짓은 새해가 되면서 일기장에 매일매일 체중과 피우는 담배 개수, 그리고 마시는 술의 양을 적는다. 이렇게 자신의 생활을 제어하고자 하는 것은 목표이며, 그것은 남자로부터 관심을 받아 사랑을 나누고자 하는 관계의 가치를 지향한다.

현대 사회는 목표만 지나치게 염두에 두다 보니 자주 가치와 목표를 혼동하는데, 이 둘은 다른 개념이다. 여행에 비유하면 가치는 여정의 방향이며, 목표는 여정에서 거쳐 가는 도시이다. 우리가 부산에서 서쪽으로 여행한다면 진주와 여수는 목표이며, 서쪽 방향이 가치이다. 목표는 도달할 수는 있지만, 가치는 도달할 수 없다. 모든 도시에 도달하더라도 우리는 계속 서쪽으로 여행할 수 있는 것이다.

목표에 도달하지 못해도 여전히 가치를 지향할 수 있다. 매일 한 시간씩 달리기하려는 목표를 한 달이 지나 포기할 수 있다. 그러나 그 사이 우리는 건강의 가치를 실현하고 있었으며, 3일에 한 번 30분씩 운동하더라도 여전히 그 가치를 지향하고 있는 것이다. 브리짓은 새해가 들며 결심한 절주와 금연의 목표는 달성하지 못하고 실패한다. 그러나 그녀는 좌절하지 않고 출판사에서 방송국으로 이직하는 등 다른 방식을 발견하여 매력적 여성이 되어 간다.

사람들이 각자 추구하는 가치는 다양하게 보인다. 그런데 모든 가치를 하나의 단어로 통합하면 그것은 행복이다. 무엇이 행복인지 철학사에서 크게 두 개의 입장이 고대에서부터 지금까지 대립하고 있다. 하나는 아리스토텔레스학파이며, 다른 하나는 에피쿠로스학파이다.

에피쿠로스의 사상은 지금 한국 사회에서 위력을 떨치고 있는데,

그것은 행복을 쾌락이라고 간주한다. 행복에 관한 이런 사상을 쾌락주의라고 부른다. 쾌락주의자는 관능적 쾌락에 탐닉하는 사람으로부터 산속에서 고행하는 수행자에 이르기까지 정반대로 보일 정도로 다양한 형태로 살아간다. 쾌락에는 종류가 아주 많기 때문이다. 적극적 쾌락은 승리나 음주에서 오는 환희나 유쾌한 상태이며, 소극적 쾌락은 불안이나 고통의 부재에서 오는 덤덤한 마음 상태이다. 우리가 새해 결심처럼 목표를 높이 설정하면 달성에 실패하기 쉽고 실패에는 좌절의 고통이 따라온다. 에피쿠로스는 적극적 쾌락을 향유하기는 어렵다고 보고 목표를 낮추고 욕망을 줄여 아타락시아 즉 마음의 평정을 추구하는 인생 전략을 세웠다. 목표가 별것 없으면 실패할 일도 없고 그러면 당연히 좌절의 고통도 없을 것이다.

반면 아리스토텔레스학파는 행복을 인간적 역량의 발휘라고 간주한다. 인간이 동물이나 식물과 다른 점은 독특한 능력을 갖추고 있다는 것이다. 그것은 배우고 탐구하며 행동과 감정을 통제하는 지성 즉 이성의 역량이다. 이 능력을 누구나 가지고 태어난다. 그러나 어떤 사람은 이것을 개발하지 않고 썩히며 사는데 그런 부류의 인생은 동물의 삶과 비슷하다. 어떤 사람은 계속 지성을 개발하고 활용하며 산다. 이런 삶은 고통스러울 수도 있지만 지성의 역량을 충분히 발휘할수록 인생은 더욱 행복하다고 아리스토텔레스는 확신한다.

무엇을 행복이라고 생각하는지는 각자의 판단에 달려 있다. 어떻든 새해 결심은 궁극적으로는 행복의 가치를 추구하는 소망에서 나온다. 실패가 그런 노력에 자주 동반하더라도 우리가 행복을 향해 나아가고 있다면 실망할 필요는 없다. 돌아가더라도 가는 것이고, 늦더라도 아예 하지 않는 것보다 낫다.[105)]

나가는 글

죽는 사람이 적고, 장수하는 사람이 많을수록 그 집단의 건강수준이 높다고 할 수 있습니다, 건강수준은 유아사망률이나 평균수명 등으로 예측할 수 있습니다.

그러면, 우리나라의 건강수준은 어떻게 되어 있는 것일까요?

우선, 유아사망률을 보면, 다른 나라에서 예를 볼 수 없을 정도로 급속히 낮아져서 현재에는 세계에서도 꼽을 수 있는 낮은 비율로 되어 있습니다.

또, 평균수명도 착실히 연장되어 왔습니다. 평균수명이 60세가 되지 않는 나라가 아직 다수인 가운데, 우리나라는 남녀 모두 80세 전후이고, 세계 수준의 장수 국가가 되어 있습니다.

즉, 오늘날의 우리나라는 '태어난 아이의 대부분은 장수할 수 있는 사회라 할 수 있습니다.'

지금으로부터 60년 쯤 전의 우리나라는, 젊은 사람이 결핵으로 죽거나 아기나 어린아이가 설사, 장염이나 폐렴, 기관지염 등으로 사망하는 것은 결코 드문 일이 아니었습니다.

그런데, 1960년대 5·16 군사정변 후 경제성장에 의해 생활수준이 높아지고 식량 사정이 좋아졌습니다. 또한 생활환경이 위생적으로 되고, 보건이나 의료제도가 좋아짐에 따라 오늘날에는 그러한 전염병에 의해 어린 아이가 죽는 일은 거의 없어졌습니다.

반면, 식생활의 서구화나 운동부족 또는 정신적 스트레스 등에 의해 간, 심장병, 당뇨병, 고혈압, 동맥경화, 암이라고 하는 성인병에 걸린 사람이 늘어 왔습니다.

이들 병은 그 원인이나 진척 상태가 생활습관과 깊게 연관되어 있기 때문에 생활습관 병으로 불러지고 있습니다, 사망의 원인을 보면, 감염에 의한 전염병 대신에 생활습관 병으로 사망하는 사람이 대단히 많아지고 있습니다.

생활습관 병이 되면 완치하는 것은 무리입니다. 또, 나이를 먹으면 쇠약해져서 벗어날 수 없습니다. 그 때문에 오늘날에는 평균수명은 늘었다고 하지만, 몸의 상태가 나쁜 사람이나 그것이 원인으로 생활이 제한되어져 있는 사람은 오히려 늘어나는 경향에 있습니다.

현대 한국인의 식사는 영양소의 양에서 보면 평균치로는 대체적으로 좋은 편이라고 할 수 있습니다. 그러나 세세히 살펴보면, 칼슘이 부족하거나 혹은 소금을 너무 많이 먹는 경향을 볼 수 있습니다. 또 지방의 과다섭취도 문제가 되고 있습니다. 지방의 과다섭취는 비만이나 당뇨병 같은 생활습관 병으로 이어집니다.

개인적으로 보면 다이어트나 편식 때문에 에너지가 부족하거나 영양소가 편중되어져 건강에 여러 가지 문제가 생기는 사람도 있습니다. 예를 들면, 같은 것이나 좋아하는 것만 먹고 있으면 특정 영양소의 과다섭취와 다른 영양소의 부족을 초래하는 등 영양면의 편중을 가져옵니다.

균형 있는 식사의 형태란? 신체 리듬에 맞춰 제때에 규칙적으로 식사하는 것은 매우 중요합니다. 다양한 식품들은 각기 다른 여러 가지 영양소를 공급합니다. 영양학적으로 균형 잡힌 식사를 하려면 다양한 식품을 섭취하여, 부족 되는 영양소가 없도록 해야 합니다. 그리고 우리 몸이 필요한 만큼 적당량을 먹어야 합니다.

최근 많이 볼 수 있는 식품조리가 다 되어진 식품의 이용이 영양면의 편중을 낳는 경우가 있습니다. 부족한 영양소를 함유한 식품을 곁들이는 등, 그 이용 형태에 주의해서 필요한 영양소를 충분히 균형을 맞추는 것이 중요합니다.

또, 아침을 거르는 1일 2식의 '합쳐진 식사' 나 시간에 쫓긴 '급한 식사' 는 에너지 과다 섭취로 이어지는 것도 알 수 있습니다. 1일 3식, 규칙적으로 하는 것이 중요합니다. 게다가 식사는 마음이 통하는 좋은 기회입니다. 가능하면 가족이 모여 단란하게 또는 친구나 동료와 함께 즐겁게 식사를 할 수 있도록 노력합시다.

건강은 적절한 식사를 하는 것만으로는 이루어지지 않습니다. 우리는 식사와 함께 적절한 운동을 하는 것으로 심신의 기능을 유지시키기도 높이기도 할 수 있습니다. 그런데 기계화, 자동화가 진척된 현대에서는 생활 중에 몸을 움직일 기회가 적기 때문에 의도적으로 운동을 하지 않으면 운동부족이 되어 버립니다.

운동부족이 되면 심장이나 폐의 기능이 저하되기 때문에 '숨참' 이나 '가슴 두근거림' 이 일어나기 쉬워집니다. 또, 뼈를 튼튼하게 할 수도 없습니다. 게다가 운동부족은 비만, 혹은 순환기계나 당뇨병 등에도 연관되어 있습니다. 이와 같이 우리는 운동이 부족함에 따라 여러 가지 영향을 받는 것입니다.

이들의 문제를 예방하거나 해소하기 위해서는 전신의 근육이 활동하고, 게다가 10분 이상 이어질 수 있는 전신지구력을 높이는 운동이 적당합니다. 조깅 등의 지구력운동은 호흡기나 순환기의 기능을 높일 뿐만 아니라, 에너지를 많이 소비하기 때문에 비만 해소에도 도움이 됩니다.

참고문헌

고은정(2016. 12. 12). 과도한 운동 피하고 준비 운동 필수. 매일신문.

공우석(2007. 07. 10). 발등의 불, 한반도 온난화. 세계일보.

곽호순(2017. 02. 10). 욕구와 방어기전. 영남일보.

국민건강 보험공단(2006). 건강한 삶을 위한 생활 습관 지침서. 서울: 국민건강 보험공단.

김경숙 옮김(2007)/Joe Quirk. 정자에서 온 남자 난자에서 온 여자. 서울: 해냄출판사.

김범택(2016. 05. 05). 밥으로 보약 만들기. 중부일보.

김선영 옮김(2005)/山西哲郎. 건강 달리기. 서울: 우등지.

김연수 옮김(2003)/George Sheehanl. 달리기와 존재하기. 서울: 한화멀티미디어.

김영호(2016. 12. 28). 애쓰지 말자. 부산일보.

김용수(2019). 건강한 삶 속으로. 서울: 부크크.

김철중(2017. 01. 09). 감염병 분류체계를 알아보자. 한국교직원신문.

김태년(2017. 01. 18). 고기와 흰쌀은 죄가 없다. 국제신문.

류설아(2017. 01. 09). 다이어트는 계단 오르기부터, 금주와 금연, 경기일보.

매일신문(2017. 01. 09). 운동 결심, 근육통 탓 작심삼일 안되려면.

박윤희(2017. 02. 07). 체중 감량 속도 높이는 칼로리 버너 식품 10가지. 세계일보.

박정규(2017. 01. 02). 건강관리 10계명. 뉴데일리경제.

박종훈(2017. 01. 16). 침묵의 고혈압 놔두면 심혈관병 키워. 서울신문.
박창규(2007. 01. 06). 물 걱정 없이 살 수 없을까. 중앙일보.
박효순(2017. 01. 30). 노년기 건강 88하게 챙기는 8가지 건강 수칙. 경향신문.
박효순(2017. 02. 01). 단백질 섭취가 부족하다는 몸의 신호 6가지는. 경향신문.
선주성(2006)/Joschka Fischer. 나는 달린다. 서울: 궁리출판.
성기홍(2004). 걷기 혁명 530, 마사이족처럼 걸어라. 서울: 한국경제신문.
성동진외 1인(1999).조깅과 마라톤. 서울: 명진당.
성경림(2017. 01. 09). 시력 앗아가는 녹내장 40대는 정기 검진 필수. 서울신문.
세계일보(2007. 05. 07). 걱정되는 한국인의 건강.
송시연(2017. 01. 23). 충북한 수면, 개인마다 달라. 중요한 것은 시간보다 질. 경기일보.
신용환(2017. 01. 24). 키 성장에 도움을 주는 운동. 영남일보.
조상원(2016. 11. 22). 겨울철 실내 공기 오염으로부터 건강을 지키자. 경남일보.
안강(2017. 01. 11). 테니스엘보는 쉬면 좋아지는 병?. 동아일보.
안유배(2016. 03. 24). 당뇨병의 예방. 중부일보.
안철우(2016. 12. 31). 인슐린 저항성과 성인병 대사증후군. 헤럴드경제.
여에스더(2010). 나잇살. 서울: 랜덤하우스코리아.
우종민(2007. 04. 26). 잘 사는데 정신질환 왜 늘어날까. 중앙일보.
유성열(2017. 01. 23). 아이가 현재보다 미래에 고민이 많으면 사춘기? 우우증?. 동아일보.
윤대현(2017. 01. 16). 운동, 숙제처럼 하면 오히려 병 된다. 조선일보.
윤창호(2017. 01. 04). 서거달(서고 걷고 달리자) 운동. 매일신문.
이규식(2007. 07. 10). 건강보험 패러다임을 바꾸자. 중앙일보.
이기수(2017. 02. 07). 웨이트 부상 70%는 고유불급 때문에....운동 전 스트레칭 필수. 국민일보.
이동석(2016. 07. 27). 성조숙증, 건강한 성장에 더 많은 관심 필요. 경북일보.
이세연(2017. 02. 08). 허리디스크 안전지대 없다. 젊은 나이에도 방심은 금물. 국민일보.
이용권(2016. 08. 09). 급하고 과하게 되면, 운동도 체한다. 문화일보.
이용권(2016. 11. 08). AST · ALT 수치 높으면 간(肝)질환, 요반백 양성 땐 신장 체크를. 문화일보.
이용권(2017. 01. 03). 운동 · 체중 감량 지속 가능한 시간대 찾아라. 문화일보.
이우사(2017. 01. 24). 뼈 약한 노인 아이, 치명적 후유증 정확한 진단 먼저. 경상일보.
이은주(2017. 01. 06). 건강이란 이를테면 균형이다. NewsMarker.
이정옥 외(2007). 건강한 성 행복한 삶. 서울: 중앙진흥연구소.
이창곤(2007). 추적 한국 건강 불평등. 서울: 밈.
이현정(2017. 01. 02). 새해 밥상 바꿔 배들레 햄 빼자. 서울신문.
이혜진(2017. 01. 04). 건강관리 처방. 매일신문.
임현술(2017. 01. 04). 예방 접종 계획을 세워 실천하자. 경북일보.
장요한(2017. 01. 17). 키 성장 프로젝트, 나쁜 자세 바로잡기. 영남일보.
전북도민일보(2017. 01. 09). 환경오염 물질 배출 사업장 종사자에 경각심을.
정병선(2006)/Bernd Heinrich. 우리는 왜 달리는가. 서울: 이끼북스
정지혜(2017. 02. 08). 젊으니까 괜찮다고? 젊을 때부터 챙기세요. 동아일보.
정진엽(2017. 01. 03). 앎과 더불어 사는 삶. 국민일보.
조상원(2016. 11. 12). 겨울철 실내 공기오염으로부터 건강을 지키자. 경남일보.
조영태(2007. 05. 07). 걱정되는 한국인의 건강. 세계일보.
조철민(2017. 01. 27). 반듯한 척추, 반듯한 대한민국. 국제신문.
중부일보(2017. 01. 16). 5세 지나도 소변 못 가리는 아이 부모에게 물려받을 수도.
정태영(2017. 01. 04). 영등감에 벗어나려면. 부산일보.
정현용(2017. 01. 09). 연령별 운동법. 서울신문.
정현용(2017. 12. 12). 배변 참는 버릇, 변비 걸리기 십상. 서울신문.
최정숙(2016. 11. 30). 식생활을 알면 삶이 건강해진다. 전북일보.
충북세종지부(2017. 02. 02). 혈관 늙으면 만성질환 어릴 때부터 관리 필요. 충북일보.
황미영(2017. 01. 25). 청소년 정신건강 증진 지원 방안. 충북일보.
홍은희(2017. 01. 11). 노인의 간(肝) 어떻게 다를까. 기호일보.
홍은희(2016. 12. 28). 저탄수화물·고지방 식단 정말 괜찮을까. 기호일보.
홍정(2016. 12. 29). 환경문제, 우리 모두가 해결해야. 경인일보.
홍혜걸(2006). 책으로 보는 KBS 생로 병사의 비밀. 서울: 영신사.
조현철(2003). 운동과 건강. 서울: 라이프 사이언스.

〔주석〕

---

1) 박윤희. 건강식품, 세계일보. 2017년 2월 7일.
2) 강석준. 여름철 눈 관리, 광주일보, 2020년 8월 27일.
3) 고승현. 어지럼증의 원인, 제민일보, 2020년 8월 31일.
4) 이샘물. 겨울철과 뇌중풍(뇌졸중) 환자, 동아일보, 2013년 1월 21일.
5) 김동섭. 결핵 집단 감염 급증, 조선일보, 2013년 2월 1일.
6) 유길준은 1882년 신사유람단 일원으로 일본을 여행한 적이 있고, 1883년 외무낭관(外務郎官)으로 뽑혀 미국을 방문했으며, 갑신정변 직후 1885년 가을 '대서양의 풍파와 홍해의 열풍을 헤치고 지구를 꿰뚫어 이 해 겨울에 제물포'에 도착했다. 귀국 후 그는 『서유견문』을 집필하여 1895년 그것을 출간했다(신동원, 2006: 110).
7) 신동원, 노인건강, 비만, 무도학회지 2010, 12(2): 111-112.
8) 이혜진. 더 건강해지려면 '자기혈관 숫자' 알아야, 강원일보, 2020년 9월 16일, 17면.
9) 송지혜. 우리는 '어차피족' 인가 '최소한족' 인가, 시사IN, 2020년 10월 1일.
10) 변진경. '1번' 환자 완치시킨 김진용 전문의, "최악의 경우 대비한 과감한 결단 필요하다",호수, 2020년 3월 3일.
11) 〈시사IN〉은 속보보다 심층보도에 초점을 맞춥니다. 코로나19 사태 원인과 대책, 그리고 그 후 대처를 깊이있게 보도하겠습니다.
12) 김미리, 박돈규, 변희원, 곽창렬, 남정미, 조유진, 안병현. 추석까지 '코로나 집콕' 9개월...기자들의 내 집 관찰기, 조선일보, 2020년 10월 2일.
13) 임세호. '비만과 웰빙' 으로 승부 걸다,『Yakup』, 2008년 1월 10일.
14) 전수일. 포스트 코로나 로컬 가치에 주목, 강원일보, 2020년 10월 8일, 19면.
15) 양재성. 코로나를 이기는 묘약은 가족 간 믿음이다, 경남도민일보, 2020년 6월 8일.
16) 김보미, 장도리. 우리의 관계는 병마보다 강하다, 경향신문, 2020년 4월 9일.
17) 박상철, 이수완. 건강장수 식단: 소식(小食)의 새로운 등장, 아주경제, 2020년 9월 27일.
18) 송민령. 식욕을 조절하는 포만감, 경향신문, 2020년 7월 30일.
19) 김상수. 수면과 면역력, 강원도민일보, 2020년 11월 12일, 10면.
20) 김민아. "질병권이란 '잘 아플 권리'…만성질환자에겐 건강권보다 소중", 경향신문, 2020년 11월 28일.
21) 안희제. 질병권, 현재를 살아내기 위한 권리,『비마이너』, 2020년 11월 12일.
22) 안희제의 말 많은 경계인은 관해기(증상이 일정 정도 가라앉아 통증이 거의 없는 시기)의 만성질환자. 장애인권동아리에서 활동하고 노들장애학궁리소에서 수업을 들으며 질병과 통증을 새로운 시좌로 받아들이기 시작했다. 몸의 경험

과 장애학, 문화인류학에 관심이 많고, 앞으로도 그것들을 공부하려 한다. 책 『난치의 상상력』을 썼다.
23) 김홍표. 태반에 암수가 있다고, 경향신문, 2020년 12월 3일.
24) 박효순. “폐경호르몬요법이 유방암 발생 높인다는 건 오해”, 경향신문, 2020년 12월 4일.
25) 이동건. 암환자에게 효율적인 예방접종법, 경향신문, 2020년 12월 18일.
26) 김한권. 50대 절반 앓는 전립선 비대증, 겨울철 과음・약물 주의를, 강원도민일보, 2021년 1월 6일, 17면.
27)이상헌. 어깨 통증, 다 같은 오십견이 아니다, 경향신문, 2021년 4월 23일.
28) 네이버 지식백과. 아스클레피오스, 상담학 사전, 김춘경, 이수연, 이윤주, 정종진, 최웅용, 2016년 1월 15일.
29) 한겨레. ‘의술의 신’ 아스클레피오스의 고향에서 치유의 지혜를 찾다, 2020년 9월 18일.
30) 김동홍. 그리스 신화 속에 담긴 치료와 돌봄을 찾아서... ‘신화의 쓸모’ 출판, 위시라이프, 2020년 10월 1일.
31) 김헌. 취약계층 돌봄・생업 보장은 국가 책임, 문화일보, 2024년 7월 12일.
32) 박근빈. 제약・의료・바이오, 뉴데일리, 2020년 9월 28일.
33) 권순일. 인간과는 달리…고릴라는 골다공증 없는 이유(연구), 코메디닷컴, 2020년 10월 5일.
34) 최은경. 인류는 질병 공동체, 한겨레21, 2020년 6월 2일.
35) 한겨레21 ‘코로나 뉴노멀’ 통권1호를 e-북으로도 보실 수 있습니다. 클릭하시면 ‘알라딘’ e-북 구매 링크로 연결됩니다.
36) 유수인. 감염병은 인류를 어떻게 변화시켰나, 메디 IN, 2020년 7월 24일.
37) 박한선. 의사들의 음모, 경향신문, 2020년 10월 13일.
38) 박효순. 당신이 휴대폰 화면에 빠진 사이, 고통받는 목뼈는 ‘급속 노화’ 중, 경향신문, 2020년 10월 9일.
39) 김웅빈. ‘좀비 인간’ 만드는 미생물은 없다, ‘광란의 춤’ 유발 세균은 있다, 경향신문, 2020년 10월 15일.
40) 김웅빈 교수는 1998년부터 연세대학교에서 미생물 연구와 교육을 해오면서 미생물의 이야기 미담(微談) 중에 미담(美談)이 많다는 것을 깨닫고, ‘미생물 변호사’를 자처하며 흥미로운 미생물의 세계를 널리 알리는 데 힘쓰고 있다. 연세대 입학처장과 생명시스템대학장 등을 역임했고, 한국환경생물학회 부회장으로 활동하고 있다. SCI 논문 60여편을 발표했으며, 저서로는 〈나는 미생물과 산다〉 〈미생물에게 어울려 사는 법을 배운다〉 〈미생물이 플라톤을 만났을 때〉 (공저) 등이 있다. ‘수다’는 말이 많음과 수가 많음, 비잔틴 백과사전(Suda) 세 가지 의미를 담고 있다.
41) 박효순. 1분1초가 중요한 뇌졸중…골든타임 놓치지 마세요, 경향신문, 2020년 10월 30일.
42) 배문규. 도살 같던 외과수술을 혁명하다, 경향신문, 2020년 10월 30일.
43) 수술의 탄생. 린지 피츠해리스 지음/이한음 옮김, 서울: 열린책들, 2020. 10. 25.
44) 한현욱. 인간의 수명 연장 프로젝트 ‘정밀의학’, 강원도민일보, 2020년 11월 4일, 18면.
45) 김홍표. 적혈구가 바이러스의 무덤이 되는 상상, 경향신문, 2020년 9월 3일.
46) 김성권. 정기 건강검진, 항목 많을수록 좋을까…불필요한 것 줄이고 특성 따른

조정을, 경향신문, 2020년 11월 6일.
47) 황춘하. 방광에도 쥐가 날 수 있다?, 경향신문, 2020년 12월 25일.
48) 박효순. 금연・금주…아무리 말해도 지나치지 않는 '폐암・간암 예방법', 경향신문, 2021년 1월 22일.
49) 라선영. '면역항암제' 만병통치약으로 오해…환자에 맞는 전문가의 치료 따라야, 경향신문, 2021년 1월 22일.
50) 김재욱. 몸속 생체 전기는 '생명의 전기', 경향신문, 2021년 1월 31일.
51) 정혜주. 우리 모두의 건강을 위한 상병수당, 경향신문, 2021년 2월 18일.
52) 박효순. 무심코 넘긴 증상…뇌종양 '적신호', 경향신문, 2021년 2월 19일.
53) 장덕진. 한국판 백신 정치의 사소함, 경향신문, 2021년 2월 23일.
54) 추혜인. '갱년기' 잘 보내기, 경향신문, 2021년 2월 24일.
55) 박효순. 일어설 때마다 '어질어질'…나, 기립성 저혈압 아닐까, 경향신문, 2021년 2월 26일.
56) 박한선. 바키나에와 마과회통, 경향신문, 2021년 3월 2일.
57) 권수영. '마음건강 정책' 첫 단추가 중요하다, 경향신문, 2021년 3월 10일.
58) 김용수. 강원대학교체육과학연구소, 체육과학연구세미나 자료, 2021년 6월 28일.
59) 이진송. 마른 몸 이상화하는 '프로아나'가 생기는 까닭, 경향신문, 2021년 3월 19일.
60) 맹성준, 한창근, '청소년의 신체 이미지 왜곡이 우울에 미치는 영향 : 스트레스의 매개 효과를 중심으로', 보건사회연구, 한국보건사회연구원, 2017.
61) 권미선, 최승원. '20대 여성의 신체상 왜곡과 신체불만족에 관한 연구', 문화와 융합 제42권 12호, 한국문화융합학회, 2020.
62) 박효순. "술은 1군 발암물질…소량 음주도 구강・후두암 등 일으켜", 경향신문, 2021년 3월 19일.
63) 박인출. 구강질환 예방에 더 많은 관심 가져야, 경향신문, 2021년 4월 9일.
64) 황춘하. 발기부전 치료제는 나눠 먹지 마세요, 경향신문, 2021년 4월 9일.
65) 박효순. 한쪽 귀에서 갑자기 "삐~"…속삭이듯 들리는 일상적 대화…'앗' 내가, 돌발성 난청?, 경향신문, 2021년 4월 9일.
66) 박효순. 잠만 잘 자도 면역력 쑥쑥~ 코로나도 두렵지 않아요, 경향신문, 2021년 4월 16일.
67) 박효순. 불임・조기유산 일으키는 자궁근종…숫자로 보니, 경향신문, 2021년 4월 23일.
68) 신수정. 충치 관리도 '골든타임' 지켜야, 경향신문, 2021년 4월 30일.
69) 박효순. 뒷골 당기는 두통, 자세부터 바로잡으세요, 경향신문, 2021년 5월 14일.
70) 박효순. 조현병 '공격 증상', 일상 행동에 담겼다, 경향신문, 2021년 5월 21일.
71) 박효순. 소리 없이 여성의 삶 갉아먹는 자궁근종, 경향신문, 2021년 6월 4일.
72) 박효순. 울화・분노 쌓이는데…정신과 문턱 못 넘는 사람들… "불이익・차별 두려워요", 경향신문, 2021년 6월 11일.
73) 박효순. "조기 위암, 80%가 무증상…위내시경 등 검사 중요", 경향신문, 2021년 6월 18일.
74) 박효순. 요실금, 비슷해 보여도 해결책은 다르다, 경향신문, 2021년 7월 2일.
75) 박효순. 열사병 주의보!…몸은 뜨거운데 땀 안 나면 위험, 경향신문, 2021년 7

월 23일.
76) 김윤하. 임신 중 자궁근종 제민일보, 2021년 8월 2일.
77) 이진한. '콜레스테롤', 제대로 관리하라, 동아일보, 2021년 9월 17일.
78) 박효순. 찬바람 부는 아침, 심장 놀라게 하지 마라, 경향신문, 2021년 10월 15일.
79) 박효순. 'C형간염 국가검진' 논의 6년째 제자리걸음, 경향신문, 2021년 10월 22일.
80) 박의석. 무릎에서 한번 물을 빼면 계속 빼야 한다는데 사실일까, 충북일보, 2021년 10월 31일.
81) 김정구. 암(癌) 그리고 앎, 대전일보사, 2022년 1월 12일.
82) 이수찬. 수술 잘하는 의사의 조건, 서울경제, 2022년 1월 29일.
83) 김재호. 단백질 신화의 그늘, 아시아경제, 2022년 1월 28일.
84) 김순동. 노루궁뎅이 버섯 균사체로 발효한 옻 차, 매일신문, 2022년 1월 28일.
85) 박성규. 아는 만큼 건강해진다, 충청일보, 2022년 2월 3일.
86) 추혜인. 약은 늘리는 것보다 줄이는 것이 어렵다, 경향신문, 2022년 2월 9일.
87) 김홍표. 당신의 간은 밤새 안녕하십니까, 경향신문, 2022년 2월 24일.
88) 박효순. 뇌졸중 부르는 심방세동, 심전도 검사 필수, 경향신문, 2022년 2월 25일.
89) 이영섭. 우리는 어떻게 봄을 맞이해야 할까?, 중도일보, 2022년 3월 4일, 18면.
90) 박건우. 국가암통계로 알아보는 유방암, 충청일보, 2022년 3월 3일.
91) 추혜인. 여전히 석연치 않은, 갱년기 호르몬 치료, 경향신문, 2022년 3월 9일.
92) 조영훈. 항문 질환 치질 오인 많아 정확한 감별 필요, 강원도민일보, 2022년 3월 16일, 21면.
93) 정경미. 급한 불끄기식 정신건강정책, 누구를 위한 것인가, 경향신문, 2022년 5월 4일.
94) 김정호, 권혁민. 부정출혈 원인진단 통해 삶의 질 유지해야, 강원도민일보, 2022년 5월 11일, 21면.
95) 서보건. 소리없이 진행하는 병 '경추 척수증', 경북일보, 2014년 2월 11일, 11면.
96) 김동규. 위암의 예방과 관리, 광주일보, 2022년 5월 4일.
97) 김동헌. 먹지 않고도 살아갈 수 있는가, 국제신문, 2022년 5월 15일, 22면.
98) 김정구. 위암, 대전일보, 2022년 5월 11일, 18면.
99) 이중의. 지방의료원에 '인턴 배분' 해 공공의료 살려야, 경향신문, 2022년 5월 19일.
100) 김해종. "내가 뇌전증(간질)에 걸린다면?" 뇌전증의 실제, 경북일보, 2022년 6월 16일, 13면.
101) 한현우. 암으로부터 탈출, 기호일보, 2022년 6월 7일, 18면.
102) 남경아. 호르몬 전쟁, 경향신문, 2022년 8월 25일.
103) 사공정규. 누구에게나 올 수 있는 공황장애, 경북매일, 2022년 8월 29일, 16면.
104) 최민영, 천영훈. 마약 환자 뇌 손상 어릴수록 심각…금단현상은 지옥의 고통, 경향신문, 2022년 12월 6일.
105) 배학수. 새해 결심에서 우리가 놓치는 한 가지, 부산일보, 2024년 1월 11일.

건강 명언 10가지

인간이 반드시 겪어야만 한다는 네 가지 고통, 생(生)·노(老)·병(病)·사(死) 중 가장 큰 고통이 건강하지 못하여 신체에 문제가 발생되는 통고(痛苦)라 할 수 있다.

1. 인간이 많은 지식을 연마하고, 익혀서 지성을 갖추고, 그 지성을 인류를 위해 최선으로 베풀 수 있다면 가장 건강하고 성공한 인생이라 이야기 할 수 있다.

2. 건강을 잃으면 수많은 재산도 아무 필요가 없게 된다. 반면 건강하다면 살아있는 것 자체가 기회일 수 있다.

3. 건강해야만 나 자신과 가족이 행복하게 살아갈 수 있으며, 그래야 사회에도 이바지 할 수 있으며, 그 사회 또한 건강해진다.

4. 운동으로 하루의 시간을 알차게 보낼 수 있으면, 인생은 건강과 함께 풍요로워 질 수 있다.

5. 건강을 잃으면 인생 전체를 잃는 것이다.

6. 몸이 건강하면 다양한 생각을 펼쳐서, 다양한 행동을 할 수 있지만 몸이 병들면 모든 생각과 행동이 움츠려들게 된다.

7. 인생은 마라톤이다. 모든 것을 적절하게 안배해 가며 건강하게 살아가야 한다.

8. 건강을 해치면서 이룬 부와 명예는 바닷가에 쌓아둔 모래성에 불과하다. 한 순간에 무너져 버린다.

9. 건강하지 않은 젊은이 보다, 건강한 늙은이가 더 큰일을 할 수 있다. 나이 보다는 건강한 사람만이 큰일을 할 수 있다.

10. 건강 해야만 인생을 의미 있고, 활기차고, 행복하게 살아 갈 수 있을 것이다(편안한 느티나무).